サラバ！ 上

西加奈子

小学館

サラバ！ 上

サラバ！　上／目次

サラバ！ 下／目次

装画　西 加奈子

ブックデザイン　鈴木成一デザイン室

第一章　猟奇的な姉と、僕の幼少時代

僕はこの世界に、左足から登場した。

母の体外にそっと、本当にそっと左足を突き出して、ついでおずおずと、右足を出したそうだ。両足を出してから、速やかに全身を現すことはなかった。しばらくその状態でいたのは、おそらく、新しい空気との距離を、測っていたのだろう。医師が、僕の腹をしっかり摑《つか》んでから初めて、安心したように全身を現したのだそうだ。それから、ひくひくと体を震わせ、皆が少し心配する頃になってやっと、僕は泣き出したのだった。

とても僕らしい、登場の仕方だと思う。

まるきり知らない世界に、嬉々《きき》として飛び込んでゆく朗らかさは、僕にはない。あるのは、まず恐怖だ。その世界に馴染《なじ》めるのか、生きてゆけるのか。恐怖はしばらく、僕の体を停止させる。そして、その停止をやっと解き、背中を押してくれるのは、諦めである。自分にはこの世界しかない、ここで生きてゆくしかないのだから、という諦念は、生まれ落ちた瞬間の、「もう生まれてしまった」という事実と、緩やかに、でも確実に繋《つな》がっているように思う。

僕の後の人生を暗示したかのようなその出産は、日本から遠く離れた国、イランで起こった。首都、テヘランの郊外にある、イラン・メヘール・ホスピタルという病院で、僕は産声を上げたのだ。

母は、全身に麻酔をかけられていたから、その瞬間のことは、まったく、覚えていないそうだ。僕が逆子だったから、そのような処置を施したのだったが、近代的なその病院では、出産は自然の為《な》されごとというよりは、手術が必要な軽度の病気と同程度、というような認識があった。全身麻酔での出産は、だから、そう不自然なことではなかったらしい。

実際、母が分娩室《ぶんべん》に入ったときも、医師は、マスクをし、髪の毛を隠し、手袋をした両の掌《て》を顔の高さまであげる、というあの、「映画やドラマなどで見る手術シーン」の仕草をしながら、部屋に入ってきたのだそうだ。

「麻酔をします、ていうことと、2時間で産ませてあげる、て言うてはったことは、覚えてるねんけど、あとのことは、なーんも、覚えてないんよね。」

そう言った母は、イランの公用語であるペルシャ語も、英語も、まったく話すことができない。左足を突き出し、続いて右足を、という出産の一部始終も、母が後に医師から聞いたそうで、だから本当はどうだったのか、定かではない。だが、知るはずもない言葉が分かる、どういう回路でかは説明出来ないが、何かすごく伝わってくる感覚は、僕の身にも覚えがあるから、僕は母を信じることにしている。

赴任先のイランで、母の妊娠が疑われたとき、父は母を日本か、医療技術の進んでいるドイツで出産させようと思っていた。だが、初めての検診から戻った母は、父にイランで産みたい、と訴えた。検診を担当した医師が、素晴らしい人だったから、というのだ。

医師の名は、オストバール氏という。氏の写真が残っていないのが残念だが、母に言わせると、恰幅《かっぷく》が良く、優しい目をしていて、一見して、信頼に値する人物だと、分かるらしかった。

母の人生は、ほとんどこのような直感によって成り立っていた。特に、人物評に関して、それは顕著だった。

例えば、テレビに出ている人を見る際、母はその人がどのような肩書きの人間かを知る前に、ほとんど直感で「好き」、「嫌い」を決めてしまっていた。そういった決断をする人間は、他にもいるだろうが、母の場合、その直感を、後々変えることが一度もなかったし、よしんばその人の行いを知ったところで、全く揺るがないという強さがあった。最初に嫌いと思った人間は、1億円の寄付をしていたって、子猫をたくさん保護していたって、ずっと「嫌い」だったし、最初に好きだと思った人間は、脱税をしていたって、赤ん坊の前で煙草《たばこ》を吸っていたって、ずっと「好き」なのだった。

僕の名前である「歩」を決めたのも、母だった。テヘランで妊娠が分かった瞬間、母は生まれてくる子供が男の子だと決めていた。そして名前は「歩」だと。直感通り男の子であれば「あゆむ」、もし女の子だったら「あゆみ」に替えられるフレキシブルな名前ではあるが、いかんせん「圷《あくつ》」という1文字の苗字《みようじ》に対して「歩」という1文字だ。それも、どちらも「あ」で始まる。もう少し考えてみても良かったのではないかと思うが、母のこと、直感を覆すはずもなかった。僕は生まれる前から「圷歩」だったのだ。

父の赴任先であるイランを決定したのも、母の直感だった。当時父は、会社から、メキシコかイランのどちらがいいか決断を迫られていたらしい。考えあぐねた父が母に尋ねたところ、母は即座に「イラン」と、答えたそうである。

「なんか、すごい素敵な場所に思えたんよね。」

もちろんその後、母のその気持ちが揺らぐことはなかったし、後に、このイラン赴任を後悔したことも、一度もなかった。それどころか、家族にとって輝かしい幸福の一時期として、いつまでも記憶の棚に陳列していた。

ただひとり父に対してだけは、その信念は貫けなかったようである。母の直感の「好き」は、とうとう覆され、ふたりは、後に別れることになったのだ。

だが、僕がこの世界に登場したとき、ふたりはまだ、別れていなかった。それどころか、深く愛し合っていた。

イラン・メヘール・ホスピタルの前で、僕を抱いた母と、その肩を抱いた父の写真は、当時4歳だった僕の姉によって撮影されたので、大きく歪《ゆが》み、ボケている。だが、後の僕たちをわずかに赤面させてしまうほどの幸福感に、満ちている。

1977年、5月のことだ。

母は、出産直後だというのに、太ももが露《あらわ》になった短いワンピース、その鮮やかな緑と同じ色のスカーフを頭に巻いている。そして驚くことに、ヒールのある、白い靴を履いている。

イラン・メヘール・ホスピタルは、いわゆる金持ちのための病院だった。徒歩でやってくる人間など、ほとんどいなかった。すぐに車に乗る母がそんな靴を履いていたことを、だから、誰も責めなかったのだろう。

だが、僕がそもそも逆子になったのは、僕を妊娠中、街を歩いていた母が二度転び、そして、就寝中に三度寝返りを打ったということが原因のひとつだった可能性もあるのだから、少しは注意する気になってもおかしくないのではないだろうか。ピンボケしているので、はっきりと確認出来ないが、母は唇を真っ赤に塗っているようだったし、つまり彼女は、母になっても自分のスタイルを変えないタイプの人間だったのだ。短いスカートを穿きたいと思えば穿いたし、それに合うヒールの靴を、ぺたんこの靴に履きかえることもなかった。

隣に立っている父は、茶色の背広を着て、髪の毛を、ぴたりと後ろに撫《な》でつけている。薄い色のついたサングラスをかけ、白くて尖《とが》った靴を履いている様子は、なるほど母の夫、という感じだ。

母の身長は、164センチあり、ヒールを履くと、もっと高くなった。奥二重で黒目がちの目、少しだけ上を向いた鼻、ぽってりして丸い印象の唇。オバケのQ太郎に出てくる、妹のP子みたいな顔だなと、僕は思っているのだが、すべてが小作りで、挙句背が高いので、美人に見られる。特に、本人曰《いわ》く、ヨーロッパへ旅行したときの人気は高かったそうだ。日本では地味だと思われる顔立ちが、そちらの人間にとっては「エキゾチックで可憐《かれん》」なものに、なるのだろう。

母は僕を27歳で産んだ。なので、そんなに若い、というわけではなかった。だが、僕の友人たちは、度々母のことを綺麗《きれい》だと言ったし、綺麗とは言わないまでも、若いとは絶対に言うのだった。

父は、身長が183センチもあった。僕が覚えている限り、ずっと痩せていた。とにかく、何かを美味《おい》しそうに食べるということをしない男で、目の前に出されたものを、ボソボソと口に入れていた、という印象がある。そのくせ、山に登ったり、泳いだり、体を動かすことが好きだったので、まったく太らなかった。

ナイフですっと切ったような細い目と、頑丈な鼻、薄いが大きな唇。ハンサムではないが、それこそ、一見して信頼に値すると言っていい、実直さに溢《あふ》れた顔だと僕は思うのだが、やはり、オストバール氏の写真が残っていないので、比べることが出来ない。

父は母より、8つ年上だった。母が短大卒業後に入った、カメラのメーカーで、ふたりは出会った。当時、母、今橋奈緒子《いまばしなおこ》は21歳、父、圷憲太郎《あくつけんたろう》は29歳。

母に、当時の父の印象を訊くと、「背の高い人」と答え、父に同じことを訊くと、「顔が小さい人」と答えた。劇的な出会い、というわけではなかったようだ。だが、とにかくふたりは何らかの形で恋人同士になり、結婚した。今橋奈緒子は、圷奈緒子になったのである。

結婚写真のふたりは、息子の僕から見てもため息をつくような美男美女ぶりである。すらりと背の高い父は、少しなで肩気味だが勇ましく、白無垢《しろむく》を着た母は、地味な顔立ちがここぞと際立ち、ちょん、と赤く塗られた唇が、なるほど可憐な人だった。

結婚が決まってすぐ、母は会社をやめ、父も転職した。転職先は、石油系の会社だった。カメラとは大きな違いだが、ある程度の学歴があれば、大企業にだって転職が出来る時代だった。父は国立の四大を出ていたし、カメラ会社も名の知れたところだった。右肩あがりの経済、終身雇用、年功序列、そんな世界において、父はほとんど無傷で過ごしていられたのだ。

父は、転職早々、海外勤務を希望した。だが、英語があまり話せなかったため、しばらく国内勤務を余儀なくされた。英語の勉強をし、ある程度社内で実績を積んでから、ようやく念願の海外勤務が決まったのは、3年後だった。それがイランだ。

その3年の間に、姉が生まれた。

僕の家を、のちに様々なやり方でかき回すのがこの姉、貴子《たかこ》なのだが、生まれてきた瞬間から、もうすでに、その片鱗《へんりん》は現れていた。母の腹から、予定より2週間も早く生まれたがり、母が病院に着く前から、タクシーの中ですでに産道を通っていた。病院に駆け込んだときには、頭が少しだけ見えていたらしいのだが、姉はこのときになって、急に外に出たくなくなったらしく、その状態のまま、なんと2時間もふんばっていたらしい。

僕が生まれたイラン・メヘール・ホスピタルでは、そんなことは、間違いなくありえなかったことだろう。オストバール氏が姉の頭をひんづかみ、早々に引きずりだしていたに違いない。だが、当時、自然な分娩にこだわっていた母が選んだその病院では、赤ん坊の意思を尊重していた。おかげで母は、本人曰く死ぬほどの苦しみを味わったそうである。

世界に対して示す反応が、僕の場合「恐怖」であるのに対し、姉は「怒り」であるように思う。姉は産道ですでに、世界の不穏な気配を察したのではあるまいか。そして生まれ落ちる前から、もう怒っていたのだ。怒りのような積極的な感情がなければ、2時間も踏ん張っていられはしないだろう。

長じてからも、姉の態度には、どこか喧嘩《けんか》腰の雰囲気があった。それは姉流の、身を守る術だったのかもしれないが、そもそもこの出産時の母との関係に、端を発しているように思う。母は何度も、

「はよ出てこいや!」

そう、怒りに任せて叫んだと言うのだ。チンピラが喧嘩の際に使う、

「表に出ろ!」

と同じ熱量で。もちろん母は、出てきた姉と喧嘩をする気などさらさらなかったが、産道にい

た姉は、その言葉を母流の「表に出ろ！」であると受け取ったのではないだろうか。

母の言い分はこうだ。

「出産はしんどいよ、そら覚悟してたよ。でも産道でずっと踏ん張るんやったら、なんで2週間も早く出てこようとしたんよ。嫌やったら、まだそこにずっとおったら良かったやんか。」

早く出たがったのは姉の生来の好奇心や、じっとしていられない性格から来るものだと、僕には理解出来る。そして、急に出るのが嫌になったことも、姉の気まぐれな性格を知る身としては、納得がいく。だが、確かにそんな気まぐれで、産道に長いこと居座られ続けたらたまらない。僕には産道はないから、想像出来ても、「肛門まで下りてきながらもなかなか出てこないうんこ」程度のことだが、それでもやはり、やり切れないのは理解出来る。

「ここまで来といて、何故《なぜ》出ない？」

ようやく生まれ落ちた瞬間から、姉は激怒していた。

赤ん坊の泣き声というよりは、母猫が怒ったときに発するような叫び声をあげ、看護師に一発蹴りを食らわせたというのだから、さすがである。そのおかげで看護師は、舌の先端を、ほんの少しだけ、噛《か》み切ってしまった。噛み切られた舌は、姉と共に零《こぼ》れ落ちた体液や血にまみれ、二度と見つからなかった。

姉は、長らく産道に留《とど》まっていたせいで青黒い肌をし、頭も蚕豆《そらまめ》のような形になっていた。その姿で怒りの雄たけびをあげ、看護師の顎を蹴り上げる娘を見た母の第一声は、

「もっと可愛《かわい》くなるやんな？」

感動的な対面、というわけにはいかなかったようだ。姉はきっと、その言葉にも、激怒した

に違いない。

そんな経験からか、母はこだわっていた自然な分娩にあっさり別れを告げ、僕を妊娠したときは、麻酔上等、帝王切開も辞さない、という態度になっていた。

「母親って、お腹《なか》を痛めて産んだ子を愛するって言うけど、私はそうじゃないと思うわ。お腹を痛めれば痛めるほど、苦しめば苦しむほど、その痛みや苦しみを、子供で取り返そうとすんのよ。分かる？　あんたはいいわよ、麻酔してなーんにも分からない間に、するっと生まれてたんだから、何も取り戻す必要ないの。ほらあんたって、全然期待されてないじゃない？　でも私は、覚えてないから迷惑な話だけど、だいぶあの人を苦しめたわけでしょ、だからあの人は、私から何か取り戻したいのよ。あんなに苦しんだんだから、せめて可愛い子であってほしい、とか、優秀であってほしい、とか。ご希望に添えなくて、申し訳ないけどね。」

姉が母のことを話すときは、ずっとこんな風だった。

小さな頃、姉は母のことを、「ママ」と呼んでいたはずだった。だが、長じてからは、僕には「あの人」、本人に話しかけるときは、「あの」とか、「ねぇ」とか、とにかく、決して「お母さん」に類する呼び名では、呼ばなかった。

姉のオリジナリティが発揮されるのは、呼び方だけではなかった。

僕ら家族は、長らく大阪に住んでいた。家族内で会話をするときは、皆自然に関西弁を使っていた。だが、姉だけは、前述のように標準語を話し、関西弁になるのを、頑《かたく》なに拒んだ。関西弁が嫌いなわけではない。標準語が飛び交う日本人学校では、僕たちも使わないようなオールドスタイルな関西弁で話したし、日本に帰国後は、なんと英語を交えた日本語を話すという暴挙に出た。

とにかく姉は、その場所で一番のマイノリティであることに、全力を注いでいた。それはきっと、姉の「かまってほしい」という気持ちの表れであり、それを遡れば、生まれる瞬間から母親にがっかりされていた、という過去にいきつくのかもしれなかった。だが、人間の性格や言動を、すべて過去の出来事とつなげてしまうカウンセリング的な考えは、僕は好きではない。姉はきっと、愛され慈しまれながら生まれてきても、きっと姉だったのだ。

姉は、容姿に少し問題があった。

あの両親から生まれて来た割に、可愛い、とは言えなかったのだ。目は母の黒目がちの目ではなく、父の切れ長のほうだった。輪郭は、母の可憐なものではなく、父のたくましいそれを引き継いだ。唯一ふたりの長所を継いだのは身長だったが、骨が父に似たのか、ごつごつとした筋っぽい体型は、のちに「ご神木」とあだ名をつけられるにいたった。

そんな女子生徒は、姉の他にもいた。「ゴリラ」と呼ばれる子だっていたし、「幽霊」と呼ばれる子だって、もっとシンプルに「ブス」と呼ばれる子だって。その子たちはきっと、各々で切実に傷ついていただろう。だが姉の場合、その容姿にプラスして、「お母さんはあんな綺麗なのに」という、いらぬオプションがついた。

姉のような繊細な人間は、はっきりと伝えられなくても、例えば、

「お父さんに似たのね。」

という一言で傷ついたろうし、よしんば言葉にはされなくても、母を見た後に自分を見る視線それだけで、その含意に気づいたはずだ。その結果、いわゆる思春期に入るずっと前から、姉は

その視線や自らの境遇に、姉なりの抵抗を試みるようになった。「可愛い」と言われそうなこと、「女らしさ」にまつわることを、徹底的に避けたのだ。女性として褒められる母と、真逆の自分であろうとしたのである。

まず、母が買ってきた可愛い服には、絶対に手をつけなかった。代わりに、父の古びたジャケットを着たり（当然サイズが大きすぎる。姉はそれを着るとき、フランケンシュタインみたいに見えた）、ジーンズを切って穿《は》いたりしていた（ぶかぶかのウエストは、どこかで見つけたロープでしばった）。

母にとって姉は、得体の知れない、手に負えない子供だった。出産のときから。そして母は母で、例の「もっと可愛くなるやんな？」発言を、すんなり撤回するような人間ではなかった。母は姉に、もっと可愛くなってもらいたかったのだし、その願望を、姉の前でも隠さなかった。

父は姉を溺愛していた。だが、いくら姉のことを「可愛い」と言ったところで、姉にとって父は「母を選んだ男」だった。姉も父を愛していたが、誰より愛した父その人が、結局女として優れている母を選んだ事実には、どうしたって耐えられなかったのだ。

だから我々圷家では、「母vs姉、そして、その間をオロオロと揺れ動く父」という図式が、磐石な態勢で、長きに渡って顕在していた。いささかヒステリーの気がある母をなだめ、一方で無茶苦茶なことをする姉を認めてやり、父はきっと、疲弊していたに違いない。愛ゆえに耐えられることはたくさんあるが、その愛に忍耐が追いつかなくなることだって、それ以上にある。だから後年、父が我が家から離脱したとき、どこかほっとしたような表情を見せていたことを、責めることは出来ないし、残された男である僕が「あいつ、逃げやがった」と思ったのも、仕方のないことだった。

僕は、姉と母の対立には、徹底して静観を貫いていた。

申し訳ないが僕は、母の持つ長所を丸ごと引き受けていた。小さな顔、くるっとつぶらな目、長い首に、すべらかな肌。身長が高いのは姉と似ていたが、姉のようにごつごつとした体ではなく、僕の体にはしなやかさがあった。つまりとても、女っぽかった。それが嫌で、僕もいずれ、姉と同じように「女らしさ」を捨て去る努力をするようになるのだが、それは後述する。

僕が母に似ていることを、姉は絶対に気に食わなかったろうし、父が去ってからは、母にとって僕は「自分を捨てた男と同性の人間」であった。つまり僕が、少しでもどちらかに傾くと、もう片方からいわれのない攻撃を食らう危険が、大いにあった。

僕は家の中で、なるべくおとなしく、目立たないように努めた。この顔だ、ちょっと愛想を見せればたちまち愛されてしまう。愛ゆえの嫉妬やねたみは、僕にとってはわずらわしいもの以外の何ものでもなかった。

母から姉の愚痴を聞いても、姉から母への憎悪を聞いても、言うことといえば、「大変やなぁ」というようなつまらない感想までで、あとはほとんど無言でうなずいているか、ふたりが僕の薄い反応に飽き飽きしてどこかへ行くまで、ぼんやりとしているかだった。母は僕のことを「何考えてるんか分からん」と言ったし、姉は僕のことを「自分の意見のない男だ」と言った。上等である。

だがその当時、4歳の姉と、0歳の僕は、そのような未来を、まだ知るよしもなかった。姉にはすでに、変わり者の片鱗が大いに見られていたが、そのときはまだ、母のことを「ママ」と呼ぶ可愛らしさがあったし、母の選んだ服を着る健気さもあった。例えばレモンイエローのタフタスカートや、フリルのたっぷりついたパールホワイトのワンピースなどである。似合っていたとは言いがたいが、幼い少女には、無垢な心でどんな邪念も吹き飛ばしてしまう強さがある。姉は可愛かった。僕はそう思いたい。

母も母なりに、精一杯姉を愛していたし、父に関していうと、姉と、そして新しく生まれた僕を、ほとんど舐《な》めまわすように愛していた。

日本から遠く離れたイランで、僕たち4人は、とても幸福な家族だったのだ。

2

さて、イラン・メヘール・ホスピタルから、初めての帰路に着く僕である。

乗っているのはバーガンディ色のベンツ、運転手付という待遇だ。運転手の名はエブラヒム、もじゃもじゃと大きな頭をして、顔中に髭《ひげ》を生やした痩せた男だ。オストバール氏と同様、エブラヒムのことを僕は覚えていないのだが、氏と違って、エブラヒムは写真が残っている。これぞ中東の男、というようないかめしい顔をして、姉を膝に抱いている。冬だ。姉は唐辛子のような真っ赤なセーターと、グレーのフラノのスカート、茶のタイツは膝のあたりで皺《しわ》が寄っている。自分の右手を手首まですっぽり口に入れているところなど、さすがである。姉はこの写真の後、盛大にゲロを吐いたらしい。

エブラヒムの年齢は分からないが、おそらく若かった。どうしてそう曖昧な情報しかないのかというと、父が、エブラヒムともうひとりいたメイドを、前任者から引き継いだからだ。前任者が雇っていた運転手やメイドを、素性や年齢すら知らないまま引き継ぐことは、駐在員の間では、おかしなことではなかった。それだけ信頼していたのだと言えば聞こえがいいが、仕事さえしてくれれば素性などどうでもいい、というのが、大抵の人の意見なのではあるまいか。

日本人は、メイドを使うことや、運転手を雇うことに、そもそも慣れていない。だから、彼らを引き継ぐ際、日本では当然ともいえることを見落としてしまう。新たに面接をし直したりしないし、住んでいるところや家族構成、年齢すら訊かない。日本では考えられないことだろう。だが、「海外に住む」、挙句「運転手を雇う」、「メイドを雇う」という非日常が、通常の判断を狂わせてしまうのだ。旅行に行った海外で、日本でなら決して許せなかったことが、簡単に許せてしまうことがあるが、それと似ている。その土地のやり方に任せる、というよりは、どうしていいのかが分からないのだ。

その「分からなさ」は、彼らへの接し方にも現れる。結果的にざっくりとふたつに大別されるが、ひとつは雇い主なのだからと、必要以上に尊大になり、彼らを見下すタイプ、もうひとつは、彼らに気を使い、下手《したて》に出てしまうタイプである。

僕と父は、明らかに後者のタイプだった。このタイプは、人を使うということに、いつまでたっても慣れない。曲がりなりにも父はサラリーマンなのだから、上の立場、というものを経験しているはずである。だが、同じ社に属している部下と、自分が雇っている人間には、大きな隔たりがある。部下を使っているのは自分ではなく、結局は会社なのであって、自分は部下に教えているだけなのだ。

問題は、教えているという感覚ではなく、使っている感覚にある。父が主に使うのは運転手のエブラヒムだったが、彼は、地理的なことや、ドライブテクニックなどに関して、父よりも上手《うわて》だった。自分より上手の人間を使うという感覚に、父はいつまでも馴染めなかったようだ。しかも父は、「ひとり駐在」だった。イランに駐在している企業は数社あったが、大抵が大企業、と呼ばれる企業で、駐在員も、各社最低3家族ほどいた。だが父の会社の駐在員は父だけ。誰かに教えを乞うことも出来ず、父はなんでもひとりで決めなくてはならなかった。そんな父にとってエブラヒムは、仕事のことはどうであれ、少なくとも自分よりイランを知っている人間として、尊敬し、頼らざるを得ない存在だった。恐らく父より年下のエブラヒムを、父はだから敬い、運転してもらうときも、後部座席ではなく助手席に座った。

そんな父を、他の会社の人間は笑っていたそうだ。だが、父の気持ちが、僕にはとてもよく分かる。後に僕ら家族はエジプトのカイロに行くことになるのだが、メイドや運転手に対して、僕は必要以上に感謝を表し、他人に見せるのとは違う「いい子っぽさ」を演出した。それは、助手席に座る父のやり方を踏襲したものだった。とにかく僕らは、いつまでも卑屈な雇い主だったのだ。

最も自然に彼女らに接していたのは母である。テヘランのときも、カイロのときも、彼女らに対して母は、頼るべきところは頼り、だが、だめなことはきっぱりとだめ、と言った。その接し方があまりに自然なので、母には昔からメイドがいたのではないかと思うほどだったが、母の実家は貧窮していて、メイドに類するものなど雇えたものではなかった。

おそらく、母の生来の素直な性格が、そうさせたのだろう。人に必要以上におもねったり、斜に構えて接することが、母にはなかった。まっすぐな、と形容される性格そのもので、だから実際はあまり男には人気がなかったのではないだろうか。僕自身、自分の母だからという以上に、母に色気のようなものを感じたことは全くなかった。色気、というのは、ある程度秘密めいたものや、得体の知れなさから生まれるものだ。

得体の知れなさでいえば、トップクラスの姉であるが、残念ながら得体の知れなさの度合いが強すぎて、色気など知ったこっちゃなかった。姉は何においても、「ちょうどいい」という具合を知らなかった。メイドに接するときも、その複雑怪奇さで彼女らを困惑させた。

後につきまとっては、日本人のメイドをすることをどう思うか、しつこく訊いていたかと思えば、部屋からまったく出てこなくなり、出てきた後は、急な人見知りを発動させた。とにかく安定して人と接するということが出来ない人なので、大抵の人は姉を「そういう人」というカッコの中に入れてしまい、それ以上関わろうとしなかった。それがまた姉の飢餓感に火をつけ、訳のわからない行動に走って人の気を惹《ひ》こうとさせる、という悪循環になった。

イランでのメイド、バツールに対しても、姉の「私を見て！」欲求は際限がなかった。バツールはバツールなりに、姉を愛してくれていたようだったが、やはり姉の複雑さに音《ね》を上げることもしばしばだった。

だからなのか、それとも、イランで生を受けたことに特別な思いを持っていたのか、バツールは、病院から戻ってきた僕を溺愛した。

母が産気づいたときから、バツールは台所で何枚も目玉焼きを焼いたらしい。それは、「するっと生まれるように」という、バツール流のおまじないだった。フライパンをするりと滑りながら皿へ着地する、何枚もの目玉焼きを見て、姉は、

「あんたは生まれる前からもう愛されてるって思った。」

と言った。

「あたしと違ってね。」

という一言も、忘れなかった。

イラン・メヘール・ホスピタルは、近代的な病院である、ということは前述した。それゆえな

のか、姉の同行は禁じられていた。小さな子供は菌をたくさん持っている、という理屈だ。なので姉は、母が父と一緒に病院に行った後も、バツールとふたり、家に残されていた。

必死で祈るバツールの気を惹きたかったのか、僕が生まれる前から愛されているのが気にくわなかったのか、それとも、一番タチの悪い、ただの好奇心からか、姉はバツールが焼いた目玉焼きを一枚一枚床に並べ、その上をそっと歩いてみるという暴挙に出た。それを発見したバツールは激怒して、姉をバスルームに数十分、閉じ込めたそうだ。食べ物を粗末にされたことを怒ったのではない。おまじないを台無しにされたことに怒ったのだ。

姉をバスルームに閉じ込めるというこのおしおきは、バツールがしばしば用いるもので、母も了解していた。母は母で、暴れん坊の姉をどう叱っていいのか分からなかったのだ。例えば姉は、家中にある植木鉢の土を食べることをやめることが出来なかったし、玄関の靴という靴をベランダから放り投げるということも、やめることが出来なかった。絵を描くときは画用紙ではなく壁、それも、クレヨンではなく母の口紅を使ったし、家にあるビデオテープやカセットテープの中身を、全て引っ張り出さないと気が済まなかった。

出産をしても、自分の生活スタイルをなるべく変えたくない母だったが、だからこそ、なるべく、子供の意見も尊重したいと思っていた。子供を抑えつけることなく、もちろん頭ごなしに叱りつけることなどしないで、のびのびと育ててやりたい、そう思っていた。だが、母のその思いを、姉の癇癪《かんしゃく》や好奇心は、やすやすと打ち砕いた。

とにかく幼かった姉は、「話をすれば分かってくれる」「愛情をこめて接すれば理解してくれる」という範疇《はんちゅう》にはいなかった。いくら言い聞かせてもなだめても、様々に新しい何かを始める姉に対し、母はほとんどノイローゼのようになっていたのだ。

今考えると、母のそばにバツールがいて、本当に良かったと思う。バツールは7人の子の母親だった。いけないことがあると、子供を容赦なく撲《ぶ》ったし、年頃の娘には無用な外出を禁じていた。「親は偉いのだ」と堂々と言ってのけ、その親の代理であると心得て、遠慮なく姉を叱るバツールは、母にとって、母親の大先輩だったし、母の罪悪感を和らげてくれる存在でもあった。

バツールは、姉がいたずらしたり癇癪を起こしたりすると、「悪魔が降りて来た」と言った。姉が悪いのではない、悪魔が悪いのだ、と。そして、悪魔が姉の体を去るまで、バスルームに閉じ込めておくのだ。

家にはバスルームがふたつあった。バスルームに閉じ込めたら閉じ込めたで、ビデの蛇口を全開にして噴水にしたり、父の剃刀《かみそり》を口に入れようとするので、姉が閉じ込められるバスルームは、完全に機能を停止したふたつめのバスルームだった。蛇口にはきつく針金が巻かれ、バスタブに湯が溜まることはなく、シンクの上の棚には、何も入っていなかった。

姉はまったくの無機質な白い場所に閉じ込められたのであり、よしんば怒り狂って放尿したり脱糞《だつぷん》したところで、床はリノリウムのタイルだ、綺麗にふき取ることが出来た。飛び降りようとしても窓がなかったし、首をつろうとしても、ロープに類するものがなかった。バツールと母にとって、姉を閉じ込める場所として、これ以上適したところはなかったのだ。

「あんたはバスルームに閉じ込められた経験、一度もないでしょう?」

後年、姉はそう、憎々しげに言った。姉の中では、「あのバスルーム」は虐待以外の何ものでもなく、自分が愛されていなかったことの、そして、僕だけが愛されていたことの、厳然たる証拠だったのだ。

だが、それは僕が姉のように、貴重な海苔《のり》を壁に貼ったり、家の中に植木鉢の土をぶちまけたり、水を張ったバスタブに家中の布を浸そうとしたりしなかったからだ。僕は、いい子だったのだ。とても。

初めて僕を見たバツールは、僕の白パンみたいな顔に、かぶりつかんばかりだったという。喜びのあまり泣き、神様の名前を叫んで、早々に母から僕を取り上げた。そして、何度も何度も、僕に頬ずりをした。

産後に体調を崩した母に代わり、バツールは僕のお守りに没頭した。家事もやらなくてはいけないので、バツールはいつもより1時間も早く出勤し、早々に掃除を済ませ、僕と向き合った。その間母は、姉のぐずりや、突然の奇声で眠れなかった時間を取り戻すべく、ベッドに潜り込むのだった。

海外で産んだ、と聞くと、皆、母に「大変だったでしょう」と声をかけるが、実際は日本で産むよりも心安かったのではないだろうか。お守りや家事、姉を叱ることも、バツールがしてくれた。しかも新生児である僕は、夜泣きもしなかったし、本当に聞き分けの良い赤ん坊だったのだ。

バツールは、僕をよくあやしてくれた。ソファに座り、足を伸ばして、その伸ばした足に僕を乗せてぶらぶらと揺さぶる。そして、

「アームーナイナナーイ。」

と歌うのだ。母が教えた「アユム」は、バツールにとっては難しかったようだ。いつの間にか「アーム」になった。「ナイナナーイ」は、おそらくバツールオリジナルの歌だろう。その際、必

ず邪魔を入れたのが、やはり姉だった。

僕の頬をつねりに来たり、「ナイナナーイ」をかき消す大音量で「いないいないいない！」と叫んだり、とにかく「赤ちゃんがえり欲求」をむき出しにして挑みかかってきた。その度バッツールは、姉の名を叫んで怒るのだが、バツールが叫ぶと、タカコが「タッコ」に聞こえるのだった。

「アームーナイナナーイ。」

という歌と、

「タッコッ！」

という叫び声が、僕の子守唄だったのだ。

姉は、幼稚園に通っていた。アメリカ資本のインターナショナルスクールだ。在イランのアメリカ人の子供たちがほとんどだったが、中にはイラン人もいた。そういう場所に自分の子供を通わせるイラン人は、多分に西洋化され、そして十分に裕福だった。ほとんどがイスラム教徒だったが、園のクリスマス会に子供たちを参加させていたし、息子や娘が自分たちより綺麗な英語を話すことに、誇りを覚えているようだった。

日本人の子供も、姉のほかにふたりいた。自分がオンリーワンではないことは、姉の本意に反するが、幸いなことに、ふたりとも男の子だった。そして、とてもいい子だった。

姉たち3人は、園の中ではマイノリティだった。ハロウィンのときに浴衣を着て歌わされたり、皆に折り紙を教えなくてはならなかったり、とにかく過剰に「日本的なもの」を求められた。

求められたことをしないということにかけては、猫以上の高潔さを見せる姉だったが、マイノリティであるがゆえの要求であれば、喜んで応じた。姉は浴衣を着て「ふるさと」を歌い、折り紙を器用に折り、イラン人の女の子たちに自分の臍《へそ》の緒を見せて、驚愕《きょうがく》の叫び声を頂戴していた（後で母にこっぴどく叱られたが）。臍の緒を取っておく、という文化は、アジアだけのものらしい。ちなみにイランで生まれた僕の臍の緒も、早々に捨てられてしまった。出産後、麻酔が覚めた母が訊いたら、看護師に怪訝な顔をされたそうである。

姉はこの幼稚園時代に、英語とペルシャ語をマスターした。後年ペルシャ語は忘れてしまうのだが、トリリンガルだったこの時代は、姉にとって数少ない黄金時代だったのではないだろうか。幼稚園での姉は、比較的安定していたといっていい。それでも、ときに現れる抑えがたい奇行への衝動は、園の先生たちを困らせた。絵を描くなら紙ではなく床が良かったのだし、隣に座っている女の子のおさげ髪をどうしても口に含みたかったのだし、アメリカ人のイザベラ先生とは、ある日から急に、絶対に口を利きたくなくなったのだった。

幼稚園の先生は、姉がそのようなことをするたび、母をいちいち園に呼び出すようなことはしなかった。母も、姉に関しては、撲《ぶ》とうが閉じ込めようが、園の方針に任せていた。幸い、といっていいのか、姉と同じくらい乱暴な女の子（カナダ人のナターシャ）もいたことだし、そもそも幼稚園児なんて、大概が乱暴なものだから、姉の行動はそこまで問題視されることはなかった。

姉は園のバスに乗って通っていた。家から3ブロックほど離れたそのバス停まで送り迎えをするのは、バツールの仕事だった。

首が据わり、おんぶ紐《ひも》で抱っこ出来るようになると、そのお迎えに僕も同行することになった。バツールは、でもなかなか、バス停までたどり着かなかった。途中途中で出会った人に、いちいち僕を見せびらかしたからだ。雑貨屋のおじさん、買い物途中のおばさん、交通整理をしている警察官にまで。バス停に着いたら着いたで、同じように子供を迎えに来ていたメイドたちが、代わる代わる僕の顔を覗《のぞ》きに来た。アームー、アームー、たくさんの人が、僕の名を呼んだ。僕はその声に反応して、くるくると目を動かし、その様を見て、また人が集まった。

バス停にいるメイドたちの勤め先は、アメリカ人家庭がほとんどだったが、中に金持ちのイラン人の家庭もあった。日本人家庭に勤めているのはバツールだけだったが、バツールはそのことを、どこか誇りに思ってくれているようだった。例えば買い物に行くときも、ひとりで行くより、僕をおぶっていたときの方が、おまけをたくさんもらえたし、行列の順番を抜かしてもらえたりした。

僕が生まれなければ、その恩恵に与《あずか》っていたのは姉のはずだった。実際、バツールが、姉に綺麗な服を着せ、買い物に出かけることもよくあったのだ。特別扱いを何より望む姉だ、買い物の間中は、上機嫌だったし、バツールも、姉と一緒にいることを喜んでいた。だが僕が生まれてからは、バツールは姉を買い物に連れて行きたがらなくなった。バツールの気を引こうと、姉が急に走り出したり、店に並べられた果物を口に入れたりするからだ。

僕はテヘランには、1歳半くらいまでしかいなかった。本当は、父の駐在は4年ほど、と決まっていたのだが、ある事情で、帰国せざるを得なくなったのだ。

アーヤトッラー・ルーホッラー・ホメイニによる、革命が勃発したからである。いや、正確にはホメイニによる、という言葉は正しくない。ホメイニを精神的支柱とした、反政府勢力による革命、といったほうがいいだろう。何故ならホメイニは、革命が起こるまで、反体制の姿勢を政府から弾圧され、トルコ、フランスに15年間、国外逃亡していたのだ。１９７９年に、国王であるパーレヴィが国外に亡命し、イスラム原理主義にもとづいた「イラン・イスラム共和国」が樹立されると、ホメイニは15年ぶりにかの地を踏み、国の最高指導者となった。

僕らがいた革命以前のテヘランは、パーレヴィによる「白色革命」の影響で西洋化が進み、僕たち外国人にとっては、とても住みやすい国だった。母の印象も、「坂の多い、とても綺麗な町」、ということだったし、イスラム教の国ではあったが、酒を飲んだり、パーティーに参加したり、両親は華やかな駐在生活を送っていたようだった。

だが、イラン国民たちはというと、急な西洋化によって生まれた激しい貧富の差や、パーレヴィの多分に独裁的なやり方に、反発を募らせていた。僕はそんなことをもちろん知らなかったし、母も、父だってそうだったのではないだろうか。姉に関しては、「革命が起こったことによる帰国」などという劇的なトピックに、夢中になっていた。

姉によると、姉はイラン在住当時から、イラン人たちによる憎悪の視線を感じていたし、いつか革命が起こる気配を、痛いほど感じ取っていたそうである。

おかしな話だ。

まず、イラン人による憎悪の視線、というが、両親によると、イラン人、少なくとも僕たち家族が接するイラン人は、皆穏やかで優しかったそうだし（「アームー」と言って可愛がってくれた人たちを、僕は決して忘れない）、もし外国人に対する憎悪というものがあったとしても、それを姉のような小さな子供に向けるだろうか。それに、革命が起こりそうな気配、というものがもしあったとして、5歳の子供が痛いほど感じるものなら、両親が気づかなかったのは、どうしてなのだろうか。

このように、姉の言うことには、とにかくいつも胡散臭《うさん》さがあった。いつどこでだって、ドラマチックなものの渦中にいたがる姉の、それは悪い癖だと僕は思っているし、そもそも姉は嘘つきだった。人の気を惹くことにかけては命をかけることも辞さない姉だ、幼稚園ではとうとう、皆から「ライアーフォックス（嘘つき狐《きつね》）」と言われるようになっていた。残酷なあだ名だが、残酷な分、真実だと思う。

いつも、姉の話になる。

でも、僕にとっての世界がほとんど家族だけであった頃のことになると、どうしても姉に触れないわけにはいかない。僕が成長し、僕自身の話が出来る時期になるまで、しばらく姉の影は、物語にちらつくことになるだろう。

とにかく、革命が起きたのだ。

反政府勢力は、ホメイニが訴え、だからこそ王朝から弾圧を受けた、「イランを西洋の魔手から取り戻し、真にイスラム的な国を作る」という思想を持っていた。僕たちはアメリカ人ではなかったが、イランに在留している外国勢力は、彼らにとってみれば、ほぼご多分に漏れず「西洋的なもの」だった。そのため、たくさんの外国人たちが、暴動を恐れて次々に帰国し始めた。一番の敵とされたアメリカは、真っ先に帰国用の民間機をチャーターした。

日本人はどうだったか。

僕の父親の会社に限っていえば、「帰国は自主判断で」だったそうである。決断を下すことを嫌う、いかにも日本人らしいやり方だ。そして、そんな風に言われて「じゃあ怖いので帰ります」と言えないのも、日本人の悲しさである。特に父がどっぷり浸《つ》かっていた「高度成長期」の連中のポリシーは、「何をおいても会社命」だった。真面目な父はきっと、会社の命令でしか帰れなかったのだと思う。

父は、母と姉、僕だけを先に帰す決心をした。

そう決意したときにはすでに、アメリカ人居住区や映画館に火がつけられ、その矛先がアメリカ人以外の外国人にも向かい始めているという噂《うわさ》がまわっていた。

僕たちがイランを発《た》つ前夜、バッツールやエブラヒムと撮影した写真が残されている。バッツールは家族と、とりわけ僕と別れるのが辛《つら》くて、散々泣いたそうだ。たしかに写真の中のバッツールは、カメラを見ず、赤い目を床に向けている。その隣に僕を抱いた母が、そしてその隣に、姉の肩に手を置いたエブラヒムが写っている。

母は、カメラを向けられると笑顔を作ってしまうタチらしい。緊急事態であるというのに、にっこりと口角を上げ、抱かれている僕がそっぽを向いていても、気づいていない。

エブラヒムは、ほとんど怒っているのか、というような厳しい表情をしているが、姉の肩に手を置いているので、もちろん怒っているわけではないのだろう。だが、自国が混迷する中、アメリカ人でないとはいえ、外国人の運転手をしていた自分の未来を、少なからず危惧していたのではあるまいか。エブラヒムとバッツールがその後どうなったのかは、父にも分からないという。

エブラヒムの下で姉は、赤いヘルメットをかぶり、父の大きなマスクをつけ、プラスチックのバットを持っている。まるで全共闘の学生である。革命のなんたるかを分かっていないはずの姉だが、そういう勘は鋭かったのかもしれない。ものものしい雰囲気の中、姉にとって「初めての革命」への興奮が伝わってくる写真だ。

その日の写真に、父の姿は写っていない。おそらく、写真を撮影する事に徹したのだろう。母は、写真を撮ってもらったからといって、「じゃあ次私撮るわね」というような気遣いを見せる人ではなかった。いつも当然のように撮られる側にい続け、そのことを父も不満に思っていなかった。母は美しかった。

写真には、父の影が、床に映っている。それはカメラを構えた男の影でしかなかったが、その影を見るとき、僕はなんとも言えない気分になる。革命という、日本人にまったく馴染みのないものが起こり、この先どうなるか分からない異国で、家族を帰し、自分ひとりだけが残るのだ。父は37歳だった。

当時の僕たちからすれば、父は「父」以外の何ものでもなかった。父は僕たちを守ってくれるはずだったし、怖がったり、怖気《おじけ》づいたりはしなかった。いつも適切な判断をし、危険を回避する。そういう存在だった。

だが父は、37歳の、ただの男だったのだ。そのことに気づいたのは、後のことだったが、その頃には父は、家を出ていた。

ただの男としての父の、たったひとりでのイラン滞在を、僕は時々想像してみる。それは恐怖に彩られた、ほとんど泣いてもいいような出来事だ。今僕は、そのときの父の年齢と同じ37歳だ。だが、そんなことはとても出来ないと思う。そもそも僕にはまだ、守るべき家族もいないし、自分を心配してくれる妻すらいないのだ。

母は、帰国後すぐに行動を起こした。

父の会社に乗り込み、父に帰国命令を出してほしい、と、上司に訴えたのだ。現地は相当の危機に直面しているが、夫は自分から帰って来るような性格ではないので、会社命令にしてやってくれ、と。それは、圷家の数少ない美談のひとつだ。

心動かされた上司は、ただちに父に帰国命令を出した。それでも父は、残った仕事をこなすためさらに数ヶ月滞在し、最後の民間機で帰国の途に就いた。この後、イラン空港は反政府勢力により封鎖され、逃げ遅れた外国人たちは、陸路で国外へ逃れた。父の知り合いの日本人も数名がその道をたどり、途中武装したイラン人たちに襲われ、命こそ助かったものの、金品から何から身ぐるみはがれたそうだ。

圷家の日本での暮らしは、こうしてドラマティックな始まりを迎えたのだった。

3

帰国した僕たちは、大阪の小さなアパートで暮らした。

狭い玄関を開けるとすぐに小さな台所、その隣にトイレがあり、奥には6畳の部屋が2間続いていた。風呂はなかった。家を買おうと思っていた父が、国際電話の情報だけで、とりあえず決めたアパートだった。母の実家のすぐ近くにあり、名前を「矢田マンション」といった。名前だけは立派なアパートの好例だ。

大家はもちろん矢田さんというのだが、とてもいいおばあさんだった。おばあさんといっても、当時50歳くらいだったそうだ。

自分がいわゆる大人になってから、僕は昔の大人たちを、あまりに「大人」として見すぎていたことを知った。今では50歳といえば、まだまだおばさんだし、「綺麗だな」と思う50過ぎの女優もいる。だが、幼い僕たちからすれば、50歳は「おばさん」でも「綺麗」の範疇でもない、まぎれもなく「おばあさん」という生き物なのだった。それは母に対してもそうだったし、先生に対してもそうだった。「母」という生き物、「先生」という生き物に、年齢などなかった。

僕たちが住んだのは、2階の角部屋だった。矢田のおばちゃん（母がそう呼んでいた）は、その下の階に住んでいた。申し訳ないが安普請のアパートのようだったし、ほとんど猛獣化していた姉の暴れる音や、ささやかではあるが僕の泣く声など、五月蝿《うるさ》い要因はたくさんあったはずなのだが、おばちゃんは嫌がるどころか、あれこれと世話を焼いてくれた。まるで日本のバツールのようだったと、母は言った。バツールと矢田のおばちゃんが違ったのは、矢田のおばちゃんは、姉を手なずけることに、完全に成功していたことだった。

おばちゃんの背中には、立派な弁天様が彫られていた。おばちゃんは独身だった。でも、小さくてみすぼらしいとはいえ、アパートをひとつ持っていた。その筋の人の恋人だったのか、それともおばちゃん自身がその筋の人だったのか、とにかくとても優しいが、迫力のある人だった。

姉は、本来なら幼稚園に通うべき年齢だった。だが、父が帰ってきたらすぐに引っ越すこともあって、母は姉を幼稚園に行かせなかった。暇をもてあました姉は、だからたびたび、おばちゃんの部屋に遊びに行った。そして、おばちゃんと一緒に、近所の銭湯に行くのだった。体に消えない絵があるおばちゃんは、たちまちにして姉の憧れの存在になった。そしておばちゃんの、どこへ行っても面倒見が良く、人に好かれる性格は、尊敬に値するものだった。

何か困ったことがあれば、皆、おばちゃんのところへ相談しに来た。姉は大抵おばちゃんのところにいたので、やってくる人たちの相談ごとを、すべて聞いていたそうだ。

ダイレクトな借金の相談もあれば、十代の娘が妊娠したことや、ご近所トラブルもあった。それらをおばちゃんは、軒並み解決していった。姉が後年「ゴッドファーザー」を見たとき、

「矢田のおばちゃんみたい！」

そう叫んだ、ドン・コルレオーネのような役割を、おばちゃんは担っていたのだ。

おばちゃんへの信頼は、人間からだけのものではなかった。たくさんの野良犬や野良猫たちが、矢田マンションの敷地に集まった。おばちゃんは、どの犬にも、どの猫にも平等に接し、エサを

やり、ときには里親を見つけ、彼らの最期を看取った。

僕の最初の記憶も、実はおばちゃんの弁天様だった。

僕はおそらく、姉とおばちゃんと銭湯にいた。僕の周りには、垂れたもの、ぴんと張ったもの、固い蕾《つぼみ》のようなもの、様々な乳房があった。女風呂だった。小さなちんちんをくっつけた僕は、裸の女たちに代わる代わる撫でられながら、何故かぼうっと突っ立って、体を洗うおばちゃんを見ていた。

弁天様は、琵琶を持っていた。羽衣がふわふわと弁天様を取り囲み、肩にかけた布がたゆたっていた。弁天様の白い肌の上を、もっと白い泡が流れた。少し弛《たる》んだおばちゃんの背中で、弁天様はいつまでも若く、どんな風に見たって、決して目が合わないのだった。

アパートには、母の母、つまり僕たちの祖母も来てくれていた。

祖母と矢田のおばちゃんは、仲が良かった。祖母のほうが年上だったが、祖母はおばちゃんのことを姉のように慕い、実際見た目は、祖母のほうがうんと若かった。

母の容姿は、この祖母から引き継がれたものだったようだ。三人姉妹の一番上と母が祖母、二番目が祖父に似た。一番上のおばさんは好美《よしみ》おばさん、二番目は夏枝《なつえ》おばさんといった。

姉は、この夏枝おばさんにも、よくなついた。おばさんは、三人姉妹の中でひとり、結婚していなかった。実家に住んでいたので、近くにある矢田マンションに来やすかったということもあるし、本を読むのが好きだったり、ひとりで映画を見に行ったり、少し芸術家っぽい雰囲気がするのも、姉の気にいったのだと思う。

おばさんは、働いていなかった。祖父は、僕たちが生まれる前に肺を悪くして亡くなっていた。

跡を継ぐ男がいない今橋家で、姉と妹が嫁に行き、母の面倒を見るのは自分しかいないと思っていたのだと思う。だからか、夏枝おばさんにはどこか静かな諦観があって、その落ち着いた包容力は、僕たちをいつも安心させた。

祖母も、好美おばさんも、僕たちのことを可愛がってくれた。でも、可愛がり方が大げさだった。面白い顔をするのも、絵本を面白おかしく読むのも得意だったが、しばらく遊んでいると、飽きてしまうようだった。そして、いずれ大人たちだけで話を始めてしまうのだ。そんな中、いつまでも遊んでくれるのが夏枝おばさんだった。絵本を読むのも、面白い顔をするのも、好美おばさんや祖母に比べて下手糞ではあったが、しつこさにかけては大人以上の粘りを見せる僕たち子供の、特に姉の飽くことのない要求を、いつまでも引き受けてくれた。

好美おばさんと母は、顔だけでなく、性格もよく似ていた。簡単に言うと気が強く、何らかの自信や意思の強さみたいなものを感じさせる人で、やはり誰かに写真を撮ってもらっても、「じゃあ次私が撮るわね」とは、決して言わないタイプだった。母の実家が貧乏なのは前述したが、いわゆる美人と言われた好美おばさんには、母と同じように、どこかにお嬢様、というか、「誰かに何かしてもらって当然」というような雰囲気があった。

おばさんは、結婚して北摂《ほくせつ》に住んでいた。旦那さんの治夫《はるお》おじさんは紅茶や茶器などを輸入、販売する会社を経営していて、随分羽振りが良かった。祖母と夏枝おばさんが働かずに済んだのも、おそらくこのおじさんと父からの援助があったからだろう。祖母にすれば、長女も三女も、いい男を捕まえたというわけだ。そういう部分で、母は、よく自分を好美おばさんと比べ、競っているようなところがあった。

好美おばさんには、息子がふたりと娘がひとりいた。名を義一《ぎいち》、文也《ふみや》、まなえといった。僕たちのいとこだ。

末っ子のまなえと、姉は同じ年齢である。そして、僕の見解だが、性格がよく似ていた。まなえは可愛い顔をしていたが、少し太っていた。その容姿が関係しているのかどうか僕には分からなかったが、小さな頃からおばさんと折り合いが悪かった。まなえは、僕が覚えている限り、数十回の家出をしていた（美人で気の強い母親、というのは、娘に何らかの悪い影響を及ぼすものなのだろうか）。

似た境遇にある姉とまなえの仲が良くなってもよさそうなものだが、マイノリティ絶対主義の姉にとって、自分に似た人物は不要だった。姉の嫌忌を感じたのか、まなえも姉を嫌った。いとこ同士で集まると、何がしか喧嘩をしていたし、よりおかしなことを出来るか競い始めるところがあるので、集まりの後は、必ず、どちらかが怪我をしていた（姉は小学校1年のときに、傘をさしながら屋根から飛び降りて足を骨折、まなえは翌年金魚鉢の水を飲んで病院に担ぎ込まれた）。

とにかく僕が家族の女性陣に臆しているのと同じように、義一と文也も、好美おばさんとまなえのピリピリした関係に臆していた。義一は僕より12歳、文也は9つ上だった。小さな頃は、従兄弟《いとこ》というよりはどこかのお兄ちゃん、という感じだったが、長じるにつれ、ふたりが僕と似た性格であることが分かってきた。人の顔色をうかがい、ことを荒立てないようにする、という消極的な性格だ。だが、義一と文也には僕と違い、加えておじさんからの圧力というものがあった。

一介のサラリーマンであった僕の父に対し、治夫おじさんは、成功した会社の社長だった。人を使うのが苦手な父と違って、治夫おじさんは、人を使って当然の地位にいたわけだし、恐らく父よりは男の矜持《きょうじ》的なものを持っていたに違いない。ほとんど家にいなかった治夫おじさんにとって、好美おばさんとまなえの内紛は、女同士の取るに足らないやり取りにすぎず、それに臆し、遠慮する義一と文也は、おじさんにとっては情けない奴ということになるのだった。

義一も文也も柔道や野球、男らしいと感じられるものは何でもやらされていたし、それに加え、頭脳明晰《めいせき》でなければならなかった。そのプレッシャーは、いかばかりだっただろう。僕は父の気の弱さを、のちになって感謝することになる。

そんな父であったから、母の気の強さ、末っ子的わがままぶりは際限がなくなっていったが、好美おばさんの場合、治夫おじさんに金銭面で甘やかされていたうえ、「しょせん女だ」という態度との闘いがあった。母が怒鳴ると、父は憔悴《しょうすい》し、それはもう分かりやすく弱ったものだが、好美おばさんが怒鳴ると、おじさんは「女のヒステリーが始まった」と一笑に付し、宝石でも買い与えておけば大丈夫だという投げやりな態度を見せた。おばさんは結局その宝石を受け取って、いつもギリギリと歯軋《はぎし》りをしていた。姉やまなえにとって、母と好美おばさんは、「美人で勝気だが男に頼らないと生きてゆけない女」なのであって、それは絶対に、自分たちの味方ではないのだった。

美人で、しかもひとりで生きていける能力を持った女、ということで、最強だったのは祖母だ。祖父が死んだのは、僕の母が12歳になった頃だった。それから祖母は、好美おばさんを短大にやり、14歳の夏枝おばさんと母の学費をひとりで払った。元々、金物の行商をしていた祖父の稼ぎも、妻子4人を支えるには、いささか、いや、かなり頼りなかった。家は傾いていたし、三人姉妹に自分の部屋などなく、家族5人、まさに肩を寄せ合って暮らしていたそうだ。

祖母は、狭い家の土間を改造して、夏は氷屋、冬はうどん屋をやっていた。3人の娘を産んだ後なのに、住んでいた地区の小町に選ばれた祖母の店は、とても繁盛していた。ときには祖父の収入を超えたこともあるそうだから、祖父は肩身の狭い思いをしたに違いない。ただでさえ女4人に囲まれる生活というのも、男にとって居心地のいいものではなかったろうし、もし祖父が生きていたら、父や僕と気が合ったのではないだろうか。

祖父の写真が残っている。公園だろうか、大きな桜の木の前で、ハンチングをかぶって、煙草をくわえて立っている。背が高いところや、真面目そうな眉毛が、どことなく僕の父と似ている。

祖母と祖父は、いわゆる美男美女カップルだったにちがいない。昔気質《かたぎ》の女性だったこともあって、祖母が祖父に対して文句を言ったことはなかったそうだが、祖父が死んでからは、三姉妹に、「顔で男を選んではいけない」ということを、再三言い聞かせていたらしい。好美おばさんも母もおそらく、汗だくでうどん玉を茹《ゆ》でている祖母の背中を見て、財力のある男に嫁ごうと考えたにちがいなかった。

娘に店を手伝わせないのが信条だった祖母だが、夏枝おばさんだけは、進んで店を手伝ったし、祖母も何故かそれを止めなかった。学校から帰って来た夏枝おばさんは、すぐに店へ行き、もくもくとうどんを茹でるのを手伝ったそうだ。たまに、おばさんの同級生が店に食べに来ることがあって、そういうときはかわいそうだった、と祖母は言ったが、それでも夏枝おばさんに、手伝わなくていいとは決して言わなかった。

夏枝おばさんは、苦労性といおうか、人の嫌がることやしんどいことを進んで引き受けるようなところがあった。だが、他のふたりの娘をほとんど箱入りにして、夏枝おばさんにだけ苦労をさせた祖母は、どういう気持ちだったのだろうか。夏枝おばさんは、それで幸せだったのだろうか。

「なっちゃんの浮いた話って、一個も聞いたことないわ。」

信じられない、というような顔をして話す母と好美おばさんを、僕は何度も見たことがある。おばさんは、母と好美おばさん的なものと、対極にいる人だった。

とにかく夏枝おばさんは結婚をしなかった。そして、僕たちの面倒を見てくれた。僕にとって、姉と母、矢田のおばちゃんと祖母、そして夏枝おばさんが、ほとんど世界のすべてだった。


父が帰ってきたのは、晴れているのに雨が降るという、変な日だった。

こういう日を「狐の嫁入り」というのだと、矢田のおばちゃんに教えてもらった姉が、どうしてもその狐を見たいとだだをこね、母を困らせていた。僕も出来ることなら目撃したかったが、それ以上に母を困らすことはしたくなかった。僕は大人しくプラスチックの積み木で遊んでいた。

「お父さん帰ってくるから家おらなあかんやろ。」

母にそう言われても、姉が引き下がるはずもなかった。こんな日はない、狐が嫁入りするのを見られなかったら死んでやる、そんなことを叫んだのだろう。おそらくその叫び声を聞いて、矢田のおばちゃんは母に悪いことをしたと思ったに違いない。

母は姉のだだを軒並み無視していたが、姉が床に転がって大声を上げ始めたのを見て、とうとう我慢できなくなった。

「狐の嫁入りは、迷信や！」

母の声は、姉の声を凌駕《りょうが》していた。

「そんなんおらんねん、ないねん、嘘やねん！」

姉はその言葉を聞いて、大声で泣いた。悲しくて泣いたのではない。姉の涙は、いつだって怒りから始まった。大声で泣き喚くことが、大人を困らせる何よりの行動であるということを、姉は知っていたのだ。

姉が泣くことに関しては、母曰く、帰国の機内でも散々な目に遭わされたそうだ。姉は座っていろという母の言うことを聞かず、機内を歩き回り、勝手にＣＡ（その頃はスチュワーデスさん、と呼ぶのが普通だった。今でも、ＣＡと呼ぶより、僕の中で彼女らは「スチュワーデスさん」のほうがしっくりくる）の休憩室に入って怒られた。母がいい加減我慢できなくなって怒鳴ると、姉はその怒鳴り声の数倍の声で泣いた。結局、メヘラバード空港を飛び立って、中継地の香港までの10時間あまりのフライトの、６時間ほどを泣き続けたそうである。母が何を言っても、ＣＡがお菓子を持ってきてもだめだった。周辺に座っていた客の心境を考えると、あからさまに良い子にしていた僕ですら、姉の代わりに謝りたくなる。

やっとのことで香港に着くと、母は仕方なく姉の望むものを買ってやらなくてはならなかった。大きな大きな大きな熊のぬいぐるみである。あまりの大きさに、機内持ち込みの制限に遭うほどだった。そこでも姉はまたひとしきり泣いた。結局折れた航空会社が持ち込みを許したが、座席に納まりきらないので、熊はＣＡが座る座席に縛り付けられた。姉はたびたび席を立って熊に逢いに行った。熊のおかげで残りのフライトは無事だったが、イランを発って24時間も経たぬうち、母はもうバツールを恋しがっていた。今考えると、母もまだまだ子供だったのだ。

そして、そんな子供っぽいところのある母には、姉の行動に我慢が出来なくなると、容赦なく子供の夢を打ち砕いてしまうようなところがあった。子供そのものより、子供っぽい大人のほうが、タチが悪い瞬間があるが、母は典型的なタチの悪い人だった。

姉が小学校2年生のクリスマスのときもそうだ。さりげなく姉のほしいものを聞こうと苦心していた母だったが、姉が頑なに「サンタさんにしか言わない」と繰り返すので、しまいに自棄《やけ》になった。そしてとうとう、

「サンタはおらん！」

そう、叫んでしまったのだ。姉はそのときも、大きなショックを受けた。だが、姉はまだいい。僕はそのとき、たった4歳だ。4歳にしてすでにサンタの存在を否定された僕のほうが、よほどかわいそうだと思う。でも僕は泣かなかった。僕が泣く前に、姉があらん限りの力を振り絞って泣いていたからだ。

いつも大体、そんな感じだった。僕が怒る前に姉が激怒する、僕が泣く前に姉が号泣する。だから僕は、なんとなく躊躇《ちゅうちょ》してしまって、沈黙するだけになる。大人になってもその性格は尾を引いた。だから僕は、誰かが僕の「感情」を待っている状態になると、落ち着かなかった。

「何考えてるの？」

「あなたの好きにしてよ。」

「自分の意見はないわけ？」

などという言葉や、それに類する言葉が、僕は怖かった。

感情を発露するのは、いつだって姉だったし、母だったし、とにかく僕以外の誰かだったのだ。

父が家に帰って来たとき、姉は泣きつかれて眠っていた。父は眠っている姉を起こさないように静かに僕を抱きあげた。嬉《うれ》しかったが、数ヶ月ぶりに会う父からは知らないにおいがして、こうしていることが、どこか不思議な、恥ずかしいような気持ちになった。

助けを求めるように母を見ると、

「歩、人見知りしてるやん！」

嬉しそうに笑った。

父は僕に、レゴブロックを買ってきてくれた。組み立てれば大きな城になるもので、たくさんの兵士もついていた。当時の僕からすれば、それは信じられないほど素晴らしいプレゼントだった。ついさっきまで遊んでいたプラスチックの積み木が、急に色あせてしまったほどだった。その積み木は祖母がくれたものだったが、ひとつひとつのピースが大きく、新しくもらったレゴブロックに比べると、いかにも「幼児用」という感じがした。

レゴブロックの城セットをくれたことで、父の「お父さん」感は、急激に深まった。僕は無邪気に笑ってみせ、喜び、父と、それを見ていた母すら喜ばせた。そして祖母がくれた積み木にはもう見向きもせず、レゴブロックに取りかかり始めたのだった。僕が器用にレゴブロックを組み立てる様子を見て、

「歩は神童かもしれへんな。」

父がそう言ったのも、無理はなかった。

物音を聞いて起きてきた姉には、僕以上に信じられないお土産が用意されていた。なんと、狐

のぬいぐるみである（本当は、狼《おおかみ》のぬいぐるみだったのだが、姉はそれを都合よく狐と解釈した）。

姉は狂喜した。大好きな父に会えたこと、その父が、自分の気持ちをまるで分かってくれていたように、狐（狼）のぬいぐるみをプレゼントしてくれたこと。さきほど号泣した勢いそのままに、いやそれ以上に姉は喜び、叫び、久しぶりに会った父を、わずかながら引かせた。

「さっきまで狐の嫁入り見たいって言うててんで。お父さん帰ってくるからあかんよ、て言うてるのに。」

そう言った母を、姉は睨《にら》みつけた。母にしてみれば、子供の気まぐれや心変わりを、父と一緒に笑おう、くらいの魂胆だったのだろうが、姉は、父に関してのライバルである母による牽制《けんせい》、としか捉えられなかった。母はきっと、男の人の前でぶりっ子した友人に、

「あんたいつもと違うやん。」

そう、こともなげに言ってしまえるタイプなのだろう。しかも恐ろしいことに、何の悪気もなく。

姉は母を睨みつけながら父の膝に乗り、絶対にそこから降りなかった。風呂に入りたい父が降りてくれと頼んでも、夕飯を食べる段になっても、決して。また我慢できなくなった母が姉を怒鳴ったが、姉は母に怒鳴られれば怒鳴られるほど、頑なに動こうとしないのだった。

帰国1日目にして、父はすでに母娘《ははこ》の争いの渦中に飛び込んでしまったのである。しかもイランと違って、ここにはバツールがいなかったし、姉を閉じ込められる大きなバスルームもなかった。父が早々に家を買うことを決めたのは、このことが大きな原因のひとつではなかったか。矢田マンションにい続けたら、狭い空間の中、母と姉の戦争は、ますます過酷なものになったに違

いなかった。姉のようなタイプには、早々に自分の部屋を与えたほうがいいのだ。

ということで両親は、父が帰国してすぐに家探しを始めた。家探しは日曜日に限られたが、僕と姉は連れて行ってもらえなかった。恐らく姉が暴れたりわがままを言うことを避けるためだろう。姉はそのことに関しても、散々不満を撒《ま》き散らし、母に怒鳴られ、そして結局父に甘やかされて眠った。留守番している僕たちを見ていてくれたのは、やはり矢田のおばちゃんだったし、祖母だったし、夏枝おばさんだった。

最終的にはおばちゃんと祖母が長々と話しこむ形になり、僕らの相手をしてくれたのは夏枝おばさんだけになった。おばさんは、僕の作ったレゴを褒めてくれた。神童とはいえ、僕にはまだ城を組み立てる技術はなかった。すぐに城を完成させてしまおうとする姉や父と違って、夏枝おばさんは、僕が何かを作り上げるのを、辛抱強く待ってくれた。そして、出来上がったものがちっとも素晴らしくなくても、必ずどこかを褒めてくれた。

「綺麗な色やね。」

「頑丈やなぁ。」

それは僕ではなくレゴ社の手柄だが、それでも僕は、おばさんが僕の造形物に興味を持ってくれることが、本当に嬉しかった。おばさんの遊び方は徹底的に受け身で、おばさんの方から何か面白い遊びを提案してくれることはなかったが、こちらが飽きるまでつきあってくれるおばさんの忍耐強さに、母も感心させられていた。

「なっちゃんのほうが絶対母親に向いてる。」

母がそう真剣に言っているのを、何度か見たことがある。夏枝おばさんはその度困ったように笑って、結局何も言わないのだった。

夏枝おばさんは、僕らを毎日、近所の神社に連れて行ってくれた。歩いて2分ほどのところにあるその神社は、ここら一帯の氏神様ということだった。とても小さくて、僕たち以外にお参りしている人を見たことは、ほとんどなかった。

幼い僕には、狛犬《こまいぬ》の形相や社の古めかしさが恐ろしかった。でも、夏枝おばさんが熱心に熱心に、いつまでもお祈りをしているので、待っているしかなかった。おばさんが目をつむって、何かぶつぶつと呟《つぶや》いている横顔を、今でも覚えている。それは家では見せない、夏枝おばさんのシリアスな一面だった。

父が買ってきた姉の奇跡の狐（狼）だが、あれだけ喜ばれ、運命を感じてもらったにもかかわらず、早々に土に埋められるという憂き目にあった。

新居が見つかるまでの数週間、姉の中で「葬式ごっこ」というのが流行《はや》った。いずれ捨ててゆく（捨ててゆくわけではないのだが）この家に、姉なりの郷愁を感じていたのかもしれない。姉は、家中のものを埋め始めた。ちょうどというか、不幸にもというか、矢田マンションの隣は空き地になっていた。そこが、狐（狼）のぬいぐるみの、僕の幼稚なほうの積み木の、母のお茶碗の、こたつカバーの、そのほか様々な圷家の品々の墓場になった。

ちょくちょく物がなくなることに気づいた母は、ほぼ同時にそれを姉の仕業だと決めつけていた。それはもちろん正しかったわけだが、姉は母の決めつけに反発し、決して口を割らなかった。発覚したのは、矢田のおばちゃんがある晩、腰まで埋まった熊を見つけてしまったときだった。

青白い街灯に照らされた熊を見たとき、豪気なおばちゃんもさすがに悲鳴をあげ、腰を抜かした。あわれ熊のぬいぐるみは、香港からわざわざ我が家までやってきて、姉に半分土に埋められてしまったのだ。きっと、全身が埋まる穴を、姉が掘ることが出来なかったのだろう。そういうところ、姉は本当に詰めが甘いというか、雑なのだ。

当然ながら、母は激怒した。

「バツールの言う通りやわ、あんたには悪魔がついてんのか！」

恐らく「体の半分を埋められたぬいぐるみ」というビジュアルのおどろおどろしさに引っ張られての発言だろう。母はとても素直な人だから。

だが率直なその言葉は、姉を傷つけたに違いない。いや、その言葉で、姉は自分が本当に「悪魔の子」なのだと、思いこんでしまったのかもしれない。何度も言うが、母は母なりに、姉に愛情を注いでいた。しかしそれは、姉が望んでいるものではなかった。姉は、実の母が娘をこんなに憎むわけがない、つまり私は悪魔の子なのだ、という、いかにも姉の好きそうなストーリーを、でっちあげてしまったのだ。

それから姉は、家出を繰り返すようになった。まあ、遅かれ早かれそうなっていたとは思うが、「実の子ではない」という事実は（事実ではないのだが）、姉が家を出る、恰好《かっこう》の理由になったのだ。

矢田マンションにいる間の姉の家出先は、マンションから大人の足で数分の公園の、巻貝型の遊具の中だった。まだ姉も、はるか遠くに行けるような知恵も勇気も持ち合わせていなかった。それに、家出自体、本当に家を出たいのではなく、やはり姉流の「私を見て！」欲求の一環だったし、「悪魔の子として生きる」という、ほとんど完璧な自己陶酔にふけっていられる行為だった。

母が僕を抱いて迎えに行っても、姉は絶対に遊具から出てこなかった。母がなだめたり、すかしたり、怒鳴ったりしても、姉は一言も発しなかった。結局飽きた僕が砂場で遊んでいるのを、母が見ていることになり、そばの遊具で姉が家出をし続けているという、おかしな状況になった。最終的に、見かねた矢田のおばちゃんが迎えに来てくれるか、遅くに帰宅した父が迎えに行くことで、姉はやっと帰路に就いた。半日食べないことがザラだったので、その頃の姉はとても痩せていた。ついでに、母も。

それはそうだ。若かった母も、随分傷ついていたと思う。母にとってわが子である姉には、謎がありすぎた。どうしていつも反抗するのか、訳の分からないことをするのか。それが姉の愛への飢えに基づいたものであっても、まっすぐな愛情しか理解出来ない母にとっては、不可解なものでしかなかった。愛情を求めているのなら、もっと自分に甘えればいい、そうしたら、いくらでも抱きしめてあげるのに。母はそう思っていたにちがいない。

母こそ、誰かに抱きしめてもらいたい状況だっただろう。そして母のその願いは、姉と違って、やすやすと叶《かな》えられていた。あるときは矢田のおばちゃんに、あるときは祖母に、そして、あるときは父に。母は姉と違って、人に甘えることにおいても、とてもまっすぐな人だったのだ。そして抱きしめられるから万事ＯＫ、というわけではなく、母なりに素直に、姉のことを憂いていたのだ。

4

姉の家出時間が7時間を記録した翌日、とうとう両親は、新居を見つけてきた。

築年数は20年、駅から歩いて10分ほどで、3LDKの広さだった。矢田マンションから、電車を2回ほど乗り換えたところだ。そこから父の会社までは、電車で30分ほどだった。

実家から離れていることを、初め母はしぶった。祖母や夏枝おばさん、矢田のおばちゃんと離れるということは、つまり姉を簡単に預けることが出来なくなるということだった。

言っておきたいが、母は決して甘えた人間ではない。イランで僕を産んだとき、手伝いに行くと言った祖母を、「バツールがいるから大丈夫」と断ったそうだし、そもそもイランに行くこと自体を、まるで恐れなかった。だがそれは、姉がこんなであると知る前だ。ほとんど育児ノイローゼに陥っていた母にとって、協力者が減るということは、何よりの恐怖だったのだろう。

だが、家だ。恐怖以上の力で、母はその家を気に入ったのだった。築年数や間取り、駅からの距離などを考えて、これ以上の好条件は見つからなかった。それに小さいながら、庭がついていたし、南向きにベランダもあった。家族4人が初めて住む家として、これ以上理想的な家はなかった。

両親が購入を決めてから、僕と姉も、初めて内見に連れて行ってもらった。見知らぬ店、見知らぬ道、見知らぬ木、角度が違って見える空、何もかも新鮮で、眩《まぶ》しく見えた。姉なんかは珍しく、父の手をじっと握ったまま、大人しく歩いていた。そうやっていると、姉もただの子供でしかなかった。

僕らの家は、素晴らしかった。

おばちゃんには申し訳ないが、矢田マンションで暮らした半年があったから、素敵に見えたのかもしれなかった。2Kの小さなアパートから、庭付き一戸建ての3LDKへの格上げなのだ！

内見に入った家で、姉は扉という扉を開け、早々に自分の部屋を決めてしまった。もちろん2階の、ベランダがある部屋だった。ベランダは小さかったが、柵がアーチ型になっていて、いかにも薄幸のお姫様が立っていそうな雰囲気だった。姉はその一瞬自分が「悪魔の子」であることを忘れ、「孤独なお姫様」になることを選んだのだった。

ベランダはあったが、その部屋は4畳半と狭かったので、母にも異論はなかった。その隣にある6畳の部屋を両親と、とりあえず僕の部屋にすることにして、それでも6畳の和室が一部屋余った。そこを日本ではほとんど機能しない来客用の部屋として、圷家の新生活はスタートしたのである。

ベランダが、そして自分だけの部屋が嬉しかったのか、姉は矢田のおばちゃんや夏枝おばさんを、それほど恋しがらなかった。姉は早々に自分の城を築き上げることに専念し、一日のほとんどを部屋で過ごすことになった。

姉は小学校に行くことになった。

小学1年生になった姉は、入学式からその存在を存分にアピールした。簡単に言うと、やらかいした。

姉にとってまず、こんなにたくさんの数の子供を見たのは初めてのことだった。矢田マンション時代はいわずもがな、テヘランのときも、1クラスだけ、全員で30人ほどの子供たちしかいなかった。しかも、日本人は3人だけだったのだ。

日本の小学校には、当然ながら日本人の子供がたくさんいた。姉はベビーブームで生まれた子供だったから、40人のクラスが6つあった。皆髪が黒く、黒い目をしていて、皮膚の色も大体同じ。つまり、自分と似たような子供たちが、240人あまりいたのである。

その状況を、姉が喜ぶはずがなかった。

しかも、母に着させられた服は、ネイビーと赤のチェックのワンピース、それはとても可愛らしいものだったが、姉が目視しただけで、そんな服を着ている女の子が、30人はいた。胸には作りものの花、しかも男の子は青、女の子は赤と決められている。クラスごとに並ばされて入場、しかもそれが背の順というありさまだ。

自分はなんて「平凡な人間」として扱われていることだろう。姉は、誰にも何もされていないうちから、ほとんど激怒していた。

まず姉は、入場を拒否した。3組だけ入場が遅れていること、それが姉のいるクラスであることに、両親は嫌な予感がしていた。案の定、やっと入場してきた姉は、何故か両手で耳をふさいでいた。こんな場所で、こうやって行進させられているのが、苦痛で仕方ないという顔だ。誇らしげな顔で両親を探す男の子や、可愛いワンピースを着てはにかんでいる女の子と、姉は全く違った。

それだけに留まらず、姉は校長先生の挨拶の途中に奇声をあげたり、椅子の上に立ったり、その他様々な狼藉《ろうぜき》を働き、とうとう式の途中で体育館の外に出されてしまった。

その後母は学校から呼び出され、特別学級への編入を勧められることになった。

その選択もありだった。なにせ、「特別」と名のつく場所なのだ、姉は満足しただろう。だが、母はそれを認めなかった。姉には散々苦労させられていたが、苦労させられた分、自分の子育てを否定されるようなことを、母は望まなかったのだ。姉の言っていた、「母親は出産時に苦しめられたらその分を取り戻そうとする」という話は、もしかしたら真実なのかもしれなかった。とにかく、母は諦めなかった。

言っておくが、特別学級に自分の子供が入ることは、まったく不名誉なことではない。少なくとも僕はそう思っている。だが母にとって、とても素直なあの人にとって、それは許しがたいことだった。そういう母の偏狭さが、姉を苦しめていたのも確かだし、それ以上に母本人を苦しめていたのに違いなかった。

姉が学校に通っている時間は、母と、そして僕にとってもつかのまの平穏が訪れるときだった。姉がいる間、母は姉にいつもハラハラさせられているか、怒っているかで、結局僕のことをあまり熱心に構うことが出来なかった。姉は、自身が思っているのとは違うやり方で、母の関心を独り占めしていたようなものなのだ。僕は母とふたりになって初めて、寂しかったのだと気づいた。そして、子供がえりを始めた。恥ずかしいが仕方がない、僕はそのときはまだ、ほとんど赤ん坊だったのだ。僕は母にべったりとつきまとい、母の関心をシャワーのように浴びたがった。

姉と違ったのは、僕の「僕を見て！」願望は、母の理解できる範疇にあったということだ。可愛く甘えて見せたり、ちょっと拗《す》ねて見せたり。そして何より重要なことに、僕はいつだって良い子にしていた。ブロックを組み立てて母に見せるときも、母が他のことに集中していたら手が空くのを待ったし、母にだめだと叱られたことは、二度とやらなかった。

母はそんな僕を褒め、ときには抱きしめてくれた。それでますます僕は素直な、いい子になった。というより、「素直な、いい子でいよう」と、強く思うようになった。幼い僕から見ても、姉の暴挙は損だった。素直ないい子でいればいいただけ、母や周囲の大人たちは、僕の求める愛情を注いでくれるのだから。僕はそのときまだ損得という言葉を知らない子供だったが、その感情は、すでに経験していた。そして4歳になり、幼稚園に入園する頃には、すっかり空気の読める子供になっていた。

入園式で、僕は姉のほかにも、姉のような子供がいることを知った。

名前を、「たはら　えいじ」といった。「たはら　えいじ」は、入園式で入場を拒否、先生になだめすかされ、しぶしぶ入ってきた後も、ことあるごとにわめきちらし、式の途中で外に出された。

皆恐らく、そんな子供に会うのは、そのときが初めてだったのだろう。驚き、次に怯《おび》え、「たはら　えいじ」のただならぬ迫力に影響されて、泣き出す子までいた。

その点僕は有利だった。何せ、生まれたときから、あの姉のそばにいるのだ。僕は姉の機嫌が悪いとき、姉がかんしゃくを起こしたとき、いかにして自分の気配を消すかを身につけていたし、姉に辟易《へきえき》した大人たちを笑顔にする方法を知っていた。

今思えば、しゃらくさい子供だ。でも、必死だった。すごく極端な話だけど、そうしないと、生きてゆけなかったのだ。

子供にとって大切なものは、食事から取る栄養だけではない。母や、母に類するものや、やはり大人からの愛情である。愛情が足りないことで物理的に死ぬことはなくても、子供の心はほとんど死と同じ孤独を味わう。僕は姉とは違う人間でなければいけなかったし、「素直ないい子」でいる限り、死ぬことはなかったのだ。

「たはら　えいじ」は、僕と同じ「さくら組」になった。式が終わり、教室に入る際、「たはら　えいじ」はまず、その「さくら組」にいちゃもんをつけた。女みたいだと言うのである。確かに「さくら組」の名札はピンク色の桜の形をしていて、いかにも女っぽかったが、それがどうだと言うのだ。「ばら組」だって赤い薔薇《ばら》だったし、「ゆり組」も白い百合だ。そもそも僕が通った幼稚園のクラスは、すべて花の名前を冠しており、おしなべて女っぽいものなのだった。「なのは な組」「チューリップ組」「パンジー組」。

僕らの担任になったモモエ先生（「たはら　えいじ」は、その名前にもいちゃもんをつけた。いわく「女っぽい」と。当たり前だ、女なのだから）は、「たはら　えいじ」をなだめるため、様々な形で桜を擁護した。

「えいじくん、でもほら、桜って、すごく綺麗やろ？」

「今がちょうど一番綺麗な花やで。」

僕は、そんなんじゃだめだ、と思った。「たはら　えいじ」が、姉ほどの気概を持った人間であるならば、そんなおためごかしで誤魔化されるはずはなかった。案の定、「たはら　えいじ」は名札を放り投げたり床をゴロゴロ転がったりして、「桜の美しさ」なんてくそくらえ、と、全身で訴えていた。

だだをこねたいだけなんだ、僕は思った。

「たはら　えいじ」は、本当に「さくら組」が嫌なのではない。「ピストル組」でも、「せんしゃ組」でも、結局は名札を放り投げ、床をゴロゴロ転がるのだ。自分が幼稚園に入園すること、母親と離れなければならないこと、知らない子供たちと過ごさなければいけないこと、とにかく何もかも気に入らなくて、だだをこねているだけなんだ。

バツールのやり方は正しかった。ただただ、だだをこねたいだけの人間は、タイル貼りの床の、何もない空間に閉じ込めておけばいいのだ！

教室には、僕たちの親もいた。後ろに並んで立っている親たちの中、「たはら　えいじ」のお母さんは、すぐに見つかった。あまりにも「たはら　えいじ」に似ていた（「たはら　えいじ」のほうが、お母さんに似たのだが）。太い眉毛に隠れるように細い目があって、鼻も口も大きかった。「たはら　えいじ」はずっと顔をくちゃくちゃにしていたが、「たはら　えいじ」のお母さんは、眉毛を八の字にしていた。そして、周りの大人たちに、ぺこぺこと謝っていた。

僕は、母を見た。母は、「たはら　えいじ」のお母さんなんて、そしてそもそも泣き叫んで床を転がる「たはら　えいじ」なんて、まるでそこにいないかのように、じっと前を見ていた。母が見ている「前」には、「にゅうえんおめでとう」と書かれた黒板以外、何もなかったのだが、それでも母は、そこに何かがあるかのように、熱心に前を見つめていた。

姉の入学式で、同じような思いをした母だ。あの日の母は、「たはら　えいじ」のお母さんみたいに、眉毛を八の字にしなかったし、周囲にぺこぺこと謝ったりはしなかった。僕は母の膝の上に乗って、姉の狼藉を遠くから見つめていた。見上げた母は、姉が何か叫んだり動いたりするたびに、こめかみをピクピクと動かした。それは家にいるときの母が、怒鳴る前触れだった。だが母は、決して怒鳴らなかったし、取り乱さなかった。どちらかというと、隣に座っていた父のほうが、「たはら　えいじ」のお母さんみたいな顔になっていた。母が止めなければ、父は立ち上がって、周囲に謝ったかもしれなかった。だが母は、それを許さなかった。

私たちが悪いんじゃない。

母は全身で、そう訴えていた。特に、私は、悪くない。ものすごく、努力している。母として、あの子を、一生懸命、育てている。あの子は、まだ、6歳なのに、自分の部屋を、持っているし、その部屋には、可愛い、バルコニーまで、ついているのだ。この環境を、もってして、ああいった、態度を、見せるのなら、それは、あの子、ひとりの、意思である。母は全身で、そう言っていた。

あまりにも堂々とした母の態度のせいで、同級生の両親たちは、あの圷貴子という暴れん坊の両親が誰なのか、結局見抜くことは出来なかった。

今母は、さくら組の教室で、あのとき自分が周囲にしてほしかったことをしていた。

「たはら　えいじ」のお母さんを、見ないでいること。

こんなことは普通だ、という顔をしていること。

それがおそらく母の出来る、「たはら　えいじ」のお母さんへの、最大限の配慮だったのだと思う。

僕の入園式に、父は来なかった。仕事が忙しかったのだ。

もし父がこの場にいても、母は父に自分と同じような態度を取ることを強要しただろう。そして父も、母のその気持ちを汲んで、というより、父が母にたてつくことはありえなかったから、ふたりでまっすぐ前を見つめていただろう。そこに「にゅうえんおめでとう」と書かれた黒板しかなかったとしても。

「たはら　えいじ」は結局、先生の話が終わる前にお母さんに手を引かれ、帰って行った。後ろに並んだ母親たちは、ホッとしたような表情を浮かべていたが、中には終了後先生に駆け寄って、何か熱心に訊いている人もいた。「たはら　えいじ」と自分の子供が同じ組であることに、不安を覚えているのかもしれなかった。

母はというと、僕の手を引き、長居は無用だとばかりに、さっさと帰宅した。門を出るとき、僕をそばに立たせ、何枚か写真を撮影したが、それも「撮っておけばいいだろう」というような態度だった。母は僕のことを可愛がってくれたが、やはりどうしても、写真を撮影し続ける側の人間ではなかった。

家から幼稚園までは、園のバスで通うことになる。だが、入園式では、バスはまだ出なかった。家から園まで、母と僕は市営のバスで来たのだったが、帰りは、(大人の足で)徒歩30分ほどの距離を歩いた。歩くことに異存はなかったが、僕の手を引いてもくもくと歩く母の気配にただならぬものを感じ、次第に緊張しはじめた。

園から少し離れたところに緑道があり、その道が僕たちの家までの近道になっていた。緑道には桜が植えられ、目が痛くなるほど咲き誇った桜の花びらが、時々僕の頭上を舞った。園から同じように帰宅している親子連れが何組かいて、皆写真を撮ったり、楽しそうに話をして歩いていた。

僕と母のように、ふたりだけの親子もいたが、大抵が父親と3人で、中には小さな弟や妹と来ている家族もあった。

僕は母とふたりでいることに、何の不満もなかった。もし姉が入園式に来たら、また何かしらしでかす可能性があることは分かっていたし、姉の担任から、母が何度も呼び出されていたことも知っていた。姉が家にいる時間が減った分、母と姉の戦いは少なくなったが、その分母の知らない学内での姉の動向を思う心労は増えていた。姉は相変わらずやらかし続けていたようだったし、学校側は母に特別学級を勧め続け、母はそれを拒否し続けていた。

桜並木を母と歩くこの時間は、それはそれは平穏なもののはずだったが、僕は勝手に母の気配に当てられ、緊張していた。様々な様子で和んでいるほかの家族たちを見て、初めて、僕たちは少しおかしいのかもしれない、と思った。だが、そう思うよりももっと深い場所で、僕は、だからどうなるものでもない、と思っていた。

もう、生まれ落ちてしまったのだ。

僕には、この可能性以外なかった。

そんな言葉は、やはり知らなかったが、僕はその思いを経験していた。もしかしたら、すべての子供がそうだったのかもしれなかった。今ある環境がすべてで、それ以外の可能性はなくって、自分はずっとずっとここで生きてゆくのだと、思うより先に、ほとんど生存本能として身につけていることなのかもしれなかった。一方でスーパーマンになりたいとか、お姫様になるのだと強く思っているにもかかわらず、自分の世界には無限の可能性、無限の選択肢があるなんて、実は小さな頃は、思いもしないのだ。

僕には、この家族しかいない。

母の手をぎゅっと握ると、母は初めて僕に気づいたかのように、こちらを見た。僕がにっこり笑っても、母はどこかぼんやりしていて、そのことに僕は、焦ってしまった。

「たはらえいじって子、お姉ちゃんに似てるな。」

母の気を引こう、という思いもあったが、それは僕なりの母へのねぎらいだった。姉のことは実は、「たはら　えいじ」のお母さんのように、あんなに眉毛を八の字にして、ぺこぺこ謝らなければならないことなのだ。母はいつもそのことに対峙《たいじ》しているのだ。

だがもちろん、その言葉は迂闊《うかつ》だった。ぼんやりした表情から一転、母はほとんど怒ったような顔になった。

「全然似てへんよ。」

やってしまった、と思ったが、もう遅かった。母は桜並木の中、様々な親子を次々追い越して行った。手を引っ張られた僕は、ついてゆくので精一杯だった。だが、母に待って、と言うことは出来なかった。

緑道の中で、一番立派な桜の木の前に、渋滞が出来ていた。入園式帰りの親子だけでなく、普通に花見にやってきた人たちがなんとなく溜まってしまって、追い越すことが出来なかった。

母はイライラした様子で人ごみをかきわけていたが、列はとうとう止まってしまった。足が疲れていたのでホッとしたが、母の機嫌がますます悪くなるのではないかと思って、僕は気が気ではなかった。

そのとき、母の前を歩いていた男の人が、こちらを振り返った。

「すごい人ですね。」

イライラしていたはずなのに、母は反射的に笑顔を作っていた。

「そうですね、本当に、みんな桜見たいんでしょうね。」

男の人は、母の顔を興味深げにじっと見て、次に、母の手とつながった僕に気づいた。

「入園式ですか？」

男の人の隣には、僕と同じ幼稚園の制服を着た女の子と、その子と手をつないだお母さんがいた。お母さんは母を、女の子は僕を見ていた。ふたりとも、目と口が大きくて、トカゲみたいだった。

「そうなんです。夫が仕事で。」

お母さんは曖昧に笑っていたが、母が気づかないでいると、すぐに真顔になった。女の子は僕のことを熱心に見続けていて、その視線が疎ましかった。

「良かったら、写真撮りましょうか？　桜の下で。」

「いいんですか？　歩、ほら、写真撮ってくれはるって。」

そう言っても、しばらく列は動かなかった。母とそのお父さんは列を逆行して、そこそこ大きな桜の前に陣取った。ふたりの後ろに僕と、トカゲの母娘が従い、３人とも、何も喋《しゃべ》らなかった。

「歩、ほら、おいで。」

母は僕を前に立たせた。肩に手を置いて、自分はその桜の木にもたれるようにした。

カメラを構えるお父さんの後ろで、母娘が僕たちを見ていた。やはりお母さんのほうは母を、娘は僕を。ふたりとも、ちっとも笑っていなかった。

母はその日、襟が白いレースになった、グレーのワンピースを着ていた。スカートの丈は他の人より明らかに短く、茶色い革のヒールも、他の人より高かった。ぼくはストッキングをはかない母の太ももの生あたたかさをお尻のあたりに感じながら、笑ったほうがいいのかな、などと思っていた。結局僕が笑わないままシャッターは切られ、そのたびお父さんは、「いいですね！」と言った。

見上げると、母が満面の笑みを浮かべていた。

5

幼稚園は、おおむねうまくいっていた。

「たはら　えいじ」のような厄介者は他にも数人いることはいたが、気配を消す技術のおかげで、僕にこれといった被害はなかったし、園は平和だった。僕はすぐに、母に会えない数時間を楽しむようになった。

　モモエ先生は、前髪から鬢《びん》の毛から、とにかく髪の毛が異常に多く、それをしばらずに垂らしているものだから、全体の印象として「毛の人」という感じだった。それに、他の先生に比べて声が小さいので、なんか暗いなぁと、僕は思っていた。

　それでも、というのは失礼だが、みんな組の唯一の大人に甘えて、昼寝の時間には、先生に寝かしつけてほしい子供たちが列をなしていた。僕はそれを、もちろんみっともないことだと思っていた。中でも一番みっともなかったのは、列に加わっている「たはら　えいじ」だった。「さくら組」は女っぽい、「モモエ」なんて女っぽい、そう散々女っぽさを否定していた「たはら　えいじ」が、ぐずる女の子たちに混じって、先生に抱きつき、甘え、結果先生を独り占め出来ないことにいらだって泣き叫ぶという、最も女っぽいことをしているのだから。

　僕は昼寝のときいつも、教室の隅で寝ることにしていた。そこにはアップライトピアノが置いてあった。普段は、そのピアノを取り合う園児で混雑する場所なのに、昼寝をするとなると人気がなかった。カーテンを閉めた教室は薄暗く、黒いピアノが、ちょっとした化け物みたいに見えるからだった。正直僕だって、うとうとしているさなか、薄目を開けて見上げるピアノの、異様な大きさと沈黙の重さに気おされそうになることはあった。でも、ピアノはピアノだ。僕はそのときすでに、母親の「サンタはおらん！」発言を耳にしていたし、ここにいる誰よりお兄さんである、という自負があった。

僕はその場所に率先してタオルケットを持ってゆくことで、皆から尊敬のまなざしを頂戴した。そんなことくらいで尊敬されるなんて、ちょろいものだ。そのおかげか、僕は女の子から人気があった。体操をするとき、園の外に散歩に行くとき、二人組にならないといけないとき、何人かの女の子たちが僕のところにやって来た。

僕が一番人気があったわけではない。「さくら組」で一番人気があったのは、「すなが　れん」という男の子だ。「すなが　れん」は背が高く、色が黒くて、唇が厚い、ちょっと黒人っぽい雰囲気を持った園児だった。よく話すし、足も速くて、分かりやすい人気者といった感じだった。女の子たちは「すなが　れん」を取り合って喧嘩したり、貢ぎ物（組で一番人気の絵本や、綺麗な色のバケツなんか）を渡したりしていた。

当時、組の中で、クレヨンを交換する、ということが流行っていた。自分の好きな色を集めるため、色をトレードするのだ。例えば黄色が好きな子は、黄色をたくさん集めるために、オレンジが好きな子にオレンジを渡して、黄色をもらう、という風に。だが、黄色もオレンジも主流ではなかった。それは「本当に黄色とオレンジが好きな子」がする行為だった。クレヨン交換が真に意味するものは、他にあったのだ。

人気投票である。

女の子に一番人気の色がピンクで、男の子に一番人気の色が青だった。すなわち、ピンク色を一番集められている女の子が一番人気で、青色を一番集められている男の子が一番人気、というわけである。

結果一番青を集めていたのは「すなが　れん」で、ピンクを集めていたのは「なかの　みずき」という女の子だった。

「なかの　みずき」は、実はとりたてて可愛いというわけではなかった。「ますだ　やんぬ」という、お母さんがスウェーデン人の女の子は、栗色の髪と大きな目、ピンク色の耳たぶが可愛かったし、「さじ　みおり」という女の子だって、くるくるした天然パーマの髪をして、背が高くて素敵だった。

そんな中、「なかの　みずき」は、黒いおかっぱの頭に、ほとんど黒しかない目をして、すごく大人しい女の子だった。ふたりに比べて、いや、組の女の子の中でも目立たない、地味な女の子だったのだ。でも、「なかの　みずき」のクレヨン箱の中は、ほとんど半分が、「あなたが一番です」の思いがこめられた、ピンク色のクレヨンで埋まっていたのである。

モモエ先生は、僕たちがクレヨンのトレードをしていることに気づいていたが、その底にある人気投票の真実には気づかないでいた。「なかの　みずき」のクレヨン箱の圧倒的なピンク色を前にしても、モモエ先生は、

「みずきちゃんはピンク色が好きなんやね。」

そう、ほほえましそうに言うにとどまった。「すなが　れん」のクレヨン箱の中の「半分青」

という結果を受けて、気づいてもよさそうなものなのに、どうもモモエ先生は、鈍いところがあるのだった。

とにかく男の子の1位は「すなが　れん」で、それは納得のいく結果だったが、「なかの　みずき」の1位には、組の女の子たちの納得が得られていなかった。僕もそうだ。

だが、僕なりに「なかの　みずき」を観察し続けた結果、あることに気づいた。女の子たちが率先して好きな男の子や二番目に好きな男の子や三番目に好きな男の子にクレヨンのトレードを持ちかける中（「ますだ　やんぬ」は、れんくんに早々に青を渡していたし、「さじ　みおり」は僕に青を渡していた）、「なかの　みずき」は、自分から決してトレードを持ちかけていなかった。

組の男の子たちにクレヨンを持ってこられたら、ぼんやりした顔で受け取り、黄緑色や茶色など、一応男の子っぽいけど、とりたてて意思のこもらない色のクレヨンを渡した。その徹底的に受け身な姿勢が、男の子たちの好奇心や嗜虐《しぎゃく》心をあおるのだ。そして最も重要なことに、クレヨンのトレードが始まって数ヶ月経っても、「なかの　みずき」のクレヨン箱の中には、まだ青が残っていたのだ！

「なかの　みずき」は、まだ本心を言っていない。

「なかの　みずき」が好きなのは誰だろう。

すでにつまらない色をもらった男の子たちでさえ、「なかの　みずき」の青いクレヨンの動向にはハラハラさせられていたし、そんな気配を察しているのかいないのか、相変わらず「なかのみずき」は、ピンク色を増やし続けていたのだった。

このゲームの残酷さは、一度ピンク色や青色をもらったからといってそれで終わりではなく、のちに「僕があげたピンク色返して」「私があげた青色、別の子にあげたいの」などと、決定を覆せるところにあった。

運動場で転び、鼻水を垂れ流して泣いた「ますだ　やんぬ」は、それを目撃したふたりの男の子に「ピンク色返して」と言われていたし、そっけない態度を取り続けていた僕も、「さじ　みおり」から「青色返して」と言われた。

というわけで、見た目の印象に引っ張られ、「ますだ　やんぬ」や「さじ　みおり」にピンク色をあげていた男の子たちも、次々ピンク色を回収し始めた。当然そのピンクは「なかの　みずき」に渡るわけだが、「なかの　みずき」は依然ぼんやりと、ただ受け取るということをし続けるのだった。

さて、組の中で、「なかの　みずき」の他に、重大な決定を下していない園児がいた。青色を残している「なかの　みずき」に対し、その園児は、ピンク色を残していたのである。

僕だ。

僕のクレヨン箱の中には、ピンク色のクレヨンが鎮座していた。一度も動いたことがなかった。誤解しないでほしいが、決して「なかの　みずき」を真似たわけではない。「なかの　みずき」のように、決定を先送りにしていたら人気が出るのだと、そんなずるいことを考えていたわけではない。何せ僕はまだ5歳だったのだ。そんないやらしい知恵なんて働かなかった。

僕のクレヨン箱の中には、数本の青のほか、大量の水色があった。

言い忘れていたが、水色のクレヨンは、女の子たちの「私、二番目にあなたが好き」という気持ちを表すものだった。「すなが　れん」のクレヨン箱は、青が半分ほどもあったが、そのほかの色は黒、茶色、白、黄土色、など、地味なものだった。「すなが　れん」を大好きな女の子が多いのは確かだったが、「すなが　れん」を嫌いな女の子もいる、という、それは証拠だった（茶色や黄土色にとことん申し訳ない。申し訳ないついでにいえば、「たはら　えいじ」のクレヨン箱の中は、おおむねそんな色ばかりだった）。

その点、僕のクレヨン箱は非常に鮮やかだった。数本の青とたくさんの水色、黄緑色、緑などの美しい色たち。僕は決して一番人気の園児ではなかったが、2番か3番につけていた。そしてもしかしたら、そのほうがアンチもいる1番の「すなが　れん」より優れていたのではないだろうか。

いやらしい知恵なんて働かなかった、と書いたが、5歳の僕は、そのへんのところはしっかりと自負していた。1番になんてならなくていい。だって僕のクレヨン箱のほうが、うんと綺麗だから。

そしてその中に残っているピンク色のクレヨンは、組の女の子たちを少なからず刺激していたに違いない。だが、男の子と違って、「さくら組」の女の子たちは、白黒をはっきりつけてくれる男の子を好んだ。「さじ　みおり」が僕から青色を回収しにきたのもそういう理由だったし、僕のクレヨン箱に青色が少ないことも、そういうことだろう。女の子はいずれ、煮え切らない男には、見切りをつけるのだ。

だが僕は、決して曖昧な態度でいたわけではないし、本心を打ち明けるのを先送りにしていたわけではなかった。

僕はすでに渡していたのだ。僕の「心の中のピンク色のクレヨン」を。

それは、「みやかわ　さき」という女の子だった。大きなアーモンド型の目が、だいぶ離れた位置についていて、鼻が小さく、口がすごく大きかった。一見してイグアナとかトカゲとか、そんな爬虫類《はちゆうるい》に似ていた。

　組の男の子からも人気はなかったし、「みやかわ　さき」は女の子とも遊ばなかった。つまり大体いつもひとりでいた。得体の知れなさでいえば、「なかの　みずき」なんて目じゃなかったが、「みやかわ　さき」は、「なかの　みずき」のように、ただぼんやりとしていたわけではなかった。それどころか、積極的に遊んでいた。組にあるおもちゃで、空いたピアノで、運動場の遊具で。それがいつもひとりだったというだけの話だ。そして驚くことに、「みやかわ　さき」は、そうやってひとりでいることに、何の寂しさも困難も感じていないようだった。

　僕が「みやかわ　さき」に惹かれたのは、まさにそういうところだった。姉ほどの積極性はないにしても、女の子たちは大抵自分のことを見てほしがった。「さじ　みおり」は、僕のことを何度も呼び、僕がそっけない態度を取るとすねるのだったし、「たはら　えいじ」は別として、モモエ先生を取り合うのも、大抵が女の子たちだった。

　昼寝のとき、さっさと寝場所を決めてしまう僕と同じように、「みやかわ　さき」もすぐにタオルケットを持って、僕とは反対側の隅に寝転がった。そして、いつだって最後に起きてきた。先生がカーテンを開けると、昼寝が終わった合図だった。待ってましたとばかりに起き上がる子、まだ寝ていたい、とぐずる子（ときには泣き出す子までいた！）、そして大概がノロノロと目を覚ましてゆく中、「みやかわ　さき」は、死んだようにいつまでも寝ていた。胸のあたりまでタオルケットをかけ、その上でお祈りをしているみたいに手を組んでいた。目が大きすぎるのか、まぶたを閉じきれておらず、いつも白目になっていて、本当に死体のようだった。

様々な園児をなだめ、すかし、起こしてから、先生が最後に「みやかわ　さき」を起こしにゆくと、「みやかわ　さき」は、死体みたいに寝ていたことが嘘のように目をぱちりと開けて、また粛々とタオルケットを畳むのだった。

僕以外、こんなに「みやかわ　さき」を気にしている園児はいなかった。

モモエ先生すら、初めの頃はみんなで遊んでいる中に「みやかわ　さき」を無理矢理混ぜたりしていたのだが、「みやかわ　さき」が何の気負いもなく皆から離れ、「寂しい」とか「こっちを見て」に類するややこしい雰囲気を微塵《みじん》も出さず、楽しそうに遊んでいるのを見て、いつしか気遣うことをやめたほどだった。

クレヨンのトレードが始まってすぐ、僕は「みやかわ　さき」を思い浮かべた。思い浮かべると、今までの淡い思いが急に現実のものとなった。僕は「みやかわ　さき」以外に、ピンク色のクレヨンを渡す相手はいない、そう思った。だから、早々に僕に青いクレヨンを渡してくれた「さじ　みおり」や他の女の子たちに、決してピンクのクレヨンを渡さなかった。

僕は「みやかわ　さき」と話したことがなかった。いや、「みやかわ　さき」は、組のどんな子供とも話してはいなかった。無視するとか、怖がっているとか、そういうことでは全然なく、「みやかわ　さき」はいつだってやっぱり、ひとりで遊んでいるのだった。

だが、クレヨンのトレードが、「みやかわ　さき」に変化をもたらした。といっても、他の女の子のように、青色のクレヨンを持ってウロウロするわけではなかった。「みやかわ　さき」は、「クレヨンを、好きな色と交換する」という、表面上の遊びの方に夢中になったのだ。

「みやかわ　さき」の好きな色は、緑色だった。

緑色は、僕たちの組では、男の子の色だった。順位でいえば、大体4番目くらいに好きな男の子に渡す色だ。「みやかわ　さき」は、そんなことに頓着せず、自分のクレヨンの赤や黄色や青を、おしげもなく渡しまくって、男女問わず、次々に緑色をもらっていた。

組の子たちも、普段ひとりで遊んでいる「みやかわ　さき」が、急に嬉々として自分たちとクレヨンを交換したがるのを見て、驚いていた。だが、「みやかわ　さき」が集めているのが緑色のクレヨンだと知るや、「ルールを知らない奴」というレッテルの中に追いやった。

唯一、モモエ先生だけは、

「わあ、さきちゃんのクレヨン、緑ばっかりやねぇ。そんな好きなん?」

と、表面的には正しいことを言い、僕たちの間では間違った判断を下していた。

僕はもちろん、「みやかわ　さき」に緑色のクレヨンをあげた。すごくドキドキしていた。それは目視できうる限りでは緑色だったが、僕の中では、間違いなくピンク色のクレヨンだったのだから。

「なあ。」

僕が言うと、「みやかわ　さき」は、絵を描いていた手を止めて、僕を見上げた。

僕は初めて、「みやかわ　さき」と、はっきり目を合わせた。そのとき、僕は「みやかわ　さき」の顔に覚えがある、と思った。当たり前だ、同じ組なのだから。そのうえ、僕の好きな女の子なのだから。でも、その覚えは、今現実にいる「みやかわ　さき」の実体を超えて、僕の頭の奥のほうにいる「みやかわ　さき」を呼び起こした。

桜並木。母に話しかけてきた男の人。その後ろで、僕たちをじっと見ていたトカゲの母娘。
「みやかわ　さき」は、トカゲの娘のほうだった。僕のことをじっと見つめ、その視線を僕が煩わしく思った、あの女の子だったのだ！

どうして今まで気づかなかったのだろう。「みやかわ　さき」の特徴的な顔は、忘れられる類のものではなかった。しかも僕の好きな女の子なのだ。僕はそのとき初めて、自分の脳の力を疑った。その頼りなさに、不安を覚えた。

今こんなに好きな女の子を、あのとき好きじゃなかったのは、どうしてだろう。
「みやかわ　さき」の、誰も必要としない態度を好きになったのは確かだったが、僕は、「みやかわ　さき」の顔も、はっきりと好きだと思ったはずなのに。

僕は「みやかわ　さき」を、もうすでに知っていたはずの女の子の顔を、じっと見つめた。「みやかわ　さき」は、僕のことを、僕がするようにじっと見つめていたが、その視線はどう考えたって煩わしくなかったし、それどころか僕の耳たぶを赤くして、僕を幸せな気持ちにするのだった。

僕は、あのときすでに「みやかわ　さき」に会っていたことを、何かとても重大なことのように思い始めた。後年、皆がそういう感情のことを「運命を感じる」と言うのだと知ったが、それを知るには、僕はまだうんと子供だった。でも、僕にとって「みやかわ　さき」が、とても大切な何かに、以前にも増して変わりつつあることは分かった。
「これあげる。」

勇気を出して、僕はそう言った。緑色のクレヨンを見せると、「みやかわ　さき」の大きな黒目が、ぎゅうんと横に伸びた気がした。本当に、爬虫類みたいな顔だった。背景に大きな桜の木はなかったが、それはやっぱり、あのとき見た「みやかわ　さき」の顔なのだった。

「ありがとう。」

「みやかわ　さき」の声は、男の子みたいに低かった。僕は嬉しくて、その場で飛び上がってしまいそうだった。自制心に長《た》けた僕だ、もちろんそうはしなかったが、クレヨンを渡すとき、僕の心臓は最高にドキドキしていた。だが、本当にドキドキするのはこれからだった。

「みやかわ　さき」は、僕に何色のクレヨンを寄越すのか。

それは、彼女が僕をどう思っているのかの証だった。

「みやかわ　さき」の青色のクレヨンは、すでに「うすだ　さなえ」という女の子に渡されていた。もちろん「あなたが一番」という意味ではない。「みやかわ　さき」は、ただ「うすだ　さなえ」が持っている緑のクレヨンがほしかっただけだからだ。

「うすだ　さなえ」にとってもそれは、悪いことではなかった。青のクレヨンを2本手にし、「うすだ　さなえ」には、「一番好きな男の子」をふたり選ぶ、という選択肢が出来たのだ。「うすだ　さなえ」は1本目を「すなが　れん」に、2本目を「もりなが　けんたろう」という、色の白くて綺麗な顔をした、「すなが　れん」とは違うタイプの男の子に渡していた（女の子っていうのは！）。

それを知っていたから、「みやかわ　さき」にとって何色を誰に渡すかは、重要なことではないと分かっていた。でも、やっぱり、いざ「みやかわ　さき」を前にすると、彼女がどんな色のクレヨンを選ぶのか、そしてそのクレヨンにはどのような思いがこめられているのかを、考えてしまうのだった。僕は一瞬、心のどこかで、「みやかわ　さき」がピンク色のクレヨンをくれるのではないかと期待した。

初めて会った桜並木のことを、「みやかわ　さき」も覚えているのではないか。その色をしたクレヨンを僕にくれるのではないか。ピンク色は女の色だったが、僕には関係がなかった。

見下ろした「みやかわ　さき」のクレヨン箱の中には、ピンク色がまだ一本残っていた。それは誰かが「みやかわ　さき」に渡したものではなかった。「みやかわ　さき」が、自主的に取っておいたピンク色だった。僕はクレヨン箱をさぐっている「みやかわ　さき」の指が、ピンク色を探り当てるのを、辛抱強く待った。

「ほな、これあげる。」

「みやかわ　さき」が選んだのは、「はだいろ」だった。

僕はその場で、立ち尽くしてしまった。手にした「はだいろ」は、一度も使われたことがないのか（最近、組の課題で、「お父さん」の顔を描く機会があったはずなのに？「みやかわ　さき」は、お父さんの顔を、何色で描いたのだろうか？）新品のままだった。

「みやかわ　さき」は新品をくれたのだ、それは特別なことだと、ひとりの僕が言い、もうひとりの僕は、「はだいろ」という色に、何の思いも「特別」もないことは、自分もよく知っているだろう、と言っていた（もちろん、実際はもっと稚拙な言い方だ）。

「みやかわ　さき」は、僕に新品の「はだいろ」をくれた。ただそれだけだった。僕にそれを渡した後、「みやかわ　さき」は、僕の磨り減った緑色のクレヨン（木を描いたのだ）を大切そうに箱にしまい、それからは僕のことを、見なかった。

「みやかわ　さき」は、僕のことをなんとも思っていなかったのだ。桜並木の出会いのことを覚えていなかったし（あんなにじっと僕の顔を見つめたというのに！）、僕のクレヨン箱に青と水色がたくさんあることにも、興味はなかったのだ。

僕は4歳にしてサンタクロースの存在を否定されたが、今ここにきて、言葉を知る前の「運命」という感覚も、否定されたのだった。

僕はそれでも、その「はだいろ」を大切にしていた。ずっと。

今では「はだいろ」という色はもうない。肌の色があわいオレンジだと決め付けるのは差別だということで、「はだいろ」は、「うすだいだい」という色に変わったのだ。

6

姉は相変わらず、小学校の問題児だった。

2年、3年と進級するにつれ、入学式で見せたような破壊的な態度は、徐々に収まっていたようだったが、授業中にじっとしていることはまだまだ出来なかったし、他の女の子たちのように、まとまったグループで仲良くすることも出来なかった。簡単に言うと、姉には友達がいなかった。帰宅するのは僕のほうが早い、はずだった。だが、僕が帰宅する頃に、姉がもう家にいることが、たびたびあった。姉が勝手に学校から抜け出すこともあったし、教師が音をあげて、姉を家に帰すこともあった。

幼いときは、ただただ泣き喚く、暴れる、といった態度を取っていた姉だったが、長じるにつれ、何か自分の思う通りにいかないときには、てんかんの発作のようなものが出るようになった。

初めてそれを見たときのことを、覚えている。

風呂上がり、母と言い合いになった（どんな理由でかは覚えていない。母と姉が言い合いになることなど、日常茶飯事だったからだ）姉が、急に白目を剝いた。と思うと、ブリッジをするように背中を反らせ、そのまま床に倒れた。そしてすぐにブルブル震え出し、やがてその震えは、姉の体を床からバッタンバッタンと浮かすほど大きなものになった。

僕は恐怖で、姉から目を離すことが出来なかった。母は救急車を呼んだ。受話器を持つ母の手が震えていたことが、僕を余計に怖がらせた。

だが、不吉なサイレンを鳴らして救急車が到着する頃には、姉の発作はケロリと収まっていた。念のため病院に連れて行かれた姉だったが、別に何も異常はないということだった。姉はそれを何度か繰り返した。そのうち、母は姉の発作が始まっても放っておくようになった。長引くときには、頭から水をかけた。

だが、姉の担任はさすがに姉に水をかけることは出来なかった。姉が発作を起こすとオロオロしながら姉を見守り、保健の先生を呼び、発作が収まると同時に、姉を家に帰した。担任教師にとって、姉は関わりたくない類の生徒だったのだ。

発作は、姉の仮病だったのだろうか。

嘘つきの姉だったが、発作の様子はあまりに真に迫っていたし、何度見ても「死ぬのじゃないか」とこちらに思わせる迫力があった。姉自身、発作が起こると意識が遠くなり、このまま死ぬのだと思う、と言っていた。だが、母は姉の言うことを信じなかった。異常はないと言った医師のことを、母は信じた。

「信じられる？　実の娘の言うことは信じないで、たった一度会ったヤブ医者のことは信じるのよ。」

その頃の姉と母は、小学校4年生の娘とその母親が作る関係性において、ほとんど最悪の状態になっていた。姉は、家にいる間ほぼ部屋から出てこなかったし、たまに出てきたと思っても、母に対しては反抗的な態度しか取らなかった。イラン時代や矢田マンション時代のような積極的な攻撃性はなくなっていたものの、むっつり黙って、雰囲気で不満を表明するようになり、それによって得体の知れなさは、加速度を増していた。

例えば僕が家で見る姉は、こんな風だった。

部屋にこもり、しきりに何か呟いている。時々音階のようなものも聞こえるが、決して明るい歌じゃない。壁をゴリゴリこする音がする。きっと棒状のものだ。壁に絵を描いているのかもしれないが、クレヨンやその類じゃない。何か硬いものだ。姉の手の届かないところからも音がするということは、椅子にでも乗っているのだろう。その証拠に、時々ドスン、と飛び降りる音が聞こえる。

夕食時、部屋から出てくると、姉は食卓に着くのだが、なかなかご飯に手をつけようとしなかった。母はもう慣れているので、無理に食べさせようとはしなかったが、姉が黙ったまま席に座り続けていることに、はっきりと苛立《いらだ》っていた。出産のときと同じだ。「早く生まれたがったのに、何故ふんばる?」が、「食卓に来るのに、どうして食べない?」に変わっただけ。

僕にとっても、姉の態度は謎だった。ご飯を食べたくないのなら、そもそも食卓に着かなければいい。それでも姉は、毎度律儀に席に着き、律儀に食べないでいるのだった。たまに箸で食べ物をつつくが、あとはぷいと席を立ち、冷蔵庫からプリンやヨーグルトを出して、部屋に引っ込んでしまう。おそらく姉は、本当に食べたくないのではなく、「食べたくない自分」を、母に見せたかったのだろう。母に「どうして食べないの」と言ってほしかったのだろうし、それに対してダンマリを決め込んでいる自分を、いつまでも追及してほしかったのだ。

様々なことに執着できる母だったが、姉に関しては、簡単に関心を手放していた。そうしないと、母もやっていられなかった。

初めこそ姉に「食べなさい」「何が嫌なの」そう訊いていた母だったが、姉が4回返事を無視すると、もう何も訊かなかった。食卓から姉が音を立てて席を立っても、母は姉のほうを見なかったし、冷蔵庫を乱暴に閉める音にも、何も反応しなかった。でも、僕は見ていた。母のこめかみを。母のこめかみは、冷静であろうとする母の感情を、唯一表す部位だった。姉が何か行動を起こすたび、母のこめかみはぴくぴくと動いた。浮き上がった血管は、まるで顔を流れる大きな川みたいだった。

2階にある姉の部屋から、ドシンッと飛び降りる音が聞こえるときも、母のこめかみはぴくりと動いた。だが、こめかみがぴくぴくと動けば動くほど、母はことさら僕に優しい言葉をかけた。

「歩、お魚の骨取ってあげよか。」

「美味しい？　おかわりは？」

母の優しい言葉は嬉しかったが、それが本心から発されている言葉ではないということは、幼い僕でも分かった。母は、こんなことは何でもない、私たちは万事ＯＫ、そう自分に言い聞かせるために、優しい母をことさら演じたのだ。まるで母は、今後一生、姉のことで心を煩わされないようにと、堅く誓っているみたいに見えた。そして姉は、母のその誓いを破るべく存在し続けようと決意しているみたいだった。

姉は、何が不満だったのだろうか？

その頃の僕にとって、毎日はばら色、とまではいかなかったが、おおむね良い色だった。幼稚園は楽しかったし（年長になって「みやかわ　さき」とクラスが離れた僕だったが、新しいクラスである『かえで組』の中で、もうすでに他の好きな女の子「よだい　えり」を見つけていたし、

「よだい　えり」も、僕に好意を持っているのは分かった）、毎朝目が覚めると、今日一日が始まることに、体中がワクワクと高鳴った。僕は世界が好きだったし、世界は僕に優しかった。

母も、本心から僕に優しくしてくれるときがあった。例えばお風呂に一緒に入るときは、僕の足指から耳の裏まで丁寧に洗ってくれたし、僕が眠るまで絵本を読んでくれた。時々、「こめかみの感情」が母の優しさに勝り、僕にも攻撃をしかけてくるときがあったが、そういうとき僕は、ここぞとばかり空気の読める能力を発揮した。部屋を速やかに出て、寝室でブロックを広げて遊んだり、近所の子供と追いかけっこをして遊ぶのだ。そしてしばらくして戻ると、母はまた僕に優しくしてくれるのだった。僕は、うまくやっていた。

一方、姉の僕に対する態度にも、波があった。気まぐれに僕のブロックを手伝ってくれるときもあれば、急にブロックを隠したり、耳をつねったりして意地悪をしてきたりもした。姉の暴力性は今に始まったことではなかったが、それでも身体的な被害には困った。姉につねられた耳は赤く腫れあがった。僕は初めそれを母に見せていたのだが、怒り狂った母が姉の部屋の扉を蹴り、姉が部屋で奇声を上げる、というような修羅場になるので、いつしか母に告げ口するのはやめにした。そこから僕の本格的な静観が始まったといってもいいだろう。姉に意地悪をされても、僕はじっと耐えたし、母にも何も言わなかった。

僕が静観の姿勢を貫いていたのに対し、父は度々ふたりの間に介入していた。というより、させられていた。

父の帰宅は、毎晩遅かった。当時のサラリーマンたちのご多分に漏れず、父の仕事は「仕事をすること」だった。家庭のことを母に任せるのは、だから父だけに限ったことではなかったが、母はそれを許さなかった。僕たちが寝静まったと思ったのか、母が父に訴える声を、よく聞いた。

「私ひとりやん？」

「分からんわ。」

そのふたつが、僕がよくおぼえている母の言葉だった。父の声は小さくて聞こえなかった。というより、父は何も言っていなかったのではないだろうか。

父が姉ときちんと接することが出来たのは、土曜日の午後と日曜日だけだった（今となっては信じられないことに、週休2日になったのは、もっと後のことなのだった）。父は姉を外に連れ出し、キャッチボールをしたり、プールで泳いだり、とにかく体を動かした。姉は父と出かけるときだけは、わずかに笑っていたし、帰ってきてからは、珍しく母の料理をがつがつと食べ、風呂に入ってすぐに眠る、健康的な4年生に戻った。

その外出に、僕もよく同行した。

僕がついてゆくことを姉が歓迎してくれる日もあったし、不満を表明する日もあった。歓迎してくれる日の姉は最高だった。お菓子をたくさん分けてくれたり、僕の荷物を持ってくれたりもした。不満を表明するときだって、車に乗っている間、ずっとそっぽを向いているだけで、身体的な被害がないのでまったく問題なかった。僕はただ空気を消していれば良かったし、しばらくすると父が、何らかの方法で姉の気を惹いてくれるのだった。

父は、体を動かすことが好きだった。一番気に入っていたのは、登山だった。スニーカーで気軽に登れる山から始まり、最終的には岩肌を越えて登るような山まで、僕たちはたくさんの山に登った。すれ違う登山者は、僕たちを見て驚き、大抵「偉いねぇ」と褒めてくれた。姉はそれを聞いて得意そうだったが、もっぱらその賛辞が向けられていたのは僕だった。父に荷物を全部持ってもらっているとはいえ、まだ幼い僕が、大人も難儀する山道を、泥だらけになりながら登っているのだ。頂上では、一緒に写真を撮ってくれとせがまれたりした。登山はすごく辛かったが、皆の賛辞や頂上の風は気持ちよかった。そしてこの登山が、結果的に僕の体を強靭《きょうじん》にしてくれた。

山に登ると、姉はいつもより穏やかになり、そして僕にも優しくなった。姉は僕の額の汗を拭いてくれ、水筒の水を飲ませてくれた。乱暴者の圷貴子は、どこからどう見たって、優しいお姉ちゃんだった。僕はそんな姉が好きだったが、その状態をどうして家でも持続できないのか、まったく理解が出来なかった。ここにいない母が原因であることは歴然としていたが、もしかしたらやはりここにはいない同級生や担任教師や、学校そのもののせいかもしれなかった。とにかく姉は、何らかのことが気に入らず、腹を立て、思いが伝えられないときはてんかんの発作を起こし、そしてご飯を食べないという意思を伝えて、部屋にこもっているのだ。そしてそれに関して、僕が介入できることはまったくなかった。

僕は、家族の一員として、家族と一対一でいるときの自分を大切にしようと思っていた。姉といるときは姉といるときの僕を、母といるときは母といるときの僕を。決して3人でいるときに、あとのふたりをなんとかしようとしないでおこう。それは僕が決意したことだったし、そう決意せざるをえないことだった。

父との関係はどうだったのだろう。残念ながら、この時期のことは、とてもおぼろげだ。こうやって外に連れ出してくれる父はとても優しかったが、特別話をすることもなかった（僕たちがすることは、それほど会話を必要としないものだった。登山、水泳、アスレチック）。

もちろん、僕は父に感謝していた。背の高い父は僕から見ても恰好良かったし、母が禁じるようなことをさせてくれた（アイスクリームの2個食いや、服を着たまま川に飛び込むこと、など）。きっと父は、すごくいい父親だったのだ。だが、いかんせんわが圷家では、姉と母のインパクトが強かった。自然父の印象は、僕の中で薄くなってしまった。

父は山頂で必ず煙草を吸った。そうするときの父には、僕や姉でさえ話しかけられない雰囲気があった。何度も言うが、父は優しかった。母と違ってこめかみをぴくぴくといわせなかったし、扉を蹴ったりもしなかった。だが、山頂で父が煙草に火をつけた瞬間、父からは他の人を介入させない独特のオーラが出た。それは母にもない、乾いた、そしてひんやりとした空気だった。僕たちに背中を向け、紫色の煙を吐き出している父を、僕と姉は見ているしかなかった。絶対にそんなことはしないと分かっていたが、そのときの父には、僕たち姉弟を、簡単に山頂に置き去りにしてしまうような雰囲気があった。

帰り道の車の中で、僕はいつも眠ってしまった。時々、助手席に乗った姉と父が何か話しているのをおぼろげに聞いた。姉は興奮して、ダッシュボードをガンガン叩いたりしていた。

一度、姉が家に持って帰ると言って、大きな植物の種を拾ったことがあった。棘《とげ》のついたアーモンドみたいな形の種で、綺麗な黄緑色をしていた。何の種なのかは分からなかったが、父の親指ほどもある大きさと、その形から、きっと大きくておかしな植物が生えるに違いないと決めた姉が、庭に植えるために持って帰ったのだった。

帰りの車の中で、僕はいつものように眠っていた。その間に父と姉とでどのような話し合いがあったのか（おそらく父の計らいだろう）、種は姉からの母へのお土産、ということになった。

僕は嬉しかった。姉が母に対してそのようなことをするのは、恐らく初めてのことだったからだ。

家に着くと、車の音を聞いた母が玄関に出てきた。

夏だった。母は逆光が眩しかったのか、右手でひさしを作って、左手を腰に当てていた。カナリアイエローのワンピースを着ていて、それが母にとてもよく似合っていた。父が車を駐車場に入れる間、僕と姉は先に車を降りた。いつもなら、姉はすぐに家の中に入ってしまうのだが、その日は違った。姉は種を握り締めた左手を後ろに隠していた。僕はそれを知っていたから、落ち着かなかった。この出来事がきっかけで、姉と母の関係が好転すればいいと願った。

だが、そうはいかなかった。近づいて行った姉が、ぱっと左手を開いたとき、

「きゃあっ！」

母は大声をあげてのけぞった。

恐らく姉が見せた種が、毛虫か何かに見えたのだろう。父が車を降りてくるより前に、姉は母に種を投げつけ、そのまま家の中に走って行った。

「何なんあの子っ！」

まだ種を毛虫だと思っていた母は、姉の背中にそう叫んだ。僕は、少し離れたところで、しばらく立ち尽くしていた。

説明すべきは僕だった。これは毛虫じゃない。お姉ちゃんが、お母さんにプレゼントしたいと思って持って帰ってきた、素敵な種なんだ、と。でも僕は、姉と母の３人でいるときは、とにかく静かにしているだけの男だった。何も言わず、勝手に傷ついて、僕はじっと自分の足元を見ていた。

「歩、どないしたんや。」

車から降りてきた父が、そう言った。僕は何も言わなかった。

母はすでに家に引っ込んでしまっていた。その背中で、母も傷ついていることは分かった。

僕は足元を見ていた。山でついた泥が、靴の先で干からびていた。

7

僕は、姉と同じ小学校に入学した。

担任教師は、圷貴子の弟が入ってくることに、恐らくビビっていたのだと思う。入学式の後の顔合わせや、初めての出欠で、僕のことを多分に意識している様子が見て取れた。

僕の出席番号は1番だった。担任は、

「圷歩くん。」

そう言った後、僕の顔を確認するように見た。生徒の顔を覚えよう、という表情ではなかった。これが圷貴子の弟か、似てないな、だが油断するな、なんたってあの圷貴子の弟なのだから、という感じだ。

「はい。」

僕は、速やかに、そして丁寧に返事をした。その静かな声は、悪意や暴力的なものからは、遠くかけ離れていた。

僕は僕で、小学校入学という出来事に、すごくビビっていたのだ。新しい世界に踏み出すときは、いつだって勇気がいるものだ。その上僕には「あの圷貴子の弟」というおまけがついた。

小学校で相変わらずやらかし続けていた姉だったが、つまり姉は変わっていなかったが、姉の周囲にいるクラスメイトの態度には、変化が見られるようになっていた。低学年のときは、皆姉を恐れた。乱暴者、得体の知れない人物として、姉を遠巻きに見ていたし、「怖い」や「嫌い」に類する拙いかたちでしか、姉のことを表現することは出来なかった。

だが中学年になり、高学年になってくると、皆姉の狼藉を疎ましく思うようになった。相変わらず不気味な姉ではあったが、成長するにつれ衝動的な暴力行為はなりを潜めていたし、そうなると姉は恐れるに足りなかった。つまり、ただの「うっとうしい奴」に成り下がった。

皆「怖い」や「嫌い」以外の言語を持つようになり、姉をからかう罵詈雑言《ばりぞうごん》やあだ名を考えるようになった。頭の足りない男子生徒は、姉のことを「ぶす」と言ったし、意地悪な女子生徒は、姉のことを「ガリガリ」と言った。十分残酷だったが、とても稚拙だった。姉はだから、彼らのことをまだ、下に見ることが出来た。言葉を知らない、馬鹿な子供なのだと、そう思うことが出来た。

だがある日、姉を徹底的に傷つける言葉が誕生してしまった。

例の「ご神木」である。

考えたのは、男女問わず人気があった女の子だった。可愛くて、大人びていて、魅力的、つまり彼女が何か言うごとに、クラスの皆が従うような女の子だ。

そんな彼女が、ある日こう言ったのだ。

「圷さんって、ご神木みたいやない？」

その瞬間の皆の、けたたましい笑い声を、姉は忘れられなかった。

皆の笑いは、すなわち彼女への同意だった。そしてその笑いの中に、大いなる尊敬の念がはっきりと存在していたことに、姉は何よりショックを受けた。

姉は彼女のことを、下に見ることが出来なかった。彼女は尊敬されていたし、彼女がつけた「ご神木」という呼び名は、「ぶす」や「ガリガリ」とは違った。とても大人びていたし、何よりうまいこと言っていたのだ。

「ブタ」や「幽霊」と呼ばれていた子たちと、姉はだから、一線を画してしまった。

皆、「ブタ」や「幽霊」よりも、もちろん「ご神木」と言いたがった。それを言うと、自分が頭のいい大人になったような気がした。皆、姉ばかりを呼んだ。

「ご神木！」

そしてその言葉が、彼らを飛躍的に成長させてしまった。

彼らは自分達の間に格差があることを知り、嘘を覚え、世の中には傷つけてもいい人がいることを認識した。

「おい、ご神木！」

姉は皆のその感情を、一身に受けた。皆と同じように、姉もまた、自らの少女時代を、はっきりと失ったのだった。

可哀想な姉。

だが残念ながら、当時の僕には、そんな姉を慮《おもんぱか》る余裕などなかった。僕は僕で必死だったのだ。

入学後2日目に、姉の同級生が、クラスに顔を出した。

「圷ってどいつ？」

僕は逃げも隠れもしなかった。ただ静かに、「きたか」、そう思っただけだった。

遠くからそいつの顔を見ると、暴力に訴えかけてきそうな人間ではないと分かった。恐らくクラスでも人気があるほうではない。人をからかうことで優位に立ち、なんとかクラスでの地位を確立しているタイプだ。その地位を守るためには、ちょっとくらい辛辣《しんらつ》すぎるからかいは辞さないだろう。

「なんやお前、全然似てへんな。」

僕がそんなことを考えているとも知らず、そいつは僕のことを精一杯見下していた。僕が美少年だということに怖気づいているようにも見えたし、そのことがきっかけで、より醜悪な言葉を浴びせてきそうにも見えた。クラスの皆が、息を呑《の》んで僕たちを見つめているのが、振り返らなくても分かった。

僕は彼に対して生意気な態度を取らなかった。かといって必要以上におもねったりもしなかった。自分が中庸であることで、そいつの心を波立たせないようにした。もちろん僕はガチガチに緊張していた。悪意あるからかいは我慢出来たが、それが暴力に変わることだけは、勘弁してほしかった。

「お前の姉ちゃん、ご神木って呼ばれてんねんぞ。知ってるか?」

僕は返事をしなかった。でもそれが、反抗的な態度だと取られないように、なるべくまっすぐな目で、そいつを見た。僕の体内は震えていたが、それが体の外にまで伝わらないように、必死で耐えた。自分の威圧によって相手が震えることが、そいつにとっては一番のご馳走《ちそう》になることは、分かっていた。

そいつはしばらくニヤニヤと笑いながら僕を見つめていた。だが、僕にとりたてて突っ込むべき要素がないのを見て取ると、つまらなそうな顔になった。そしてどこか、ほっとしているようにも見えた。自分の義務は果たしたのだ、という顔だ。あの「ご神木」の弟を一応見に来た。ちょっとこづいてみたが、頭が悪いのか、自分におびえていたのか（その方がいいが）、弟はとりたてて面白いことは言わなかった。そして、姉には全然似ていなかった。もうこいつに構う道理はない。そんな風に。

それから、姉の同級生がクラスを訪れることはなかった。僕は、危機を切り抜けたのだ。

小学校には、そうやって少しずつ慣れていった。

クラスにも乱暴な奴はいたが、ありがたいことに、僕が姉の同級生を退治したという勘違いをされていたので、僕に意地悪をする奴はいなかった。恐る恐るだが、僕は小学校を楽しみだした。幼稚園より広い運動場があるのが良かったし、自分だけの机があるなんて、恰好良かった（僕にはまだ自分だけの部屋がなかった）。そして僕が何より気にいったのが、給食だった。

母には申し訳なかったが、母が作る料理より、給食はうんと美味しかった。きな粉のかかった揚げパン、じゃがいもがとろとろに煮込まれたカレー、ぶつぶつと千切れた甘いスパゲッティ。そして何より、瓶に入った牛乳！　家で飲んでいる牛乳と中身は同じはずなのに、瓶に入っていると、パックの5割増しで美味しくなるのだった。

母の名誉のために言っておくが、母の料理が下手くそだったわけではない。どころか、母は料理上手だった。イサキのアクアパッツァや、ハーブがたくさん入ったミートボール、にんじんのポタージュ。母の作る料理は、華やかで豪華だった。でもどれも、僕にとってはいささか「大人」すぎた。素材の味を生かしたお洒落《しゃれ》な料理に興味を持つには、僕は幼すぎたのだ。僕はケチャップの味が好きだったし、マヨネーズの味が、とんかつソースの味が好きだった。魚肉ソーセージなんて最高だったし、べしゃべしゃに伸びたインスタントラーメンはごちそうだった（それらは大抵、父と登った山の山頂でしか食べられなかった）。

思えば、母は気の毒だった。せっかく手のこんだ料理を作っても、姉はヨーグルトとプリンの食生活だったし、僕は幼かった（それでも僕は母の料理を「美味しい」と言い続けた。その年頃の少年にすれば、涙ぐましい気の使いようだ）。

父は平日、家でご飯をほとんど食べることが出来なかった。やっと週末に食べることがあっても、ぼそぼそと口を動かすだけで、ちっとも美味しそうではなかった。母はよく父に、

「もうちょっと嬉しそうに食べられへんかね。」

そう文句を言った。父は申し訳なさそうにしていたが、申し訳なさそうにすればするほど、「ご飯を嬉しそうに食べる夫」からは、遠ざかるのだった。

一度、こんなことがあった。食卓に置かれた、野菜のあんをかけた中華風の蒸し魚を見て、父がぽつりと呟いたのだ。

「普通に焼くだけが美味しいんやけどなぁ。」

それを聞いた母は、皿を持って立ち上がった。そして、まだ誰も手をつけていない魚を、丸ごとごみ箱に投げ入れた。

姉がそれを見てにやりと笑ったのを、僕は見逃さなかった。僕の視線に気づくと、姉は僕の目を睨み返してきた。とばっちりを受けるのはかなわなかった。僕はうつむき、自分の皿とお箸に集中した。皿にはまだ何も入っていなかった。つるつるとすべらかな青い皿は、母が気に入って、わざわざイランから持って帰ってきたものだった。

母は空っぽの皿を流しに投げ入れ、冷蔵庫からウメボシや漬物、生卵や瓶詰めの何か、出せるだけのものを出して、食卓にガンガン置き始めた。父は初め、モゴモゴと何か言っていたが、やがて完全に黙ってしまった。こういうとき、姉は全然部屋に引っ込もうとしなかった。この成り行きを全て見てやろうというギラギラした顔で食卓に座り、母の手元をじっと見つめているのだった。嫌な奴、僕はそう思った。

母は一通り冷蔵庫の中のものを出し切ると、

「好きなん食べたら。」

そう言い放った。

今度は、母が部屋に引っ込む番だった。そのときこそ、不満を表明するべきだった。だが母は、そうしなかった。姉と一緒のことをするのを拒むように、がっつりと椅子に座り、食卓に並べられた何にも手をつけないで、ただ黙々と白米を食べ続けた。

その後、父がどうしたのか、僕は覚えていない。あまりの緊急事態に、脳が記憶することを拒否したのだろう。はっきり覚えているのは、いつまでも食卓に座り続ける姉と母の姿だけだ。

それからしばらく、母の作る料理は手抜きが続いた。すうどん、オムライス、ルーで作るカレー。僕にとってそれらは、何よりのご馳走だった。だが、母のあの様子を思い出すと、僕こういう料理が好きなんだ、とは、絶対に言えなかった。

僕は毎日給食表を見つめ、今日はうどんだ、カレーまであと何日だと考えた。そして家に帰って手のこんだ母のご飯を食べ、「美味しい」と言うのだった。

母は料理だけでなく、家と自分を綺麗に保つことにかけても、並々ならぬ努力をしていた。6

畳の居間にはいささか大きすぎるソファを購入し、ソファの背には自作のレース編みをかけた。姉が小さな頃は、そのレースを使って姉の服を手作りしていたのだが、姉がわめきちらして反抗するようになって、矛先を家具に向けたのだった。

僕の家には、母が作ったありとあらゆるレースがあった。受話器のカバー、トイレの取っ手、食卓の脚、台所のカーテン。それは年を追うにつれ、どんどん精緻を極めたものになっていったが、それと反比例するように、姉はどんどんみすぼらしくなっていった。父のお下がりの服を着だしたのもその頃だ。姉は、伸びた髪の毛を梳《と》かすことすらしなかった。長年「食べなかった」結果、げっそりと痩せ、浅黒い肌は子供らしからぬ荒れ方をしていた。僕は姉が「ご神木」と呼ばれる前から、姉のことを枯れた木みたいだと思っていた。

髪を梳かすとき、母は、まるで一切構われない姉の髪を哀れむかのように、自身の髪に対峙した。風呂上り、母は鏡の前に30分は立ち続けた。髪を乾かし、椿油《つばきあぶら》で頭皮をマッサージして、豚の毛のブラシで、何度も何度も髪を梳かした。黒くてまっすぐな母の髪は、ブラシで梳かすごとに艶を増し、最終的には黒い飴《あめ》のような色になった。時々母は、梳かした髪の毛を僕に触らせてくれた。それは僕が今まで触れたものの中で、一番細くて、一番綺麗なものだった。

僕にとって母は母以外の何ものでもなかった。だが、同級生の家に遊びにゆくと、僕の母の容姿が他の母親と違うということは分かった。同級生の母親たちは、Tシャツにずるっとしたスカートを穿《は》いていたり、ジーンズを穿いていることが多かったが、母はぴたりとしたタイトスカートや、鮮やかな色のワンピースを着ていた。

僕をスーパーに連れてゆくときでさえ、ヒールの靴を履いたし、髪の毛を綺麗にまとめることも忘れなかった。見栄えをよくすることに関して、母は女優顔負けの矜持《きょうじ》を持っていた。隙間なく塗られた桜色の指先で果物を選んでいると、八百屋の兄ちゃんは絶対におまけしてくれたし、薄い水色の日傘を差して通りを歩いていると、必ず誰かが声をかけてきた。母はそういう様々な好意に、ときに笑顔で返し、ときに気のない返事をしたりしていた。

僕らの家には、たまにお客さんがやってきた。

頻繁にやって来るのは祖母と夏枝おばさんで、稀《まれ》にやって来るのは好美おばさん家族だった。まなえは、姉の部屋にベランダがあることを悔しがっていたが、姉の部屋に入りたいとは言わなかったし、姉も決して部屋に入れなかった。というより、姉の部屋には、僕たち家族も入ることは許されなかった。姉の「ゴリゴリ」は、今や天井にまで展開していたが、姉がどうやって天井に絵を描いているのか、それがどんな絵なのかは、姉以外誰も知らなかった。

まなえは5年生になって、ますます太っていた。食べているものがいいのか、血色が良く、肌には透明感があって、愛されているイルカといった感じだった。まなえと姉の仲は相変わらず悪かったが、姉は特に、まなえのこの体型を嫌っているようだった。まなえは、姉と違い、母が作った料理をどれも美味しそうに食べた。食べない姉と並んで立つと、発育の不思議を思わずにいられない、歴然とした差があった。

まなえが何でも美味しそうに食べてくれることを、母は喜んだが、好美おばさんは難色を示していた。母が女優ほどの気概で身綺麗に整えているのに対し、好美おばさんは政治家の妻のような隙のない格好をしていた。大きく巻かれた髪の毛はガチガチに固められ、嵐が来たって揺るがなそうだったし、胸元に光るパールのネックレスは、ひとつひとつ鏡になりそうなほどピカピカに磨かれていた。

母と好美おばさんは、長女に手を焼いているという共通点があった。その点では気が合ったから、仲が良いはずだった。お互いの爪を褒め、枝毛ひとつない頭髪を讃えたりしていたが、ふたりが並ぶと、でもどこかでぴりぴりした空気が蔓延《まんえん》した。お互いから、相手に負けたくない、というような気配が滲《にじ》み出ていた。

治夫おじさんは、とにかく自慢できる相手がいれば案山子《かかし》だって構わないというような人だったので、無口で我慢強い父は相手としては最適だった。治夫おじさんは、自分の事業がいかに成功しているか、自分がどのような采配で社員をうまく使っているかをとうとうと父に語って聞かせ、父は時折「はぁ」「それは」などと気のない返事をしながら、結局はうまくやっていた。

自然、僕たち子供だけで残されることになるのだが、そうなると大体始まるのが、姉とまなえの、例の「私のほうがマイノリティ」合戦だった。成長したふたりは、幼い頃のように肉体的に困難なことをしてみせるのではなく、もっぱら討論に頼った。それも、すぐそばにいる両親たちに聞こえないような小声で、ちくちくとやり合うのだ。

姉は何よりまなえの太った体を揶揄《やゆ》した。まなえとの口論により、やっと知るところになったのだが、姉がご飯を食べないでいたのは、母への反抗からではなく（それももちろんあるだろうが）、アンネ・フランクの日記を読んだことに端を発していた。

「アンネ・フランクの人生を思うにつけ、自分はのん気にご飯を食べることなんて出来ない。ご飯を食べないことによって私はアンネの気持ちになろうとしているのだ。」

姉の思いは強かった。僕は当時アンネ・フランクを知らなかったが、姉がただ単にだだをこねるためではなく、何らかの理由をもってあの行動を起こしていたのだと知って、小さく感動した。

一方まなえは、そんな姉を馬鹿にした。

「ほなあんたは、アンネみたいに毒ガスで死ねるん？」

正確にはアンネが亡くなった理由は毒ガスではない。なのに姉は、それを知らなかった。

姉の詰めの甘さだ！　それだけ強い思いで寄り添ったアンネの、正確な死因を知らないなんて！　だが、ここで引き下がる姉ではなかった。昔なら「死ねる！」そう宣言した後、バスルームにでも閉じこもり、なんとか毒ガスを出そうと試みただろうが、そのときの姉は聡明な女の子だった。

「あんたみたいにブクブク太るくらいだったら、毒ガスで死んだほうがまし。」

聡明な、という言い方は少し間違っている。「人を傷つけることにかけては優れた女の子」だった。なにせ姉は、人を傷つけてきた以上に、傷つけられてきたのだ。姉に浴びせられた罵詈雑言は想像がつかなかったが、姉はそのたび傷つき、そして心の中でそいつらをののしる言葉を考え続けてきたのだろう（それにしても、「毒ガスで死んだほうがまし」とは、結構な言い分だ。アンネだって怒るのではないだろうか）。

まなえは、姉の思惑通り、姉の言葉に傷つき、顔を真っ赤にした。

まなえの学校には、まなえの体型をからかう児童はいなかったのだろうか。そういえばまなえからは、姉の体から漂ってくる怒りのようなものはなかった。それが、「アンネ・フランクを思うことと思わないこと」によって出来る違いなのかどうか、僕には分からなかったが、とにかくまなえは、自分が恵まれていること、美味しいものを毎日思う存分食べていることを、まったく恥じていない様子だった。そして、ここが重要なところだったが、自分は可愛いと思っているようなふしがあった。姉のマイノリティ願望が「辛い思いを知っている人間になりたい」というものなら、まなえのそれは、「自分はお嬢様でしかも可愛い、選ばれた人間なのだ」というものだった。好美おばさんとの確執は続いていたが、まなえはまなえで、おばさんとは違う美しさを自分の中に見出《みいだ》したのだろう。まなえのたくましさを、僕は眩しく思った。

姉とまなえの口論が白熱し始めるきざしが見えると、僕はこっそり食卓を離れた。自分の部屋はなかった。両親の寝室に引っ込むのは子供っぽかったし、かといって居間で両親たちのやり取りを見るのは退屈だった。特におばさんと母の「ぴりぴり」に触れるのは怖かった。

居間には義一と文也もいるはずだった。でもふたりは僕からしてみればうんと大人で、従兄弟というよりは知らないお兄さんという感じだった。

ふたりともガタイが良かった。義一はラグビー、文也は柔道をやっていた。家に来ると行儀よく席に座って、両親のやり取りを聞いていた。特に義一は母のお気に入りだった。母の作る料理を、美味しい、美味しい、と言いながらいくらでも食べ、母がおかわりを渡すと、にっこり笑って礼を言った。「さわやかな好青年」を、絵に描いたような人だった。

文也は、義一に比べて、もう少し陰があったが、それでも優しい兄ちゃんだった。僕にあれやこれや質問をしてくれるのだが、僕はすっかり人見知りしてしまって、ろくに返事をすることも、彼らに近寄ることも出来なかった。

逃げ場所を求めて入った和室には、でも、義一と文也がいた。

「びっくりした、歩君か。」

ふたりが驚いた以上に、僕も驚いた。そして驚いた後は、すぐに居心地が悪くなった。ふたりの邪魔をしたみたいで申し訳なかったし、ふたりと3人だけになるのはこれが初めてで、恥ずかしかった。僕は黙って出てゆこうとした。すると、義一が僕を手招きした。

「歩君、ちょっと。」

文也が笑いながら、義一をこづいた。義一は笑顔を崩さず、ずっと手招きしていた。仲間に入れてもらえるんだ、そう思うと嬉しかったが、まだ声には出せずにいた。僕が近づくと、義一はちらりと入り口を見て、背中に隠していたものを見せてくれた。

裸の男の人がいた。ふたりだ。

幼い僕の記憶は定かではなかったが、ひとりの男の人が、もうひとりを食べようとしているように見えた。ふたりの体がどうにかなっていたが、それがどういう状態なのか、そもそも本当にふたりの体なのか、分からなかった。そして恐ろしいのはここだが、そのふたりは、義一と文也に見えた。

義一は髪の毛を逆立てて、ジェルでガチガチに固めていた。文也はくせのある髪をそのままにしていたが、耳の上だけ刈り上げていた。全然違う髪形だったが、ふたりはとてもよく似ていたし、それはそのまま、僕が今見ている写真のふたりにも似ていた。

義一と文也は、僕の反応を見て、声をあげて笑った。僕は何故か、自分が辱められたことだけを理解した。顔を真っ赤にして、口をまっすぐ結んで、でも、その場を去れなかった。義一は、そんな僕を憐《あわ》れに思ったのか、

「ごめんな、忘れてな。な。」

そう言って、僕の頭を撫でた。
あれはそういう雑誌だったのだと分かるのに、あと数年を要した。もしかしたらあれは僕が見た夢だったのかもしれない。ハイティーンになった義一が、律儀に我が家に来るとは思えないし、文也だってそうだ。そして、自分たちに似ているそういう雑誌を、兄弟で笑いながら見るはずがなかった。

でも、もしそれが夢だったとして、どうして僕はそんな夢を見たのだろうか。当時の僕の中に、何かしらそういう傾向があったのだろうか。だが、そもそも僕は性行為すら知らなかった。恐らく僕が見た雑誌には、男女の性行為以上のものがあった。僕は何がどうなっているのか分からなかった写真の中で、男の人の体の真ん中にそそり立っている、塔のようなものをはっきりと覚えていた。

その日の夜、僕は熱を出した。冷静な母も、声をうわずらせたほどの高熱だった。歯の根も合わないほどの悪寒に見舞われ、布団やタオルでぐるぐる巻きにされながら、僕はもちろん、あの写真のことを忘れられないでいた。両親には言わなかった。義一も文也も僕に「言うなよ」とは言わなかったが、それが言ってはいけない類のことだというのは分かった。僕は自分の頭から、必死で映像を追い払った。だが、ふたりだった男の人は３人になり、４人になり、ついには数え切れないほどの大人数になって、僕の頭にいつまでも居座るのだった。

寝入り際、姉が部屋の壁を削っているのが聞こえた。姉はまた、あの「アンネ・フランク」とかいう人のことを考えているのだろうか。

僕の熱が下がったのは、２日後だった。

5月に入って、僕と姉は誕生日を迎えた。

ある日、珍しく早く帰っていた父が、僕に一緒に風呂に入ろうと言ってきた。姉は、父と風呂に入るのはとうにやめていた。どころか、あんなに好きだった父をすら、避けるような態度を見せ始めていた。夕飯をいつも通りつつくと、姉は冷蔵庫からヨーグルトとバナナを出して、自分の部屋に引っ込んでしまった。

僕が母を見ると、母は食器を片付けながら、小さくうなずいた。何かが起こるのだと直感的に察して、僕は父の後にしたがった。

風呂に入ると、父はまず髪の毛を洗った。どうやったらそんなに、と思うほどシャンプーをもくもくと泡立て、音がするほど頭皮をこすった。それからタオルで石鹸《せっけん》をまた大きく泡立て、首から始まって、足の指の間まで、丁寧に、丁寧に洗った。父のタオルは、他の家族のものとは違って、ゴワゴワと硬い素材で出来ていた。一度それで体を洗ったが、ひりひりと痛かった。

父は僕の体を僕のタオルで優しく洗った。「目をつむれ」と言って、頭からお湯をかけた。お湯をかけられる瞬間、耳の中は無音になり、水の中にいるような気持ちになった。それは少し怖くて、同時にわくわくすることでもあった。

「歩。」

湯船にふたりで浸かると、父が僕の目をじっと見た。そんなことは、珍しかった。ますます何かある。僕は湯船で身構えた。僕は何故か、数週間前に見た、義一と文也の雑誌のことがバレて、そのことを咎《とが》められるのだと思っていた。

「なに。」

僕の声はうわずっていた。父はしばらくお湯をかきまわしていたが、やがて、

「学校楽しいか。」

そう言った。下半身からゆるゆると力が抜けてゆくのが分かった。でも、まだ油断は出来なかった。僕はつとめて平静に答えた。

「うん。」

「特に何が。」

「給食。」

「はは、給食って。授業ちゃうやん。授業やったら何が楽しい？」

「体育と国語。」

「お、国語か。歩は文系なんやな。」

ぶんけい、というのが何か分からなかったが、父は楽しそうだった。どうやら怒られるわけではなさそうだ。僕はゆっくり安心しだした。

「国語で何習ってん。」

「先生あのね。」

「なんやそれ。」

「あんな、先生あのね、ていう言葉から始まる文。」

「それを読むんか。」

「読むし、書く。」

「書くんか。」

「うん。」

「先生あのね、て？」

「うん。」

「そうか。」

父はお湯で顔をばしゃばしゃと洗った。なんとなく気まずい感じだった。

せっかく父が自分に興味を持ってくれたのに、面白い話が出来なくて申し訳なかった。だが、「先生あのね」に関して、父を爆笑させられるような話を、僕は持っていなかった。

「歩、エジプトって知ってるか。」

急だった。

「エジプト？」

「そう。」

僕の頭に咄嗟《とっさ》に浮かんだのは、教室に置いてある一冊の絵本だった。僕らの学校には図書室があったが、教室内に別に、学級文庫と呼ばれる本棚があった（指で口の両わきを横にひっぱった状態で「学級文庫」と言うと、「学級うんこ」になる、という遊びに夢中になったのは、僕たちだけではないだろう）。そこに、「エジプトのみいら」という本があった。エジプトのミイラの作り方を、絵入りで説明している絵本だった。子供向けとはいえ、内臓を取り出す工程など、結構グロテスクな表現が多く、僕の脳裏に強烈な印象として残っていた。

「ミイラの？」

「ミイラ？　あ、ミイラ？　はは、まあそうやな。歩、よう知ってんな。」

「学校で見てん。」

「ミイラを？」

「ううん。ミイラの本。」

「そんなん置いてあるんか。」

「うん。」

「ミイラなぁ。」

父は、何故か満足そうだった。山で、先に登っていた父が、振り返って僕たちを見るときの顔だった。

「その、ミイラの国にな。エジプトにな。」

「うん。」

「行くことなってん。」

「そうなん。」

「そうなん、て。驚かへんのか？　お父さんも、お母さんも、貴子も、歩も行くんやぞ？」

僕はすでにのぼせ始めていた。でも、父の言うことにうまく返事が出来なかったのは、そのせいだけではなかった。

エジプトに行く？　自分たち家族が？

それはあまりにも、非現実的なことに思えた。「エジプトのみいら」を見ている限り、エジプトは「ほとんど砂漠」だった。そこに住む、ということは、どういう了見か。テントを張るのだろうか。それともレンガで建物を造るのか。そして一番大事な問題だが、僕たちもミイラにされるのか?

「歩も、一緒に行くよな?」

黙りこんだ僕を見て、父は不安になったようだった。

「歩は小さかったから覚えてないかもしれへんけど、言うたやろ、歩はイランで生まれたんやで。イランとエジプトは近いねん。」

イランのことなんて、何も覚えていなかったし、近いといわれたところで、今僕たちが住んでいるのは、イランではなかった。

「友達と離れるのは辛いやろうけどな、4年くらいしたら、またこの家に戻ってこれるねん。歩、5年生になってるけど、また同じ小学校に通えるやろ。」

自分が5年生になったところなど、まったく想像出来なかった。僕にとって5年生は、アンネ・フランクの本を読んでご飯を食べなくなる年齢だったし、同級生の弟をからかってやろうと、意地悪な顔をしてやってくる年齢だった。僕がそっち側の年齢になるなんて、思いもよらなかったし、率直に言って、嫌だった。

「な、歩。」

父は、僕の頭を撫でた。僕は完全にのぼせてしまっていた。鼻の奥が、じんと熱くなった。

「あ。」

僕の鼻血が、ぽた、ぽた、と、湯船に落ちた。血はお湯に滲んで、ふわふわと消えていった。

第二章　エジプト、カイロ、ザマレク

8

僕たちは、慌ただしくエジプトに引っ越しする準備を始めた。

僕はいつまでたっても、ミイラに関する思いを捨て去ることが出来なかった。エジプトに到着した途端、ターバンを巻いた男たちが僕に襲いかかり、生きたまま内臓を取り出される夢を、何度も見た。

汗だくで飛び起きた僕に、両親は気づかなかった。無意識の領域ですら、僕には配慮があるのだ。大声で叫んだりもしなかったし、暴れることもなかった。けなげな息子に気づきもせず、健やかに寝息をたてている両親を、僕はわずかに憎んだ。

姉は、僕が見る限り、エジプトに行くということに関して、特に反応を示していないようだった。だが、家にエジプトの本が増え始めた。

姉はもちろん、学校生活を楽しんでいるようなタイプではなかった。「ご神木」と呼ばれ、変わり者扱いをされ、友人がひとりもいないのでは、仕方がないことだった。僕にとってはありがたい給食も、姉にとってはアンネと自分を遠ざける悪《あ》しき習慣でしかなかったし、友人がいなかったのは、姉がそう望んだからだった。姉にとってクラスメイトは、つまらないことで騒ぎ立てる、子供っぽい悪魔だった。姉は日本を離れることに、何の躊躇《ちゅうちょ》も見せなかった。

一番ワクワクしているのは、どうやら母だった。母の場合は、姉のようにエジプトの文献を読んで渡航に備える、というようなことはなかった。ただとにかく、ワクワクしていた。「向こうではたくさんパーティーがあるらしい」と、訊いてもいないのに僕たちに言い訳をして、綺麗《きれい》なモスグリーンのドレスを買ったり、白地に金色の飾りがあしらわれたハイヒールを買ったりした。姉は当然、そんな母を蔑んだ。母の行動は、アンネ・フランク的境地とは、ほど遠いものだったからだ。

父は6月に出発し、僕たちは8月に出発することになった。父が向こうで住居などの準備をして、僕たちを迎える手はずだった。

夏休みに入る前、担任の先生から、僕がエジプトに引っ越すことが告げられた。

クラスの皆は驚嘆した。

「エジプト？　どこそれ？」

僕と同じように「エジプトのみいら」を読んでいた何人かは、あのミイラの、と、声を潜めた。僕はなんとなく誇らしかった。ずっと不安だったことを差し置いて、僕は自分が勇気のある冒険家になったように思った。

ホームルームが終わると、同級生たちは皆、僕の周りに集まってきた。僕は幼稚園と同じく、小学校のクラスでも人気があったが、持ち前の性格から、率先して皆の中心になろうとはしなかった。その気になれば、クラスの中で完全に自分の存在を消すことが出来たし、皆に存在を黙殺されたところで決して傷つかず、それどころか安心するようなところがあった。「自ら目立とうとする」ことによって、いいことなど、ひとつも起こらなかった。それは僕が姉から学んだことだったし、これからもきっと変えることのない、主義みたいなものだった。

だが、そのときばかりは、僕は自分がまさに中心になることを許した。クラスメイトが海を越えてミイラの国に行こうとしているのだ（そのとき僕は、エジプトがどれほどの海を越えて行く場所なのか、いまいち分かっていなかったが）、仕方がないだろう。僕は皆の矢継ぎ早の質問に、出来るだけ丁寧に答えてやり、「手紙書くわ」という言葉に、感謝をこめてうなずいたりした。

同じ日、姉はクラスの担任に、自分が転校すること、しかもエジプトに行くことを皆に告げることを禁じた。マイノリティであることに全力を注ぎ、そのことで注目されることを何よりも願っていたあの姉が、である。姉はおそらく、本当にクラスの皆を嫌っていたのだ。それとも、もしかしたら、「何も告げずエジプトに行ってしまったクラスメイト」として、皆の記憶に残ることを選んだのかもしれなかった。僕のお別れ会が盛大だったのに対し、姉は静かに、本当に静かに日本を離れた。

引っ越しの準備をする段になって初めて、僕と母は姉の部屋を見ることになった。姉が毎日壁に、天井に何を描いていたのか、とうとう知ることが出来たのだ。

姉の部屋に足を踏み入れた途端、僕と母は絶句した。

壁や天井の一面に、巻貝が描かれていた。

すべての巻貝が同じ形、同じ大きさだった。くるりと巻かれた殻の先から、何故かしっぽが飛び出していた。まるで貝殻の中に、鼠《ねずみ》か何かが潜んでいるように。それはとにかく不気味だった。

姉は図書館へ行っていて不在だった（おおかたエジプトのことでも調べていたのだろう）。母は、姉に無断で、その絵を消そうとした。洗剤とスポンジを持って壁に対峙《たいじ》する母は、戦う前の兵士みたいな顔をしていた（見たことはなかったが）。だが、巻貝は絵ではなかった。壁を削り取って描かれたものだった。母がどれだけスポンジを動かそうと、壁そのものを削り取らない限り、巻貝は消えないのだった。

僕は、姉の執念に改めて感嘆した。あんなに細い体のどこに、こんな力が宿っていたのだろう。そして、姉はどうしてこんなにたくさんの尻尾つきの巻貝を描いたのだろう。巻貝にはもちろん表情がなかったが、くるりと巻かれた尻尾が、何かを訴えてきた。その何かを受け取る感性は僕にはなかったが、とても不穏だということだけはひしひしと伝わって来た。

母はしばらく、力任せにスポンジをこすっていたが、巻貝が微動だにしないのを見て、ぺたりと尻をついた。そしてそのまま、しばらく巻貝を眺めていた。僕がぼんやりと立ち尽くしていることが分かると、僕を手招きし、隣に座らせた。

僕は、母が怒っているのだろうと思っていた。姉がなしたことに、猛烈に怒っているのだろうと。だが母は、僕の肩を抱き、ぼんやりと壁を見つめていた。ちらりと見たこめかみも、ただ静かに、汗に濡《ぬ》れているだけだった。

残された僕たちの家には、夏枝おばさんが時々泊まりにきてくれることになっていた。母はおばさんに電話して、姉の部屋のことは決して驚かないでほしいと言った。

姉がどうして巻貝の絵を描いていたのかは、最後まで分からなかったし、姉も簡単に教えてくれる人間ではなかった。母がスポンジを使ったところだけ、壁が綺麗な白色になっていたので、消そうと努力したことは分かっただろう。だが姉は、そのことを怒りはしなかったし、母も、そのことについて、それから何も言わなかった。

カイロに発《た》つ8月16日は、真夏なのに、珍しくとても冷え込んだ朝だった。

僕はグレーのパーカーを着て、久しぶりに靴下を穿《は》いた。姉はオーバーサイズのトレーナー（父のだ。胸にHEART BREAKERと書いてある）を着て、ぶかぶかのジーンズにスリッポンという格好だった。見送りに、僕の同級生たちが来てくれたが、姉の同級生は、誰も来なかった。姉は迎えに来たタクシーに早々に乗り込み、まっすぐ前を見ていた。

祖母と夏枝おばさんが来てくれたが、何故か好美おばさん一家は来なかった。正直、ほっとした。僕はまだ、義一と文也のあの事件から、立ち直れないでいたのだ。日本を離れる段になってまで、まなえと姉が喧嘩《けんか》をするのや、好美おばさんと母がギスギスするのを見るのも、嫌だった。

タクシーが出発した途端、祖母の顔がぐにゃりと曲がるのが見えた。でも、祖母は泣かなかった。夏枝おばさんも、母もそうだった。今橋家の女は強いのだと、僕は思った。

当時まだ、関西国際空港は出来ていなかった。

僕たちは伊丹空港からカイロ国際空港へ向かうことになっていた。飛行機で14時間、途方もない距離だ。一日が24時間ということを学んでいなかった僕でさえ、その数字は脅威だった。それだけ離れた国なのだから、ミイラくらい作るだろうと、妙に納得したりもした。

イランで生まれるという華々しい経歴を持った僕だったが、実質、僕の記憶の中では、飛行機に乗るのはこれが初めてだった。

僕は柄にもなく興奮していた。すごく。

初めて飛行機に乗る7歳の少年が、興奮しないでいられるだろうか。

飛行機にまつわる全てのこと、パスポートコントロールや荷物検査のベルトコンベア、背中をぴっと伸ばして歩いてゆくCAの列、とりわけ、ゲートの窓から見える大きな機体が、僕をこのうえなく高揚させた。わあ、わあ、僕は声を出さずにいられなかった。

やっと元気になった僕を見て、母も嬉しそうだった。機嫌に乗じて、ボーイングの小さな模型まで買ってもらえたのだから、最高の旅立ちだった。

姉は飛行機の中で、昔のような暴挙には出なかった。むすっとした顔で本を読み、珍しく母が持ってきたおにぎりをかじった。母の機嫌はおおむね良好で、僕は興奮と緊張のためか、不覚にも機内で2回ゲロを吐いた。

カイロ国際空港に到着したのは、夕方だった。

それなのに、タラップを降りた途端、焼けつくような日差しが僕たちの皮膚を焦がした。夕方とは思えない、ほとんど殺意さえ覚える強さだった。母は急いで新しいスカーフを頭に巻きつけたが、姉はうっとうしそうに目を細めただけで、何もしなかった。

飛行機の前に、大きなバスが停車していた。それに乗ってターミナルまで行くのだ。あんなに汚いバスを、生まれて初めて見た。窓ガラスは真っ黄色に曇っていて、外がぼんやりとしか見えなかった。座席は窓際に一列しかなかったが、何かで決定的に汚れていて、誰も座らなかった。

僕ら3人以外に、日本人はいなかった。母や姉や、特に僕は、皆からじろじろと見られた。女の人は皆スカーフを頭に巻き、目の周りが真っ黒で、お尻が驚くほど大きかった（それに比べると、母と姉はまるで小枝だった）。大抵の男の人は、ワイシャツにスラックス、革の靴を履いていたが、中に、くるぶしまであるワンピースのようなものを着ている人がいた。男がスカートを穿くなんて驚いたし、なのに黒猫のような真っ黒い髭《ひげ》をたっぷりはやしているので、そのギャップに眩暈《めまい》がした。

僕が眩暈に襲われた理由は、実はそれだけではなかった。バスに乗った瞬間から、においがすごかったのだ。酸っぱい、目に染みるようなにおいだった。僕の鼻は崩壊寸前だった。だからバスがターミナルに着いたときは、心からほっとした。

飛行機ではあんなに上機嫌だった母が、空港では緊張しているのが分かった。列に並ばされ、長い時間待たされた後は、顔の半分が髭のおじさんに、パスポートをチェックされた。母は、男の人に会うと、反射的に微笑《ほほえ》むタイプだったが、今まで母が微笑みかけてきた男の人みたいに、そのおじさんはそれを喜ばなかった。ほとんど喧嘩を売っているといっていい顔で母、姉、そして僕を睨《にら》んだ。そしてパスポートに乱暴に判子を押した後は、こちらに向かって、パスポートを放り投げた。

「なんやの、あれ。」

母は、自分がまさかそんな扱いを受けるなどと、思わなかったようだった。

荷物を受け取る段になって、やっと僕の元気が戻って来た。ベルトコンベアに乗ってスーツケースが流れてくる様子を、初めて見たのだ。黒いゴムの、怪物のベロのようなカーテンの向こうから、様々な荷物が現れてくる様子は、見ていて全く飽きなかった。

その頃には、また新しいにおい、豆をフライパンで炒《い》ったようなにおいが漂っていた。時々鼻を突きさす香水のにおいを振りまいたおばさんが通ったり、スパイスの強烈なにおいをさせたおじいさんが通ったりして、カイロ国際空港は、とにかく何らかのにおいに満ちていた。

「トイレ行きたい。」

姉が言った。

家族でどこかへ出かけたとき、急に催したとしても、姉は誰にも告げず、ひとりでトイレを見つけ、さっさと済ませてきた。だが姉も、エジプトという未知の地の、何らかのにおいが充満する空港に怯《ひる》んだのだろう。母の助けを借りなければいけない自分を、姉は恥じているようだった。母は僕の手をひいて、姉と共にトイレへ向かった。正直言って、女子トイレに入るのは屈辱だった。でも母には、僕をひとりにする気はないようだったし、僕にもひとりでいる勇気はなかった。

トイレに入った途端、強烈なアンモニアのにおいがした。床に座り込んでいる太ったおばさんを見て、腰を抜かしそうになった。おばさんは黒い装束を着て、タイルに陣取っている。僕らに気づくと、こちらに手を伸ばしてきた。何か言っている。

「なんて言ってるん？」

「さあ、多分お金くれ、て言うてるんちゃう？」

母はおばさんを無視して、姉の背を押した。すると、おばさんが怒鳴った。立ち上がって手をぐるぐる振り回しながら、僕たちの分からない言葉を叫んでいる。何がなんだか、全く理解出来なかったが、ものすごく怒っていることだけは分かった。恐怖に駆られ、僕たちは固まってしまった。おばさんは、ぐるぐる回した手で腰をたたき、そのままその手をこちらに差し出した。ずっと、何か叫んでいた。

母はとうとう、おばさんの剣幕に気圧《けお》されて、財布からお金を出した。父からもらっていたエジプトのお金だった。おばさんはそれを受け取ると、急に、本当に急に、静かになった。母に数束のトイレットペーパーを渡し、またぺたりと、床に腰を降ろしたのだ。そのギャップが、僕には恐ろしかった。

母が姉を促した。

「ほら、貴子。」

あんなに不安げな姉は、見たことがなかった。姉は母の顔を見ながら、奥の個室を選んだ。母は僕の手を引き、手前の個室に入った。言っておくが、僕は4歳からトイレにはひとりで入っている。母と一緒に個室に入るなんて、こんな緊急事態じゃないと自分に許すはずもなかった。

母にうながされ、僕がしぶしぶ用を足そうとすると、

「いやー!」

姉の声が聞こえた。

「貴子どないしたん?　大丈夫か?」

「うんこ落ちてる、いやだ。何これ、いやー。」

「貴子、こっち来なさい。」

僕が用を足し終わるのを待って、母は個室を出た。あんなに急いでおしっこをしたのは、生まれて初めてだった。

「貴子、ここでしなさい。」

信じられないことに、姉は涙ぐんでいるようだった。落ちているうんこを見たことが、よほどショックだったのだろう。気の毒である。それにしても、どうしてトイレにうんこが落ちている、、、のだ。

姉と母が続けて用を足し、僕らはなんとかトイレを出た。出るとき、おばさんは僕らをじろじろ見ていたが、何も言わなかった。掃除をしようとする素振りも見せなかったし、お金ありがとう、みたいな顔もしなかった。

「なんなのあの人、トイレ掃除の人とちがうわけ？」

「ほんまやわ、うんこが落ちてるトイレに、なんでお金払って入らなあかんの。」

母と姉は、珍しく、本当に珍しく、意見を交わしていた。とんでもないきっかけだったが、僕はそこに圷《あくつ》家女性陣の戦争終結への希望を見た。その勢いのまま、ふたりは協力してスーツケースを探しだし、コンベアから降ろした。

「せーの！」

そう声を合わすふたりを見て、僕の希望は、ますます現実のものとなった。

僕は嬉《うれ》しかった。怖かったし、緊張していたが、嬉しかった。そして、姉には悪いが、うんこを見なくて良かったと、心から思った。

9

空港には、父が迎えに来てくれているはずだった。

遅い自動扉が開くと、そこにはたくさんの人がひしめき合っていた。皆、重なるように柵に並び、ある者は叫び、ある者は名前の書かれた紙を掲げ、出てくる人を凝視していた。

僕たち3人は、例のごとく、特にじろじろと眺められた。何人にも、大きな声で何事か話しかけられたが、皆怒っているみたいに見えた。そして不思議なことに、女の人がひとりでいる姿を、まったく見なかった。

母と姉は、今やしっかりと手をつないでいた。僕も恐怖のさなかにあったが、正直、その光景に感動する余裕もあった。何せ、僕は男なのだ。何かあったらふたりを守らなければ、そう思っていた。嘘じゃない。そのときの僕は、生まれてから一番、勇敢な気持ちになっていた。

「奈緒子！」

たくさんの怒声に混じって、父の声が聞こえた。僕たち3人は、すがるように、声のするほうを見た。

エジプト人の濃い顔、顔、顔に混じって、父の涼やかな顔があった。あのときほど、父をハンサムだと思った瞬間はなかった。父はエジプト人より頭ひとつ分大きかった。こざっぱりした水色のシャツを着ていて、まったくいかしていた。

大きなスーツケースを引きずりながら、姉と母はほとんど走り出した。さっきまでの勇ましい気持ちを忘れて、僕も泣き出しそうになった。

父は、これ以上笑えないと思えるような笑顔で、僕らを出迎えた。まず姉を、母を、そして最後に僕の肩を叩いた。抱きしめないのが、父らしかった、というより、日本人らしかった。周囲を見ると、エジプト人は様々な場所で様々に抱き合い、キスをして、涙を流していた。その人たちに比べたら、圷家の邂逅《かいこう》はまことに地味だった。だが、父は父なりに、僕たちは僕たちなりに、精一杯感激していたのだ。

「よう来た、よう来てくれた！」

それは、ふだん物静かな父が、決して出さない声だった。

「よう来た。よう来た。」

父は、そればかりを繰り返した。

父には運転手がいた。ネイビーブルーのベンツから、折り畳んだ体をのばすようにして出てきた男は、名をジョールと言った。2メートルはあったのではないか。父より背の高い人間を、僕は初めて見た。ジョールは僕を抱き上げ、姉にウインクをした。母には礼儀正しく手を差し出し、握手をした。細いのに、お腹《なか》だけ出ていて、シャツのボタンがはちきれそうになっていた。

「トイレにうんこが落ちてたのよ！」

「そうなの、お金払ってる人なんなん？　お金あげへんかったらめっちゃ怒鳴られたんやけど！」

「トイレに座ってても、掃除しないわけ？」

「なんなんあの人。」

車の中で、女性ふたりはやかましかった。助手席に乗った父は、ふたりにいろいろ説明をしていた。公共のトイレには大抵あああいうおばさんがいること、うんこが落ちていたのはトイレが流れなかったからか、洋式トイレに慣れていない年配の人がそうした可能性のあること、実際に流れないトイレが多いことなど。そのたび母と姉は声をあげ、不満を表明した。父は苦笑いしていた。父もきっと、姉と母が意見を同じくしていることを、喜んでいたのだろう。

僕は、窓の外を流れる景色に夢中になっていた。

エジプトは砂漠じゃなかった。なんていうかすごく、街だった。

たくさんの車がクラクションをこれでもかと鳴らし、僕らのベンツをびゅんびゅん追い抜いていった。道路の向こうには、茶色くすすけた建物がひしめきあい、建物のベランダに洗濯物が大量に干してあった。空はオレンジと青が混じったような色で、丸い玉ねぎのような形のドームが、ぽつぽつと点在していた。

「歩、どうやカイロは?」

父が僕を振り返った。僕は父のその言葉で初めて、ここがエジプトのカイロという街であることを知った。

「全然砂漠やない。」

僕の一言に、家族皆が笑った。離れていたのはたった2ヶ月だったが、ずっとバラバラで暮らしていた家族がやっと会えた、という連帯感が、車内に漂っていた。僕はやっぱり、興奮していた。

僕たちが住むのは、フラットと呼ばれる建物だった。日本でいうと、マンションのようなものだ。ジョールが車を止めたのは、アーチ型の柵がついたベランダがある、古びたフラットだった。姉は一目見て、まずベランダに歓声をあげた。それはまったく、姉好みのベランダだった。

「ここは裏口やねん。」

父がベンツから降りると、

「ミスタアクトゥ！」

駐車場にたむろしていた男たちが、口々に声をかけてきた。父は皆に手をあげ、

「車洗ったり、荷物運んだりしてくれる人や。」

そう説明してくれた。

「なんて言うたん、あの人ら。」

「ミスターアクツ。圷さん、てこと。つがうまいこと言われへんから、トゥになるみたいや。」

男たちは皆、父のことを尊敬しているようだった。父を取り囲んで、自分が荷物を持つ、と取り合っていた。それぞれ僕たちに挨拶をしてくれたが、皆、空港で見た男たちと違って、優しそうに笑っていた。ジョールはそのうちのひとりと立ち話をしていて、時折大きな声で笑いながら、男と抱き合っていた。

駐車場から右に曲がったところが、正面玄関だった。入り口には緑色のアーチがあり、薔薇《ばら》が絡まっていた。中に入ると、緑が植えられた中庭をはさんで、僕らのフラットと同じ形のフラットが正面に建っていた。

エントランスは、白い大理石のような階段だった。母はすっかり機嫌を直して、柱に触ったり、中庭を眺めたりしていた。ほとんど球体に見えるくらい太ったおじいさんが、入り口横のベンチ

に座っていたが、ゆっくり立ち上がってこちらにやってきた。顔もまんまるで、ドラえもんみたいに見えた。

「このフラットのボアーブさんや。ボアーブいうのは、管理人さんみたいなもんかな。」

父がそう説明した。おじいさんは、頭にターバンのようなものを巻き、空港で見た長いワンピースを着ていた。ガラベーヤという服なのだと、父が教えてくれた。それはまさしく夢で見た凶暴な男の恰好《かっこう》だったが、おじいさんは、どう考えたって、僕らに襲いかかってミイラにするようなタイプには見えなかった。

「この人、ドラえもんみたいや。」

僕がそう言うと、皆笑った。その瞬間から、このおじいさんの名前はドラえもんに決まった。ドラえもんは、よろよろと歩きながら、僕らをエレベーターに連れて行った。ボタンを押すと、ふう、ふう、と荒い息をあげながら、僕らのほうを振り返り、何か言った。

「なんて言ったん?」

父に問うと、

「神のご加護がありますように。」

それは、僕が生まれて初めて聞いた言葉だった。意味は分からなかったが、きっと、今まで聞いた中で、一番綺麗な言葉だった。

「エジプト語では?」

「アッサラームアレイコム。」

その言葉も、僕が聞いた言葉の中で、やはり一番綺麗な言葉だった。アッサラームアレイコム。

ドラえもんは、ニコニコしながら僕らを見ていた。

エレベーターの扉は、自動的に開くものだと思っていた。でも、ここのエレベーターは違った。装飾が施された鉄の扉を、手で開けて乗り込むのだ。しかも、すごく小さかった。僕ら4人が乗ると、それだけでぎゅうぎゅうになった。

父がドラえもんに何か手渡すと、ドラえもんは、外から扉を締め、手を振った。

「何あげたん?」

「お金。」

「え! エレベーター呼んだだけやん!」

「チップってこと?」

母が問うと、父は返事に窮していた。

「うーん、チップとはまた違うねん。バクシーシいうてな、こっちの人は、イスラム教っていう宗教なんやけど、喜捨、分かるかな。喜んで捨てる、ていう気持ちがあるらしくって、ああやって何かしてもろたら、バクシーシ、喜捨のお金をやな、あげんとあかんねん。」

「僕らも?」

「歩らはええよ、大人だけ。」

「なんや面倒くさそうやなぁ。」

父が3階を押すと、エレベーターはぎゅおおん、と不吉な音を立てて動き出した。こんなに、と驚くほど、ゆっくりした動きだった。

「このエレベーター大丈夫なの?」

「エレベーターはよう止まるから、貴子と歩は子供だけで乗らんほうがええな。3階やし、歩けるやろ？」

「うん。」

カイロに着いてからの姉は、信じられないほど素直だった。母が言うことに、笑いさえした。僕はこのままふたりが仲良くなってくれたらと願った。ここでなら、それは可能なような気がした。

エレベーターが3階に到着すると、さっき駐車場にいた男の人がふたり、僕たちの荷物を持って待ってくれていた。階段で上がって来たのだ。父が彼らに金を渡すと、嬉しそうに笑って、階段を降りていった。

「バクシーシ？」

「そうや。」

「ありがとう、はエジプト語でなんて言うの？」

「シュクラン。」

「シュクラン？」

「そう。」

「綺麗な言葉。」

「そうか？　そんなん考えたことなかったな、貴子は感性が豊かやな。」

それはおそらく、姉が一番言われたい言葉だった。やはり父は、姉の心をすぐにつかんでしまうのだ。僕は、さきほど自分が「アッサラームアレイコム」を一番綺麗な言葉だと思ったことを、言わなかった。姉のためだった。

「あとな、エジプト語って言わんねん、アラビア語って言うねん。」

「シュクラン！」

まったく僕たちは、興奮していた。

扉を開けて、まっ先に目に飛び込んできたのはシャンデリアだった。キャンドルを模したランプがたくさんついた、きらびやかなシャンデリアが、玄関ホールについていたのだ。そう、そこはホールとしか呼べない、すばらしく広い空間だった。壁際には猫足の時計台があり、床には細かな装飾が施された、真っ赤な絨毯《じゅうたん》が敷いてあった。

僕は歓声をあげた。母も叫んだ。

砂漠どころじゃない、テントどころじゃない、僕の家は、とんでもない豪邸だった。

玄関ホールの向こうには、つながった部屋が3つあった。

右側の部屋には、広さに見合わない小さなテレビと、アップライトピアノがあった。姉はピアノを見て歓声をあげた。歓声をあげる姉なんて、久しぶりに見た。ピアノに駆け寄った姉を、母も「ほほえましい」といった感じで見ていた。

その部屋は、ピアノの部屋と名付けられた。ピアノの部屋には、女の人の絵が飾られていて（のちにクリムトのレプリカだと分かった）、テレビの下にはたくさんのVHS、その隣の猫足の棚には、レコードがたくさんしまわれていた。

ピアノの部屋の隣が、リビングだった。壁にLの字型にソファが並んでいるさまは、壮観だった。ソファは若草色、天井からつるされた重厚なカーテンは深い緑色で、金色の房飾りがしてあった。床には、カーテンよりも濃い緑に、様々な色の装飾が施された絨毯が敷かれ、シャンデリアからはキラキラ光るガラスの飾りが垂れていた。

僕が今まで見たどんな部屋よりも、その部屋は「金持ちの部屋」って感じだった。母は迷うことなく、L字型のソファの角の部分、つまり一番居心地が良さそうな場所に飛び込んだ。

「ふっかふか！」

無邪気に叫ぶ母に、いつの間にか父がカメラを向けていた。母はカメラに気づくと、姿勢を正した。ソファから降ろした足を斜めにして、にっこりと微笑んだ。母は僕らを呼んだりしなかったし、写真に収まった後も、「次私が撮る」とは、決して言わなかった。ああ、圷家だ、そう思った。

リビングの隣が、ダイニングだった。ダイニングには、8人がけの大きなテーブルがあった。当然のように猫足で、椅子の足が猫なら、テーブルの足は虎の足、といった感じだった。壁際に大きなガラス張りの食器棚が置いてあって、中には僕たちだけでは決して使い切ることが出来ない数のグラスが納まっていた。食器棚の横にはベランダへ通じる扉があり、姉が見たアーチ型の大きなベランダがそれだった。

ダイニングから廊下を挟んだところに、キッチンがあった。玄関ホール、ピアノの部屋、リビング、ダイニングが開放的に繫《つな》がっているのに対して、キッチンはそれだけで独立していた。足を踏み入れると、まず光が違った。他の部屋が、外からの光で燦々《さんさん》と明るいのに対して、キッチンはどんよりと薄暗かった。

「これ電気？」

姉がスイッチを押すと、ジー、ジジ、という、虫の羽音のような音がした。蛍光灯の青白い光に照らされたキッチンは、他の部屋と同じように天井が高く、石のタイルが敷かれていた。入ってすぐに、正方形の小さなテーブルが置いてあった。廊下側の壁には大きな冷蔵庫、作業台と大きな棚が続き、突き当たりは壁一面の物入れになっていた。左側は大きなシンク、その横にコンロがあって、突き当たりの物入れの横に、扉があった。

「あれどこに通じてんの？」

母がこわごわ訊くと、父が「裏庭」と答えた。「裏庭」という響きのような素敵なものではないことは、すぐに分かった。

「都市ガスがないからな、このボンベのガスを買わなあかんねん。」

父はそう言って、コンロの下の、爆発しそこなったロケットみたいなものに触れた。触れた途端、父の手が埃《ほこり》だらけになって、母は顔をゆがめた。

「そのガスを、ガス売りの人がここから持ってきたり、ゴミ屋がゴミを持って行ったりするねん。」

埃がついたのも気にせず、父は扉の取っ手をまわした。ギギィ、という音がして扉が開くと、裏庭のほうから、なんとも言えない湿ったにおいが漂ってきた。

「ここから人が来るの？」

姉が驚くのも無理はなかった。ちらりと覗《のぞ》いた扉の外には、信じられないほど錆《さ》びた螺旋《らせん》階段がついていて、大人がふたり乗ったら崩壊しそうだった。螺旋階段の先には、水溜《みずたま》りでほとんど覆われているコンクリートの床があって、先ほどの湿った悪臭は、そこから漂って来ているのだった。

料理好きの母は、キッチンの全容を知って、かなり落胆したようだった。僕も、確かにこのキッチンは、先ほどまでのきらびやかな世界と、あまりにかけ離れているような気がした。母の気持ちを汲《く》んだのか、父は申し訳なさそうに言った。

「来週からメイドさんが来てくれるからな、掃除はその人にしてもらえばええよ。」

「メイドって何?」

「そうか、歩はイランのこと覚えてへんもんな。メイドいうのは、お手伝いさん。」

「お手伝いさんがいるん?」

「はは、そない驚くか。せやで。イランのときもおったんやで。バツールって名前の。貴子は覚えてるやろ?」

「当然。」

姉は、僕の顔を見て、ちょっと得意そうだった。僕はそのときまだ、小さな頃の僕がバツールにどれほど可愛がられたかを聞かせてもらっていなかった。僕はバツールを知っている姉が、うらやましかった。

「メイドさん、名前なんていうん?」

「ゼイナブっていうんやって。」

「変な名前!」

「大丈夫なん? そのゼイナブって人信用できるん?」

母の心配はもっともだった。だが、後に母のその心配は、まったく杞憂《きゆう》に終わることになった。ゼイナブは、素晴らしい人だった。メイドとしてだけではなく、人として。

姉はすでにキッチンを出ていた。廊下はずっと奥まで伸びていて、右側に2部屋、突き当たりに扉があった。

「お父さん。あの扉も私たちの家?」

姉がそう訊く気持ちが分かった。この家は、あまりにも広すぎるのだ。

「せやで。あそこはバスルーム。」

右側の手前の部屋は、12畳くらいあった。大きなドレッサーとクローゼット、そして真ん中に大きな大きなベッドがあった。

「ここはお父さんとお母さんの部屋。」

父母の部屋の隣は、6畳ほどの部屋だった。日本では普通サイズのその部屋が、ここではなんとも小さく見えた。部屋には小さなベッド(そのベッドも、本当は小さくなかったのだ)と、クローゼットがついていた。

「ここは、メイドさんの部屋。」

「え、さっきの人一緒に住むん? ゼイ、ぜい……」

「ゼイナブか? ううん、ゼイナブは通いやけど、ここで休憩してもろたりするねん。」

「へえ。」

バスルームを左に曲がると、また部屋がふたつあった。

「貴子と歩の部屋やで、どっちか好きなほう選び。」

その言葉に、僕は飛び上がりそうになった。

「私こっちがいい。」

姉は部屋を覗く前に、もう自分の部屋を決めてしまった。僕に異論はなかった。僕にあてがわれたのは、手前のほうの部屋だった。

僕の「初めての部屋」は、初めてにしては贅沢《ぜいたく》すぎる部屋だった。12畳はあっただろうか。父母の部屋と同じように、真ん中に大きなベッドがあった。だがそれは、父母の部屋のとは違って、シングルベッドをふたつくっつけたものだった。右側には大きな鏡付の白いドレッサーがあり、手前にもまた鏡付のやや小ぶりなドレッサーがあった。左には、大統領執務室にありそうな、大きな大きな机があって、それは「勉強机」ということだった。家具は全部白く、真ん中にも白くて丸いラグが敷かれていて、僕の部屋は全体的に女っぽかった。その代わり、姉の部屋は、すべての家具が茶色、重厚でどっしりしていて、恐らく前の住人は、僕たちと男女逆転で使っていたに違いなかった（男女逆転しているのは、僕らのほうだったが）。

僕は文句を言わなかった。幼稚園で同じクラスになった誰かみたいに、女っぽいことに不満を漏らしたり、ダダをこねるなんて、そんな子供じみたことはしなかった。何せ、自分の部屋なのだ、この僕の！　僕にとって、自分だけの部屋があるということは、それはもうほとんど大人になったといっていい出来事だった。

しかも、僕の部屋にはベランダがついていた。それは姉の部屋から延び、角を曲がって、メイドの部屋、両親の部屋まで通じていた。こんなに広いベランダがある家は、もちろん初めてだった。

姉と僕の部屋の向かいには、もうひとつバスルームがあった。僕らの家には、玄関の隣にひとつ、メイドの部屋の隣にひとつ、僕らの部屋の前にひとつ、計3つのトイレがあり、バスルームはふたつあるのだった。

これを豪邸と言わずして、何を豪邸と言うのだ？

僕は一夜にして、王様になった気分だった。


到着した夜は、時差ボケのせいなのか、興奮のせいなのか、それとも（恐らくそれが原因だが）初めてひとりで眠ることが心細かったのか、全然眠れなかった。両親と10メートル以上離れて眠るのは、生まれて初めてのことだったのだ。

ふたつくっついたベッドの手前に横になり（少しでも出口の近くにいたかった）、僕は何度も寝返りを打った。今さらながら、空港を出たときや、車を降りた瞬間の暑さを思い出した。あの暑さは、決して日本にはないものだった。でも今、この部屋の中は、タオルケットを肩までかけないと眠れないほど涼しいのだった。

明日は金曜日だ。父が、ピラミッドに連れて行ってくれると言っていた。こっちは金曜日が休みらしい。夏休み明けに、僕と姉が通うことになる日本人学校も、金曜日が休みだそうだ。僕はそのことを、誰かに言いたかった。クラスメイトの顔がひとりひとり浮かんだが、どれもしっくりこなかった。夏枝おばさん、祖母、そして矢田のおばちゃんなど、関わった様々な大人の顔を思い出しているうち、僕はやっと眠りに落ちた。

10

朝は、奇妙な音で目が覚めた。

誰かが歌っている、最初はそう思った。おじさんだ。声が反響していた。声は建物や木にぶつかり、歪《ひず》みながら、それでもはっきりと僕の部屋を満たしていた。朝からこんなに大きな声で歌って、大丈夫なのかと心配になった。現に自分は、その音で起きてしまったのだから。

起き上がると、朝一番から達成感があった。ひとりで眠れたことが、嬉しかった。

家族は皆起きていた。おじさんの声が、ダイニングまで聞こえてきた。よく聞くと、歌う、というより、言葉を大量にどこかに流しこむような、苦しんでいるのか喜んでいるのか、分からない声だった。

「歩、おはよう。」

母は、もう綺麗に身支度を整えていた。スミレ色の麻のブラウスに、茶色のぴたりとしたタイトスカートを穿いていた。髪の毛をひとつに縛っているので、小さな顔が、余計小さく見える。父は、水色のチェックのシャツを着て、ジーンズを穿いていた。日本にいたときはそんな格好をしなかった。随分、若々しく見えた。

姉はまだ、自分の高揚を許しているようだった。テーブルに座って、朝食を食べていたのだから。姉が朝食を食べる姿なんて、数年ぶりに見た。

「歩も紅茶飲む？」

「うん。」

「ほな座り。」

いつもなら、先に顔を洗ってきなさい、とたしなめられるところだが、母も寛容になっているようだ。僕は寝癖をつけたまま、堂々と姉の隣に座った。

「お父さん、この音なに？」

「これか、アザーンや。」

「アザーン？」

「そう。今からお祈りの時間やで、て、皆に伝えてるねん。」

「お祈りの時間？」

「イスラム教っていう宗教があって、そのお祈りの時間になると、モスク、空港からこっち来るとき見たやろ？　玉ねぎみたいなドームとか、塔とか。そっからアザーンを流すねん。」

僕の前に紅茶が置かれた。当然だが、初めて見るカップに入れられていた。緑に金色の飾りがついたカップとソーサーは、随分高級なものに見えたし、おそらく本当に高級なのだろう。母は紅茶のあと、ゆで卵や焼いたパンを持ってきた。

「サラダは食べたらだめなんだって。」

姉が僕に言った。

「なんで？」

「生野菜はあかんねん。生の果物も。あと、水道の水も飲んだらあかんぞ。」

姉の代わりに、父が答えた。

「なんで？」

「日本におらん菌がおるねん。お腹こわすぞ。」

「きん。」

よく分からなかったが、何故かミイラみたいなものだろうと思った。もしくは、ミイラを作る凶暴な人たちのような何かだろうと。

「料理のときも？」

母は、紺色の表紙のノートを開いて、メモを取ろうとしていた。

「料理のときにいちいちミネラルウォーター使うんはもったいないから、お湯を沸かして使ったらええんとちゃうかな。」

「めんどくさ。」

そう言う母は、でも笑顔だった。きっと家族全員が食卓についていることが嬉しいのだろう。今まで、家族の欠員が出るときは大抵姉が原因だったが、父だって忙しかった。こうやって家族4人、ゆっくり朝食を食べることなど、なかなか出来ることではなかったのだ。

サラダなしの朝食を食べていると、今さらながら、はっとすることがあった。

「僕らもイスラム教になるん？」

父と母が、目を合わせた。笑いたいが、笑ってはいけない、というような表情をしていた。

「ううん。ならんでええよ。」

「そもそも、あたしたちって何教徒なの？」

姉は、この質問を今まで思いつかなかったことを、驚いていた。アンネ・フランクを真似て、時折「かみさま」と声に出して祈っていたのだ。姉は、今さらながら、自分がどの「かみさま」に祈っていたのか知らなかったことを、悔しがった。

「仏教徒や。」

「ぶっきょうと。」

その言葉は、僕にも分かった。僕が入園した幼稚園は、仏教系の幼稚園だったので、朝とお昼には、「ほとけさま」にお祈りをしたし、園の歌にも、たくさんの「ほとけさま」が登場していたからだ。だが、その「ほとけさま」とやらの、何を信じ、何をすればいいのか、僕には分からなかった。ただざっくり、「人のためになることをしましょう」「命に感謝しましょう」などと言われるだけだった。

「正確に言うと、浄土真宗ってやつ。」

「じょうどしんしゅう？　それって仏教なの？」

「そう。」

「どんな字書くの？」

姉は、母の紺色のノートを借りて、父に字を書いてもらった。

「浄土真宗の私たちが、イスラム教徒の国にいてもいいの？　怒られない？」

「怒られへんよ。ただ、部外者はこっちの方やから、イスラム教の教えを優先せなあかんときはあるよ。」

「例えば？」

「イスラム教徒は、豚肉を食べたらあかんねん。お父さんらは食べるけど、でも、例えばレストランに行って豚肉がないことを怒ったらあかんし、もちろん、イスラム教徒の人らに、無理矢理食べさせるのもあかん。あと、アルコール、お酒もな。」

姉は、母に借りたペンで、母のノートに熱心にメモを取っていた。結局、母のノートは、一言「野菜は火を通す」と書いただけで、姉の手に渡ることになった。

「仏教徒は？　禁じられてることはないの？」

今思えば、これが、姉が宗教というものに初めて触れた瞬間だった。その後、姉の人生に長く居座ることになるそれは、姉が11歳だったこの日の朝に始まったのだ。

姉の熱心さに比べて、僕はもう宗教の話には、興味を持てないでいた。母を見ると、母もそのようだった。僕の紅茶に砂糖を入れたり、その砂糖を入れたスプーンに映る自分の姿を、じっと見たりしていた。

時差があったからか、あまり食欲はなかった。でも母に悪いような気がして、パンをかじった。パンは、ぼそぼそしていた。あわてて紅茶で流し込むと、上顎の内側の皮が、べろんとめくれた。僕は自分の舌で、めくれた粘膜を舐《な》めた。

そのとき、急に思った。

僕はこれから、エジプトで暮らすんだ。

それはおかしな感情だった。現に僕はもう、エジプトで暮らし始めていたのだから。うんこの落ちているトイレの危機を潜《くぐ》り抜け、父母から10メートル以上離れて眠り、アザーンの声で、目を覚ましたのだから。

だが、そのとき、熱さでめくれた皮を舌で舐め、舌に残ったパンの味と紅茶の味を、じんわりと味わっているそのときに、急にこの国で暮らす、ということが、身に迫ってきた。

毎日毎日、このぼそぼそとしたパンを食べ続けること。

熱い紅茶で流し込むこと。

時折口の中を火傷《やけど》し、めくれた粘膜を舌で舐めること。

7歳の僕にとって、暮らすとはそういうことだった。そこで初めて僕は、自分がとんでもない、大それた決定を下してしまったのだと思った。

もちろん、エジプトで暮らすことを決定づけたのは、僕ではない。父だ。だがそのときの僕は、粘膜を舐めながら、自分がなんて遠い場所へ来てしまったことだろう、と、ほとんど絶望に近い興奮を覚えていた。僕には未来があったが、それこそ、大人たちが思いもしないような未来があったが、思いがけない決定によって、その未来が様々に形を変えることを、自分の上顎の粘膜の味によって、思い知らされたのだった。

僕はこれから、エジプトで暮らすんだ。

休日なので、ジョールはいなかった。車は、父しか運転できなかった。母は、助手席に乗り込むとき、

「右側に座るなんて、変な感じ!」

そう言って笑った。僕と姉は後部座席に座ったのだったが、ネイビーブルーのベンツは、僕らふたりだけでは、充分すぎる広さだった。

「ほな行こか。」

日本にいたとき（それはたった2日前のことだったが、僕にとってはすでに、はるか昔のことのように思えた）、父が車を出発する瞬間に発する言葉だった。父の言葉は、すべて日常のものだったが、それをこの場所で聞くことが奇妙だった。

ちらりと姉を見ると、姉も僕を見ていた。そして、外国人のように肩をすくめた。姉はカイロに来て、姉的な精彩をまったく欠いていたが、僕にとっては、そういう姉のほうが好きだった。うんと好きだった。部屋にこもり、大量の巻貝を彫っている姉より、こうやって僕の隣で、いたずらっ子みたいに肩をすくめる姉の方が。

フラットを離れて走り出すと、昨日見たものより、どこかクリアな景色が車窓を流れた。なんていうか、ピントが合った、という感じだ。それは不思議な感覚だった。僕は2日目にしてすでに、「ぼくんちの近所」として、この景色を眺めているのだから。

白と黒が交互になった縁石、クリームイエローの立派な建物と、その前に立っている長い銃を持った警官。ベンツの屋根まで垂れてくる木には、真っ赤な花が房になって咲いていて、その木陰にある椅子に、髭だらけのおじさんがつまらなそうに座っていた。「ぼくんちの近所」は、すごく静かだった。

少し走ると、大きな通りに出た。高架が通っていて、たくさんの車が、信じられないほど大きな音でクラクションを鳴らしながら走っていた。車の走行マナーの悪さは、空港から家に向かう道程で経験してはいたが、改めて自分の父が運転する車で走る道路は、あまりに危険だった。僕も姉も面食らったし、母などは数回、大声をあげた。

まず、車線がなかった。日本でなら、2車線なら真ん中に1本、3車線なら2本、まっすぐな白い線が、または黄色い線が引かれている。車は、その線を越えないように、自分の車線を走るのだが、ここではそもそも車線がないので、どの車がどこを走るのかは、運転手任せなのだった。当然追い越しや合流もひどく、父は何度もブレーキを踏み、クラクションを鳴らし、その度に、後部座席の僕らは飛び上がった。

そんな乱暴な道路を、おじさんやおばさん、僕たちみたいな子供までが横断していることに驚いた。信号はなかなか見当たらなかった。速度を落とさない車の合間を縫うように、皆器用に歩いていた。僕は、自分がいずれ、あんな風に車の間を歩けるようになるなんて、想像も出来なかった。

信号待ちで停まっているときだ。コンコン、と、窓を叩く音が聞こえた。道路の真ん中では、聞くはずの無い音だった。見ると、男の子がこちらを覗きこんでいた。あまりに近い距離だったから、僕は驚いて身を引いた。

男の子は、僕より恐らく小さかった。ほとんど色あせたピンク色のシャツは大きすぎるのか、だらりと垂れていた。僕がそうしていたら絶対に母が怒るぐちゃぐちゃの、本当にぐちゃぐちゃの髪をして、前髪の間から、大きな瞳がじっとこちらを見ていた。

僕がただ見つめ返していると、男の子は、先ほどより強めに窓を叩いた。手を差し出し、何か言っている。救いを求めて姉を見ると、姉も目を大きく開け、明らかにショックを受けているようだった。

「お父さん。」

思わず、そう言った。父はちらりとこちらを見ると、

「物乞いや。」

静かに言った。モノゴイ。初めて聞く言葉の意味を確かめる前に、その子がどういう状況なのか分かった。この子は、こうやって停車している車に近づき、お金をねだって暮らしているのだ。

「お父さん。」

もう一度言った。父は、バックミラー越しに僕らを見た。

「お金あげたらあかんぞ。」

思いがけない、父の冷たい物言いに、僕はショックを受けた。おそらく、姉も。僕らのショックに気づいたのだろうか、父は、少し大きな声で、ゆっくりと話した。

「ええか。例えばあの子が、花とか、新聞紙を売ってるんやったらええ。花代や新聞紙より、ちょっと多めに金をやったらええんや。でもあの子は働いてないやろ？　ただ金くれって言うだけの子に、金をあげたらあかん。」

僕は、昨日エレベーターを呼んだだけで、父から金をもらっていたドラえもんを思い出していた。あれも、働いた対価だといえるのだろうか。そもそも、こんな小さな子供が、働いて金を得ることが、出来るのだろうか。

信号が、青に変わった。車が動き出すと、子供は器用に道路から離れた。ぶかぶかのシャツに比べて、体に沿う小さなジャージを穿いた足は、裸足《はだし》だった。

僕と姉は、しばらく無言だった。これから僕たちは、ああいう子供たちに何度も会うのだろうと、何故《なぜ》か直感で思った。

実際、ピラミッドに着くまでに、そんな子供を5人は見た。ある子は、何も持たずに手を出し、ある子は父の言った通り、しおれた白い花や新聞を売っていた。姉が懇願したので、父がひとりの女の子から新聞を買った。女の子は嬉しそうに「シュクラン」と言い、後ろの車の方へ歩いて行った。通り過ぎるとき、僕と姉を珍しそうに見ていったが、僕と姉は、その子のことを直視することが出来なかった。

新聞を広げると、皺《しわ》を懸命に伸ばした跡があった。印刷のだけではない嫌なにおいが、紙から漂ってきた。記事はすべてアラビア語で、何が書いてあるのか、まったく分からなかった。

「全然読めない。」

「多分昨日とか一昨日とかの新聞やし、意味はないよ。」

僕はさきほどの女の子が、捨てられた新聞紙を拾い集めて、必死に皺を伸ばしているところを想像した。

そういうことをしているのは、子供だけではなかった。停車するたび、どこかから人が現れて、新聞紙やティッシュ、得体の知れない食べ物などを売ってきた。中には、車道の脇に座り込んで、ただ手を出しているだけのおばさんもいた。おばさんは、上から下まで真っ黒いカーテンのようなものをまとい、目だけを出していた。そんなことをしているのが恥ずかしいのだろうと思ったが、そうではなかった。ああいうおばさんは熱心なイスラム教徒なのだ。イスラム教では、女性がいたずらに肌を出してはいけないことになっているので、布をまとって顔を隠しているのだそうだ。頭に巻く布はヘジャブ、全身を覆う布はチャドルといった。

「どうして女の人が肌を出したらいけないの？」

「うーん。」

父は答えにくそうだった。そういうとき父は、大抵母の助けを借りてきたのだが、母もその理由を知らなかった。僕らは父が答えを教えてくれるまで、待たなければいけなかった。

「なんでって、なぁ。」

姉は、いつまでも待つ、というような顔をしていた。僕は、父の反応からして、もう諦めたほうがいいんじゃないかと思っていた。父は明らかに話したくなさそうだったし、もしかしたら父も、その理由を知らないのかもしれなかった。

後年知った理由は、やはり性的なことだった。つまり、父が僕らに話しにくい類の話だった。イスラム教徒の女性は、婚姻するまで性交を禁じられている。つまり、処女で結婚しなければならない。その戒律は厳しく、自然独身女性は、男性を扇情するような格好を禁じられる。髪の毛を見せてはいけない。肌を見せてはいけない。

結婚し、誰かの妻になった女性にもその抑制は及ぶ。女性はひとりの人間である前に、誰かの妻として過ごさなければならないのだ。夫以外に肌を見せるなんて、とんでもないことだった。

このように厳しい戒律も、僕らがカイロにいた時代は、でもまだまだ、軽いほうだった。ヘジャブをしていてもカジュアルな服装の女の子はいたし、顔まで隠している人は、おばあさん以外、あまり見なかった。おかしいのが、肌を隠しているからいい、という理由で、全身を覆うぴたりとした服を着ている女性がいることだった。体のラインが強調され、余計にいやらしく見えるのだ。

特にイスラム教圏では、ふくよかな女性が好まれる。日本でだったらほとんど太いのレベルに入る女性に人気が集まるのだが、そういう女性が肌に沿う服を着るのだから、なんていうか、体の迫力がすさまじかった。

細い体に似合う服を着た母は、だから人気がなかった。エジプシャンから言わせると、どうも子供のように見えるらしいのだ。母はたまに、現地の女性を真似て髪の毛をヘジャブで隠していたが、そうすると母は、現地の中学生のようにしか見えなかった。それでも母は、ファッションとしてその格好を好み、ジーンズに白いシャツのようなシンプルな服に、赤や黄色の鮮やかな柄のヘジャブを巻いたりして、楽しんでいた。

助手席の母は、髪の毛を縛りなおしていた。出掛けに着替えたので、母はオーバーサイズの白いシャツに、白いクロップドパンツ、茶色い革のサンダルという格好だ。髪留めは日本で買った、キラキラと光る石がついた派手なもので、母が顔を動かすたび、光を反射して僕らの目を射た。

姉と僕は、いつの間にか新聞紙を放り出していた。車窓を流れてゆく景色に、それぞれ集中していた。物乞いをする人たち以外にも、僕らの目を奪うものは、いくらでもあったのだ。

道路を歩いている山羊《やぎ》の大群、汚い荷車を引いたロバ、肉屋の軒先に吊《つ》り下げられた、恐らく牛の大きな肉の塊。姉は道路の真ん中で横たわって眠っている三本足の犬を見つけたし、僕はゴミ捨て場に捨てられている山羊の死骸を見つけた。

どれもショックだった。だからこそもう、どれにショックを受けているのかが、分からなかった。僕と姉はただただ黙って、車窓を眺めていた。

初めて見たピラミッドの感想はこうだ。

でかい。

それだけ。それ以外思い浮かばなかった。

ピラミッドは、でかい。馬鹿みたいだが、本当にそうなのだから、仕方がない。その証拠に、

「大きい！」

母も、それしか言わなかった。

母は、大きなサングラスをかけ、駆け出すように車を降りた。姉もそうだった。姉は様々な疑問をとりあえず胸に収め、今はただ、この驚きに忠実でいようと決めたようだ、母の後について、駆け出した。遅れを取ったのは僕だった。父は父で、笑いながら運転席でモタモタしていた。

走り出すと、砂に足を取られた。僕の紺色のスニーカーが、みるみる白くなった。時折ツウンと強烈な臭気がした。近くに大きな糞《ふん》が落ちていた。それは僕らの周りをウロウロしているラクダか、馬のものだった。

ピラミッドにも感動したが、僕は実は、こんな間近でラクダを見られることに感動していた。ラクダは、ジャングルジムくらいの大きさがあった。すだれみたいな睫毛《まつげ》の下の目は、意外と優しそうだったが、くちゃくちゃくちゃと動かしている口元がすごくグロテスクだった。

「大きい！」

母は、思ったことをそのまま言わないと気がすまない性質のようだった。何度も何度も「大きい」と叫び、すれ違うエジプシャンに、「オオキー」と、真似《まね》されていた。

父が僕たちに追いつくまでに、僕たちはすでに、たくさんのエジプシャンに声をかけられていた。お土産を見せる者、ラクダに乗らないかと誘う者。でも、すべてに対して決定的な「ノー」をつきつけたのは、母だった。母の態度はとにかく強固だった。それが頼もしかった。

ピラミッドは、近づいてみると、ほとんど壁だった。ひとつの石が、僕よりうんと大きかった。それが何万個もつみあがっている様（275万個らしい！）は、スケールが大きすぎて、笑い出したくなるほどだった。実際母は、間近にピラミッドを見て、大笑いしていた。

「何これ、大きい、大きいわー！」

馬鹿みたいだった。

だが、そんな母を見て、父は嬉しそうだった。母の無邪気な反応は、おそらく父が望んでいたものだったのだろう。

「みんな、そこ並んで。」

父は、カメラを持ってきていた。母はすぐに髪に手をやり、シャツを整えた。そして僕と、驚くことに姉の手を取り、にっこりと笑った。もっと驚いたことは、姉も、母に手を繋がれたまま、笑ったことだった。姉は父のポロシャツを着て、下にはくるぶし丈のパジャマみたいなパンツを穿いていた(その日帰ったら、姉の足はそのラインでくっきり白と黒に分かれていた)。僕はとっさのことで、笑うことが出来なかった。

そのときの写真は、今でも残っている。笑顔の姉と母の隣で、僕は口をしっかりと閉じ、胸を張っている。父はなんとかピラミッドを背景に入れてくれようとしたのだろうが、残念ながら、印象として「ほぼ壁」である。近すぎたのだ。

ピラミッドは、王の墓だという。クフ、カフラー、メンカウラーという三代の王様の墓で、中に入ることが出来る一番大きなピラミッドがクフだ。入り口は、正式なものではない。盗掘をしようとした墓泥棒が開けた穴が、たまたま正式な回廊に繋がったのだ。

入り口まで上がるだけで、汗が出た。何せ、僕より大きな石を登っていかなければならないのだ。日本人に日本語を教わったのだろう、地上から、「ガンバッテー」という、エジプシャンの声が聞こえた。

日差しがすごかった。まるですぐ背後に太陽があるような熱さだった。残念ながら、母は子供の日射病を気遣うタイプではなかった。僕と姉は、だらだらと汗を流しながら、水も飲まず、ピラミッドを登らなければならなかった。

ピラミッドの中は、まるで作り物みたいだった。実際これはクフが作ったものだったが、洞窟が奥へと続く感じは、あまりに出来すぎていて、発泡スチロールで出来たハリボテ、といわれても納得するような佇《たたず》まいだった。

洞窟の部分が終わると、急な階段が始まっていた。階段といっても、板張りにストッパーの材木を貼り付けただけのものだ。しかも天井がとても低くて、僕以外の皆は屈《かが》んで登らないといけない。僕はもちろん、ワクワクしていた。僕にとって、これは完全に冒険だった。姉だって、きっとそうだ。真剣になったときにそうするように、口を真一文字に結び、怒っているのとは違う熱心さで、一歩一歩登っていった。

天井が低い廊下をしばらく登ると、急に開けた場所に出た。天井は、先ほどの廊下など嘘のように、一気に高くなった。開放感に、汗がすうと引いた。

「大回廊や。」

父の声は反響し、母は何故か「はは!」と、声を出して笑った。

登っている途中、上から降りてくる人に、何人もすれ違った。何人かはエジプシャンで、何人かは白人、そしてそれに混じって日本人もいた。

「疲れたねー。」

「よいしょ。」

こんな場所で、日本語を聞いていることが奇妙だった。エジプト滞在はまだ、1日と数時間だったが、僕はもう、ほとんど日本を異国だと思っていた。今まさに家族と話しているこの言葉こそ、遠い国のもの、ここでは異質な言語なのだと思っていた。僕の環境適応能力は、かくも優れているのだ。

石室に最初に着いたのは姉だった。姉は、ピラミッドの内部に入ってから、一言も発していなかった。そして石室でも、まったく言葉を失っていた。

15畳くらいの部屋だ。大回廊と同じように、天井が高かった。奥に大きな石の棺が置いてあって、それだけだった。それだけの部屋だった。僕たちが部屋に着いたとき、姉はすでにその棺を覗き込んでいた。

「ここに王さんが入ってたん？」

母は、クフの名を覚える気はないようだった。

棺はそっけなかった。縁が壊れた、ただの大きな石の固まり、といった感じだった。実際、母はすぐに飽きてしまったし、僕も正直、この部屋にはガッカリさせられた。これまでのドラマティックな道のりの先には、僕らの度肝を抜く、冒険中の冒険というような何かがあると思っていたのだ（例えば、そう、ミイラだ！）。

だが、姉だけは違った。姉は明らかに、何かに圧倒されていた。棺の中に、まるでまだミイラが眠っているかのように、じっと目を凝らしていた。ふう、ふう、と、とても深い呼吸をしていた。

「貴子？」

父が声をかけても、姉は振り返らなかった。

その夜、姉は熱を出した。

日射病にかかったのだったが、熱の原因はきっと、それだけではなかった。巨大なピラミッド、長い長い歴史、ラクダの糞のにおいや殺人的な日差し、何より初めて触れた宗教の気配に、姉の体内の何らかが、強烈に反応したのだろう。

僕はといえば、すっかり疲れて眠っただけだった。カイロに来て2日目だったが、僕は激しい疲れのおかげでちっとも恐れず、すぐにひとりで眠ることが出来たのだった。

12

ゼイナブがやってきたのは、僕たちがカイロに着いて、1週間ほど経《た》った朝だった。その1週間の間に、父は夏休みを取って僕たちをカイロのあちこちに連れて行ってくれた。ハンハリーリという市場、ワニのミイラがあるエジプト考古学博物館、大きな大きなモスクや、ピラミッドが見える豪華なホテル。

驚くことはたくさんあったが、やはりピラミッドを見たのは、大きな出来事だった。生まれて初めて見た古代遺跡がピラミッド、だなんて、僕は相当幸運な人間だ。だが、だからこその後、何を見てもそんなに驚くことが出来ないという不幸にも見舞われた（石舞台古墳？　ハッ！　パルテノン神殿？　ハッ！　という感じだ）。

観光地だけではなく、父は近所のスーパーや公園、会員制のスポーツクラブなど、僕らの生活に大いに関わってくる場所にも連れて行ってくれた。

僕は、3、4日もすれば、「カイロはこういう街なのだ」と思うようになっていた。肉屋の軒先に牛がそのまま吊り下げられているのも、すれ違う男の人たちの強烈なにおいも、すぐに日常になった。

姉も、あっという間にカイロに馴染《なじ》んだ。4日目にはひとりで出かけ、スーパーでお菓子や文房具を買って帰ってきたし、信号のない道路を、器用に車を避けて通れるようにもなっていた。

母が街に馴染むのは、僕ら子供たちより、うんと時間がかかった。母のほうが、より生活に密着しているから、仕方のないことなのかもしれなかった。母は八百屋や肉屋、道路やフラットの下で出会う様々な出来事に、ずっとビビッドに反応していた。

例えばある日、母は鶏《とり》のから揚げを作ろうと思った。肉屋に鶏肉を買いに行ったのだったが、日本のスーパーのようにはいかなかった。綺麗に処理され、ぶつ切りになった鶏肉が、清潔なパックの中に並んでいるなどということは、ありえなかった。なにせ、牛がそのまま吊り下げられているような場所なのだから。

鶏は羽をむしられた状態で、乱暴に軒先に並べられていた。母はなるべくひるまず、つまり馬鹿にされないように、毅然《きぜん》とした態度で、鶏肉の頭を落としてくれ、と言った（もちろん身振りで）。店員はその通り、頭を落としてくれた。内心ほっとした母だったが、家に帰って袋を開けた瞬間、

「ギャーッ」

大声で叫んで、床にくずおれた。

せっかく切り落としてくれた鶏の頭だったが、体と一緒に、袋に入れられていたのだ。母は完全に戦意を喪失して、鶏を袋ごと冷凍庫に突っ込んでしまった。鶏はその状態でしばらく冷凍庫に入れられていた。どんな入れ方をしたのか、頭が完全にこちらを向いていたので、絵的にホラーだった。僕は怖いもの見たさで、たびたび冷凍庫の扉をそっと開けた。そして白目を剝いて空を睨んでいる鶏を見て、いちいち恐れをなしていた。

そんな母が街に馴染むようになったのは、ゼイナブのおかげだった。

ゼイナブは、約束の日の朝7時きっかりに、僕らの家のベルを鳴らした。ルーズなことが多いエジプシャンの中で、それは珍しいことだった（ジョールは毎日、本当に毎日遅刻していた）。

玄関を開けたのは、僕だった。バツールの記憶がない僕にとって、メイドが家に来るという出来事は、大変な事件だった。輝かしい人生の初めての一ページを、どうしても自分でめくりたかったのだ。

扉の向こう、立っていたゼイナブは、見上げるほど大きな人だった。黒いチャドルをまとい、そこから顔だけ出していた。目がぎょろりと大きく、鼻も堂々としていた。鼻の横には太い皺が刻まれ、唇は頑丈に閉じられていた。

一見して、怖い、そう思った。

どんな人が来るのか、まったく予想していなかったが、漠然と優しい人なのだろうな、という思いはあった。だから僕はこの初対面にひるんだ。ちょっと、ショックですらあった。

ゼイナブはぎょろりと僕を見下ろし、

「サバハルヘール。」

と言った。その挨拶はもう覚えていた。「おはよう」だ。だが僕は、返事をすることが出来なかった。圧倒されていたのだ。僕がもぞもぞしていると、いつの間にか両親と姉が、玄関に出迎えに来ていた。

ゼイナブは、僕にしたのと変わらない素っ気無い「おはよう」を言い、じっと僕たち家族を見渡した。「雇われに来ました」というより、「雇われに来てやった」といった感じだった。

父が家に招き入れると、ゼイナブはのそりと入ってきた。やっぱり、随分大きな人だった。全身が黒いので、ゼイナブが動くと、まるで鯨が海を移動しているみたいに見えるのだ。

姉も、ゼイナブとの初対面にひるんでいるようだった。ゼイナブは愛想笑いをしなかったし、バツールのように、姉や僕の頬をはさんで頬ずりしたりなんてしなかった。後から思うと、ゼイナブも緊張していたのだろう。

リビングに入ってきたゼイナブに、ソファに座るようにすすめたのは母だった。ゼイナブは迷って、母の隣に座った。メイドが居間のソファに座ることは、滅多にないことだったが、ゼイナブはそれからも、ある理由によって、たびたびこのソファに座ることになった。

母はまっすぐ、ゼイナブを見つめていた。

母の顔を見て、僕は母が今、例の直感で、ゼイナブを好きになるかどうか決めているのだな、と思った。自分がジャッジされているわけではないのに、僕はひどく緊張していた。

「よろしくお願いします。」

母は、座ったまま深々と頭を下げた。面食らっているゼイナブが、真似て頭を下げると、母はにっこりと笑った。

母は、実は玄関でゼイナブを見たときから、「いい人だ!」と思っていたらしかった。大きな体、鋭い眼光、それだけでゼイナブを怖いと思った僕は、まったくもって未熟だった。母の直感は、これ以上ないほど正しい結果を出したのだった。

つまりゼイナブは、素晴らしい人だった。

日本人に比べると、エジプシャンは老けて見えるので、僕はゼイナブのことをほとんどおばあさんだと思っていた。でも実際は、40代半ばくらいの女性だった。

ゼイナブは早速チャドルを脱ぎ、くるぶしまで届くワンピース姿になって、家中を掃除し始めた。それは若々しく、力強い作業だった。ゼイナブは僕らが恐れた台所を隅々までピカピカにし、コンロを磨きあげ、ベッド下の埃を取り除いた。そして数十メートルあるベランダの柵にこびりついた鳥の糞や蜘蛛《くも》の巣を、徹底的に排除した。

ゼイナブの力強さに、僕たちは感嘆の声をあげた。慌てて出てきた大きな大きなゴキブリを手ではたきつぶしたとき、僕らの家の主導権は、完全にゼイナブに移行した。母も、素直に負けを認め、この家の管理はすべてゼイナブに任せるという態度を決めたのだった。そして母のその素直な態度を、ゼイナブは喜んだ。

ゼイナブは、母に様々なことを教えた。

カイロではよく砂糖や油が品切れになるが、2ブロック先にある売店でなら、大抵の場合揃っていること（売店の店主は日本人を特にひいきしてくれた）、ガスボンベの買い方（ガス売りが来たらベランダに出て「オンブーバー！」と叫ぶ）、見知らぬ野菜の名前と調理法（エジプシャンは、料理に関して大変保守的で、例えば茄子《なす》だったらこの料理、鶏だったらこの料理、という風に、すべて決まっていた）。

ゼイナブが来てからというもの、母はみるみる輝きだした。母には、バツールとの尊い思い出があったし、そもそも、メイドがそばにいてくれるのが似合うタチの人なのだ。そして驚くべきことは、お互いの言葉を、お互いが完全に理解しているように見えたことだった。

「ゼイナブ、これどないしたらええのん？」

母が遠くで叫ぶと、ゼイナブは「アイワ」、はい、と返事をして母の元へ飛んでゆき、懇切丁寧にやり方を教えていた。ゼイナブの口から飛び出すアラビア語は、僕らにとってまったく未知の言語のはずだったが、母は良きところでうなずき、

「なるほどな！」

そう納得しながら、急速にカイロの主婦らしくなってゆくのだった。

初めはひるんでいた僕らも、徐々にゼイナブに慣れて行った。

特に姉は、ゼイナブによくなついた。ゼイナブが、イスラム教の祈禱《きとう》の時間に、自分の部屋でお祈りをするのを見つけると、姉はその姿をいつまでも見ていた。いつしか姉が見ていることに気づいたゼイナブが、お祈りのやり方を教えると、姉はゼイナブよりも正確な時間に、熱心にお祈りをするようになった。

姉にとって「神に祈る」という行為は、文字通り神秘的なことだった。小さな頃、夏枝おばさんに、毎日神社に連れて行ってもらったこと、そのときただ暴れまわっていただけだったことを棚にあげて、姉は「お祈り」という行為にのめりこんでいった。

ゼイナブは母、父、僕ら子供たちに対し、いつだって全力で向き合ってくれた。その全力さが、きっと母の言葉を理解する能力を得る助けになり、母は母で、素直な気持ちでゼイナブと向き合うことで、ゼイナブの言葉を理解するに至ったのだろう。

僕はというと、ゼイナブに対しては、ことさら良い子であることに努めた。ゼイナブだけではない。大人の女性に対し、僕は自動的に良い子としてふるまってしまう癖があった。姉の凶暴さをかいくぐって母の気を引くためには、そうしなければならなかったし、祖母や夏枝おばさん、先生やスチュワーデスさん（失礼、ＣＡさんだ）にいたるまで、大人の女性はそうやっていたら、

僕が望むままに愛してくれたのだ。

それに、僕は人を雇っているという状態がどうにもむずがゆかった。おばあちゃんのように見えるゼイナブが、僕にとっては使用人だということが、大抵の場合僕を困惑させた。特にゼイナブがいい人だったから、なおさらだった。

父は、積極的にゼイナブと関わることがなかった。だから、僕のような卑屈さを家族の前で露呈せずに済んだが、初めの頃はやはり、ジョールの扱いに困惑していた。だが、ジョールは、毎回遅刻してくるだけでなく、よくさぼったり、失敗をした。エジプシャンがこういうものだということを、数ヶ月の間ですでに知っていたとはいえ、父はジョールのさぼり癖には、さすがにキレていた。父が叱ると、ジョールはしばらくはしおらしくなるが、数分経つとラジオを大音量でかけ、歌を歌っているというありさまだった。

父のような卑屈な人間にとっては、ジョールはとても使いやすいい人だっただろう。真面目で熱心なエブラヒムの前では、父はこれでもかと卑屈さを露《あらわ》にしていたようだが、ジョールにはそんな風に繕っている暇がなかった。遅刻し、失敗し、それでも全く反省しないジョールを、何の気負いもなく素直に叱ることが出来て、父は気が楽だったに違いない。

エジプトには、「ＩＢＭ」という言葉があると言われている。

Ｉは「インシャアッラー」、「神の思《おぼ》し召しのままに」という意味だ。例えばジョールが遅刻してきたとする。父がどうして遅刻するんだと怒ると、「インシャアッラー」、神がそう望んだのだ、と言う。

Ｂは「ブクラ」、「明日」だ。ジョールに車を洗っておけと命令すると、「ブクラ」、明日やる、と言う。

Mは「マレーシ」、「気にするな」だ。あの大人しい父を怒らせるという離れ業をやってのけた後に、ジョールが言うのは、「マレーシ」、「気にするな」である。父はしばらく怒っているが、ジョールが笑顔で自分の肩を叩いて、「マレーシ」と言い続けるのを聞くうち、いつしか笑ってしまう。

エジプシャンは、大体こんな風だった。だから、世界一ビジネスがしにくい民族だとも言われている。父に限らず、日本企業のサラリーマンたちは、日本人的真面目さがまったく通用しないこの国で「インシャアッラー」「ブクラ」「マレーシ」を言われ続ける。それが許せない人はだめだ、エジプトは彼にとって地獄だろう。だが父のように、エジプシャンの適当さ、憎めなさに、しまいに噴き出してしまうような人は、結果エジプシャンに思うのと同じように、エジプトという国を好きになる。

エジプシャンは、とにかく人懐っこい。初日に見たジョールと男たちの抱擁のような場面は、まったくの日常の光景だった。抱き合うどころか、男同士手をつないで歩いている人たちもたくさんいた。彼らはゲイではない。ただ、仲がいいのだ。

そんな彼らが、日本人なんかを見つけたら、大変なことになる。走って来て、知っている日本語をわめきちらすのだ。例えば僕が聞いたのはこんな言葉だ。

「カワイイネ」「モウカリマッカ」「アカシヤサンマ」「アシタモキテネ」！

こちらが無視していても、全くめげない。いつまでだってついてくる。特に子供たちの人懐っこさと言ったら、生まれたての雛《ひな》もかくやというほどだった。

エジプシャンは子供が大好きだ。他人の子だろうが何だろうが、子供を見かけると頭を撫《な》で、抱き上げ、お菓子をやる。子供たちはそれを知っているから、世界は自分たちのものだとでも言わんばかりに、我が物顔で街を徘徊《はいかい》している。彼らは、あらゆる場所で僕の母に甘え、僕の父の手を取り、そして僕ら姉弟と勝手に背比べをし、お菓子をねだった。

エジプシャンのこのような人懐っこさは、寂しがりから端を発している。元々、家族をとても大切にする国民性なのだ。例えば、一人暮らしなどはありえない。家族の誰かがたった1週間の旅行に行くというだけで、空港に家族で押し寄せ、泣きながら見送るような人たちなのだから。

エジプシャンの寂しがりを証明する、ある象徴的な出来事がある。

ある夜、僕らの家に電話がかかってきた。ゼイナブはもう帰っていたので、母が電話を取った。エジプシャンからだったが、どうやら間違い電話のようだった。拙いアラビア語で間違いだと告げると、男は電話を切った。だが翌日の晩、また同じ時間に電話がかかってきた。母がまた間違い電話だと告げると、今度は電話を切らなかった。知らない人でもいいから、話がしたいのだと言う。母は驚き呆《あき》れ、電話を切ったが、その翌日も、翌々日も、電話はかかってきたのだった。

そのエジプシャンが特別おかしな奴だったというわけではない。その証拠に、そういう電話は、僕の友達の家にもよくかかってきていた。

そして、大抵そういうことをする奴は、男だった。

エジプシャンの女性も寂しがり屋だったが、男たちのように極端に人懐こくはなかった。というより、特に男性に対して警戒している人が多かった。女性があまり外に出てはいけないという考えから、そうなるのだろう。

その代わり、女性同士はとても仲が良かった。おばさんたちは道路に椅子を出し、いつまでもお喋《しゃべ》りに興じていたし、若い女の子たちは、男のように手をつなぎ、腕を組み、耳打ちをしあって、いつだってくすくす笑っているのだった。

ゼイナブと母も、すごく仲良くなった。言葉が通じないことがかえって良い距離感になるのか、ゼイナブには本当によく懐いた。母は、毎朝きっちり7時に鳴るベルを、何より待ちわびるようになったのだ。

13

僕と姉は、日本人学校に通うことになった。

姉は5年生、僕は1年生の9月からの編入だ。

日本人学校はその当時で、全校生徒が１００人ほど、1年生から中学3年生まで9クラスあった。驚くことに、僕たちの他に転入生は４人もいた。そして、転出した生徒も３人いた。

日本人学校に通う生徒は、僕らのように親の赴任でやって来た子ばかりだ。当然、親の赴任期間が終了すると帰国することになる。赴任が終了した家族の後には、また新しい家族がやってくる。その家族に子供がいたら、その子供がまた転入生としてやって来るのだ。

だから、日本の学校とは比べ物にならないくらい、生徒の出入りが激しかった。

僕のクラスである小学1年生は、12人のクラスメイトがいた。日本人学校の中でも、多いほうだったと思う。

初日、自己紹介をした僕を、皆はやしたてた。僕には、はやしたてられる心あたりなんてなかった。姉の暴虐が初日で伝わっているはずはなかったし、僕の髪はきちんと梳《と》かれ、青と緑のチェックのシャツだって、その下に穿いたベージュの短パンだって、とても綺麗だった（もちろんチャックが開いていることなんて、あるはずもなかった）。

後に分かったことだが、どうやら皆が笑ったのは、僕の関西弁だった。

カイロに来る日本企業は、ほとんどが本社を東京に構えている。僕の父親の会社の本社は大阪だったので、関西弁を使っている僕は珍しかったのだ。

僕はすぐに、関西弁を東京の言葉に変える努力を始めた。どこにいたってマイノリティでありたい姉と違って、僕はどこまでもその風景になじみたかった。目立たず、かといって忘れ去られることもなく、僕は絶妙な位置でクラスに存在していたかった。そしてそれは、いつだって成功していた。

僕の関西弁は、皆を驚かせたが、僕も、新しい環境に驚かされた。

ひとつは、学校がひとつの邸宅を改造したものだということだった。4階建ての1階、タイル貼りの薄暗い部屋を体育館兼音楽室とし、2階には職員室、校長室と僕たち1年生と2年生の教室、3、4階を残りのクラスの教室と図書室などにしていた。

クラスメイトの皆が「さん」づけで呼び合うことにも驚いた。男子も女子も関係なく、苗字《みょうじ》に「さん」をつけるのだ。当然僕は「圷さん」になる。その呼び方は、とてもくすぐったかった。自分が一気に大人になったような、それも高級で賢い大人になったような気がした。

僕は楠木彩香《くすのきあやか》という女の子の隣になった。

楠木さんのお父さんは、日本人学校の体育の先生だった。学校内に親子がいることにも驚いた。自分の父親が体育を教えるところを想像してみたが、恥ずかしくて、僕にはとても耐えられそうになかった。

楠木先生が体育を、他の教科はそれぞれの先生が教えてくれた。日本の学校では、クラスには担任の先生がひとりいた。その人がすべての教科を教えていたから、このやり方も新鮮だった。

もちろん、担任の先生もいた。浅田さん（驚くことに、この学校では先生のこともさんづけで呼ぶのだった！）という初老の男の人だった。浅田さんは音楽を担当していた。浅田さんにはだから、朝礼と終礼、音楽の時間に会った。

浅田さんは、エジプシャンの女性と結婚していた。カイロに家を買って、ここに生涯住むつもりだと言っていた。他の先生と違って、だから浅田さんはずっと、この学校の先生であり続けるのだった。

浅田さんの奥さんを、一度だけ見たことがある。浅田さんよりうんと若い、太った女の人だった。対照的に浅田さんはひょろりと細かった（僕の父ほどではなかったが）。でも、顔中に生やした髭が、かろうじて浅田さんをエジプトに住む男っぽく見せていた（髭を生やした担任教師も、僕にとって初めての経験だった）。

関西弁をはやしたてられるという危機はあったが、それ以降とりたてて大きな事件は起こらなかった。僕は日本でのように、恐る恐る、学校生活を楽しみ始めた。

授業は、日本の教科書に沿って進められた。

僕が日本で使っていた教科書とは違っていたが、内容はそんなに変わらなかった。でも、やはりカイロで日本の教科書を学ぶことには、ちょくちょく無理が生じていた。

例えば社会の教科書には、「パン工場見学に行こう！」というページがある。僕たちも、社会科見学と称してパン工場へ行った。

教科書には、清潔なパンが、清潔な工場でいかに清潔に作られるかが、紹介されてあった。だが僕たちが向かったパン工場は、教科書とは全く違っていた。バスに揺られ、たどり着いた工場は、薄暗く、古びていた。中では、衛生的な帽子もかぶらず、マスクも手袋もしていないおじさんが、素手でペタペタとパンをこねていた。

「こんなとこに、何しにきたんだ？」

とでもいうような感じだった。

でも、焼きあがったパンをちぎって自分の口に放り込んでもらうなんてことは、日本のパン工場では経験出来なかっただろう。僕らの胃の中には、当然おじさんの手についた菌も入り込んだわけだが、でもそのおかげで、僕らの胃腸は丈夫になった。

運動場がないので、体育の時間は、学校の前の道路に直接マットを敷いたり、跳び箱を置いたりして授業をした。道路をはさんで空き地があって、そこには近所から捨てられたゴミが大量に放置され、それを目当てにやってくるゴキブリや鼠の温床になっていた。夏になると、それを狙ってカエルまでやってくるので、僕らは「地獄」と呼んでいた。

体育の授業をしていると、たまに山羊の大群がやってきた。そのときは、体育の道具をどけなければならなかった。山羊たちは、僕らが待っているから早く行かなきゃ、なんて頭がないから、空き地からはみ出した草を食《は》んだり、ゴミを漁ったり、随分のんびりしていた。山羊使いのおじさんも、別段焦った様子を見せないので、僕らはマットや跳び箱の周りに座って、10分も15分も体育を中断しなければならなかった。ようやく山羊が去ったら去ったで、お土産のようにぽろぽろと糞を撒《ま》き散らしてゆくので、それを片付けている内に終了のチャイムが鳴るなんてことが、よくあった。

そのような環境で、教科書に沿って授業を進めなければいけない先生方は大変だっただろう。

でも、僕らの目にも、どこか楽しんでいるように映った。浅田さんなどは、エジプシャンの適当さに感化され、授業開始のチャイムが鳴っても教室に来なかったりしたし、授業を続けることが面倒になったら、最上階にある視聴覚室（という名の6畳くらいの部屋）へ行き、日本のアニメのビデオなんかを見たりした。

とにかく、僕たちはとても自由な環境にあったのだ。

その環境は、姉にもいい影響を及ぼした。

初日、姉は母に散々さとされ、白いパリッとしたシャツと、紺色の膝丈のスカートを穿かされた。ボサボサにしていた髪は梳かされて、後ろで綺麗にまとめられていた。むき出しになった膝小僧や、ガリガリの首筋には、「ご神木」感がまだまだ漂っていたが、遠目に見れば、姉はいいとこのお嬢さん、といった風だった。

姉は当然、自分の格好を恥じた。だが、転入初日、クラスメイトの男の子が、姉に、

「素敵な服だね。」

そう言ったのだった。

姉にとって、そんな風にクラスメイトに褒められることは、いや、もしかしたら他人に褒められること自体、生まれて初めての経験だった。しかも「素敵な服だね」、そんな洗練された言葉で。

姉のクラスメイトは4人いたが、皆、とても大人びていた。それは、日本人学校の特徴のひとつでもあった。もちろん、いつまでたっても子供っぽさが抜けない生徒もいたし、中学生なのに誰かれ構わず甘えたがる生徒もいた。でも、印象として、皆おおむね大人だった。

理由のひとつに、僕たち子供と大人たちとの、距離の近さがあった。同級生のお父さんが教師

でいるような場所だ、少ない人数を担当している教師と僕らの距離は、日本のそれとは比べ物にならなかった。教師が自分のプライベートなことを話すのは普通だったし、そもそも教師たちは、自分たちの親と顔見知りだった。それも、「教師」と「生徒の親」という関係ではなく、「異国に住む日本人同士」という関係で。

カイロには、日本人会というものがあった。大人たちは様々な行事で、たびたび顔を合わせた。日本人会の会合に行かなかったとしても、そもそも日本人が住んでいるエリアは限られていたし、日本食の店も数軒しかなかった。日本人に絶対に会わずに過ごす、または日本人の助けを借りずに暮らすのは、ほとんど不可能なことだった。

浅田さんや他の先生が、僕の家に飲みに来たこともあった。自分の担任の先生が、自分の家で顔を真っ赤にして酔っ払っているのだ。僕たちは早々に、教師は「教師」という生き物なのではなく、「教師になった人」なのだと知ることになった。だからなのか、先生たちは皆、僕たち生徒を大人扱いしてくれた。さんづけで呼ぶやり方がそうだったし、授業の進め方や学校生活に関して、あらゆることを僕たちに相談してくれた。

大人に真剣に相談されたら、子供は大抵嬉しい。そしてその信頼に応えようとして、必死で自分の頭で考え始める。だから日本人学校に1年もいれば、大抵の子供たちは、大人びてゆくのだった。

姉の服を、全く大人のやり方で褒めてくれた男の子、牧田《まきた》さんは、だから特別な生徒ではなかった。姉のクラスメイトは、姉を「ご神木」などと言ってからかうことはなかったし、姉の少しおかしな標準語を揶揄《やゆ》することもなかった。

姉は、自分があまりに速やかに受け入れられたことに、初め戸惑っていたが、それをきちんと喜べるくらいには、大人になっていた。もちろん、相変わらず、マイノリティでいたい願望を持ち続けていた姉ではあったから、クラスメイトが皆標準語を話すことが分かると、自分は関西弁を話すようになった。

時々廊下で見かけた姉が、

「知らんがな。」

「そうなん？」

そんな風に言っているのを見ると、虫唾《むしず》が走った。

姉も、さすがに僕に見られるのは恥ずかしいのか、視線の端に僕の姿を捕えると、口をつぐんだ。だが、いつしかそれにも慣れ、学校では関西弁、家では標準語という、およそあり得ないスタイルを手にした。

そして、当然といえば当然の結果ではあったが、姉は牧田さんに恋をしたようだった。もちろん、姉が僕に直接そう言ったのではなかった。だが姉が、おかしな服を着ることをやめたのが、その証拠だった。姉は自分を自然に認めてくれるひとりの男の子と出会ったことで、これまでのポリシーをあっさり捨ててしまったのだ。

その変化を、母はもちろん喜んだ。

姉が、どこで見つけてきたのか分からないボロボロの作業着や、父のワイシャツをちぎったものではなく、母が選んだ服を着るようになったのだから。母は張り切った。頻繁に買い物に出かけ、真っ白い麻のブラウスや、赤いタフタのスカートなどを見つけてきた。

変化があったとはいえ、姉と母の関係が劇的に良くなることはなかった。姉は相変わらず母には素っ気無かったし、夕食もぽつぽつとしか食べなかったが、姉が母の購入した服を着ているというだけで、それは大きな大きな進歩だった。

僕はその変化を、恐ろしく単純なものだと考えたが、あれだけ頑固な姉だ、やはりそれだけが理由ではなかったのかもしれない。姉はカイロの空港に着いた日、トイレで共に苦労した母を、ピラミッドに興奮して、思わず手を繋いで写真に写った母を、覚えていたのだろう。

姉は姉なりに、母に歩み寄り始めたのだ。

ということで、カイロでの圷家の生活は、いくつかの驚きと共に、ほとんど健やかに、そして明るく流れて行った。

そして数ヶ月も経てば、家族は皆エジプシャンのことを大好きになったし、時々日本食を恋しく思うことを別にすれば、カイロの生活を、心から楽しむようになった。

14

エジプトにも、冬はある。

エジプトイコール砂漠の国、すなわち常夏の国だと思っていた母は、その事実に焦ったようだった。慌てて夏枝おばさんに手紙を書き、僕たちの冬服をひととおり送ってもらうことになった。日本の家は、夏枝おばさんが定期的に来て、窓を開けて空気を入れ替えたり、簡単な掃除をしたり、時には泊まっていったりしてくれているようだった。

母の夏枝おばさんへの信頼は絶対的だった。

「家のことはなっちゃんに任せとったら大丈夫。」

僕らも同意見だった。

送られてきた段ボールを開くと、懐かしい匂いがした。日本の家の匂いだ。正確には冬服と一緒に入れられていた防虫剤の匂いでもあったのだが、小さな頃、かくれんぼをしてよくタンスの中に隠れていた僕からすれば、それは懐かしい、幼少の頃の匂いだった。

夏枝おばさんは、冬服と一緒に手紙を同封してくれていた。母がその手紙を僕たちに読んでくれた。祖母も矢田のおばちゃんも、皆元気だということ。バタバタしていたからあんまり手紙を書く時間がなかったけれど、これからは頻繁に手紙を書くつもりでいることなどが、書かれてあった。

僕は母の読む夏枝おばさんの字を見ながら、姉の部屋の巻貝はどうなっただろうかと、ぼんやりと思っていた。働き者の夏枝おばさんのことだ、壁を削り取ってでも綺麗にしてくれているかもしれないし、もしかしたら姉のやったことに感心して、そのまま保存しておこうと決意したかもしれない。そしてそう思うと、それ以外ありえないような気がしてきた。ちょっとズレてはいたが、僕たちのやることを、いつだって褒めてくれた夏枝おばさんだ。姉が数年かけて築き上げた巻貝の王国（という呼び方は正しいのだろうか）を、素直に感心してくれているに違いなかった。

母が手紙を読んでいる間、姉はソファに座って、頬杖《ほおづえ》をついていた。

姉はいったい、このソファというやつを、とても気に入っていた。初日を別にして、朝食を食べなかったが、母が淹《い》れる紅茶だけは飲んだ。姉は朝、そのソファに腰掛け、まったく笑ってしまうくらい優雅に紅茶を飲むのだった。いつしかその席は、姉の席、という風になんとなく決まってしまった。

姉は母の声を聞きながら、ソファを指で撫でたり、時々衝動に駆られて爪を立てたりしていた。おそらく、初めての恋に戸惑っていたのだろう。

僕はというと、女の子のことを、誰も好きにはなっていなかった。クラスメイトに女の子は7人いた。ただ、「みやかわ　さき」のように、僕の心を決定的にとらえる子はいなかった。そのときは、まだ。

その代わり、僕にとって非常に重要な出来事があった。学校で親友が出来たのだ。向井輝美《むかいてるみ》という。女じゃない、男だ。

僕は「向井さん」に自己紹介をされたとき、自分のことではないのに、どきりとした。どうか誰も笑いませんように、彼の名前をからかいませんように、そう祈った。

男子なのに、テルミだなんて！

でもその祈りは杞憂だった。第一に、学校に入ってから、僕がやってくるまでの半年の間に、彼はすでに女みたいな名前を散々からかわれていたのだったし、第二に、彼は2学期ともなると、もうからかったり笑ったり出来ないようなリーダーの風格を、身に着けていたからだった。

向井さんは、体が大きかったり、ハンサムだったわけではなかった。でも、小学1年生にあるまじき眼光の鋭さを持っていた。いわゆるワルっぽくもあったが、それ以上に賢そうで、とにかく僕らが知らない何かを知っているような雰囲気があった。

向井さんは、髪の毛をきのこみたいなおかっぱ頭にしていた。そして、驚くべきことに、洋服は明らかに女の子のものだった。例えばふわふわした白いブラウスや、裾にレースのついたカットソーなどだ。さすがにスカートを穿くことはしなかったが、ポケットについたアップリケは可愛いイチゴだったし、折り返した裾からはピンク色のギンガムチェックがのぞいていた。

そのような女の子的要素は、向井さんのお母さんの好みだった。とはいえ、よくある、女の子を望んでいた母親が、生まれてきた男の子に女の子の服を着せて満足している、というようなことではなかった。

向井さんには、姉がふたりいた。姉のクラスにひとり、3年生のクラスにひとりだ。名をそれぞれ向井真珠《しんじゅ》、向井翡翠《ひすい》といった。つまり向井さんのお母さんは、すでに女の子ふたりを得ていた。向井さんに対して、女の子的であれと願うような道理は、なかったのだ。

真珠、翡翠、輝美。

三姉弟のお母さんは、子供たちにつけた名前のごとく、どうやらただキラキラしたものが好きなだけのようだった。姉ふたりは、少女漫画から抜け出してきたみたいなレースのワンピースを着ていたし、小学生なのに、綺麗な指輪をしていた。

僕がいちばん驚いたのは、向井さんが母親のそんな趣味に対して、全く無抵抗だったことだった。向井さんは、前述したとおり、とんでもなく鋭い眼光を持っていたし、生徒の中で、最も男の子らしい男の子だった。かけっこも一番速かったし、クラスの中で誰よりも上手に「だりぃ」や「うるせー」に類する男言葉を操った。

そんな向井さんであったなら、自分の名前やおかっぱの髪型、赤いリュックや時折着てくるピンク色のセーターなどは、唾棄すべきもののはずだったが、なぜか自分の容姿や母親の趣味に関しては、徹底して静観していた。

時折、向井さんの少女趣味な洋服やお弁当のおかず（プチトマトと玉子で、お姫様がかたどってあったりする）をからかう生徒はいたが、向井さんに「それで？」と睨まれると、すぐに黙ってしまったし、たった一言で相手を黙らせることが出来る向井さんのことを、皆やはり「男らしい」と思ってしまうのだった。

僕も、向井さんのことを相当男らしいと思っていた。でも、それは他の皆のように、向井さんがすごんだときに見せる眼光や男性的態度に対しての賛辞ではなかった。母親に着させられた、いかにも女の子の洋服や、つやつやに梳かされたおかっぱ頭を、甘んじて受け入れている態度に対してだ。

気に入らないことに関してだだをこねる子供を、僕は散々見てきた。

それらの行為を、僕はとことん恥ずかしいことだと思っていた。母は女の子の服を着せるというような暴挙には出なかったが、服装や身の回りのことに関して、僕に決定権はないという現実は受け入れてきたし、だだをこねたことなど、一度もなかった（つもりだ）。

向井さんの見せる態度は、僕の思う受け入れの最たるものだった。洋服や髪型いかんで自分は揺るがないのだ、という自信も眩しかった。そのような自信こそ、最も男らしいものではないだろうか。

話しかけてきたのは、向井さんからだった。自己紹介をした数日後には、スクールバスで隣の席に座ったし、体育のとき、二人組で組んで体操をやるときには、僕の肩を叩いた。思えば向井さんも、僕が彼の名前にあからさまな好奇の目を向けなかったこと（心の中ではビビっていたのだが）、そしてどことなく彼のことを尊敬している気配に気づいていたのではないだろうか。

僕たちは最初からウマがあった。基本受け身の僕だ。その場をしきりたがる彼にとっては最高のパートナーだったに違いないし、僕も、何でも率先してものごとを決めてくれる彼といると気が楽だった。

彼は、僕のフラットから大人の足で15分ほどかかるエリアに住んでいた。その距離を子供だけで歩くことは、僕にとっては恐怖だった。日本人の子供とみたら、誰彼かまわずちょっかいをかけてくるエジプシャンがそこいら中にいたし、信号を守らない車がびゅんびゅん飛ばしている、7月26日通りという、大きな道路を渡らなければならないからだ。

だが向井さんは、仲良くなって数週間後には、もう自分だけで我が家に遊びにやって来た。そして冬が来る頃には、僕も向井さんに連れられ、僕らが住んでいる地区の、ありとあらゆる場所で遊ぶようになっていた。

僕らの住んでいるエリアは、ザマレク地区といった。ナイル河に浮かんでいる、ゲジラ島という島の中にある。元々、イギリスがエジプトを植民地化していたとき、イギリス人たちが住んでいたエリアだ。ヨーロッパ風の建物が並ぶ、カイロでも高級な住宅地だった。大使館や植物園があって、日本人だけでなく、イギリス人を始め、たくさんの外国人が住んでいた。

だから、治安は良かったし、特別危険なこともないだろうと、母親たちは思っていた。向井さんの母はもちろん、僕の母も、僕たちが子供だけで街で遊ぶことを止めなかった。僕たちはだから、毎日自由に、街を徘徊していた。

向井さんは、4歳からカイロに住んでいた。姉のように、現地のアメリカ資本の幼稚園に通い、それから日本人学校に入学したらしい。だから彼は英語を話すことが出来たし（姉は日本に帰国した途端、綺麗さっぱり忘れてしまったが）、ザマレク界隈《かいわい》にも詳しかった。

ルーマニア大使館の兵隊さんが時々銃を触らせてくれることや、ブラジルストリートという道にあるフラットのボアーブの鼻がつぶれていること、火炎樹の葉っぱが乾燥して落ちた後、踏むととてつもなく気持ちいい「パリッ」という音がすることなど、当時の僕にとってのザマレク地区のほぼすべてを、僕は向井さんから学んだ。ある人物が出現するまでは。

僕は、4歳からここに住んでいる向井さんのことをやはり尊敬していたが、同時に、あることに怯《おび》えてもいた。

僕より先にカイロにいるということは、向井さんは、僕よりも先に日本に帰るのだ。

僕が来た2学期にも、3人の生徒が帰って行った。僕たちがカイロにいるのは、大体4年ほどだと父に聞かされていたから、他の人もそうだと思っていた。実際は、2年足らずで帰る生徒もいたし、8年も住んでいる生徒もいたのだが、当時の僕には、それぞれの状況を鑑みる知恵などなかった。

とにかく向井さんが自分より前にカイロにいたということは、必ず、向井さんが自分をおいて日本に帰るということだ。僕はその事実がいやだった。自分が取り残される、ということが。

向井さんのお父さんは、家族と離れてケニアに住んでいた。向井家は、カイロの前は、ナイジェリアに住んでいた。お父さんは、土木関係の企業に勤めていて、アフリカ諸国のインフラ整備を専門にしているらしかった。

カイロに来るまで家族一緒に暮らしていたが、ケニアの治安が心配だということと、お母さんがカイロを、特にこのヨーロッパの雰囲気に溢れたザマレク地区を気に入り、お父さんが単身赴任することになったのだ。

向井さんのお母さんは、姉ふたりや向井さんに、このような少女趣味な服を着せるようなタイプには見えなかった。つまり、普通のお母さんだった。向井さんと同じように、とても小柄な体型だったが、髪を短く切り、地味な色の服を着ていた。自分の容姿には関心がないようで、その関心を、ほとんどすべて、娘と息子に注ぎ込んでいた。向井さんのクローゼットには、数え切れないほどの女っぽい服がしまわれていたが、向井さんが「なんだよ」とか、「うるせぇな」などと、男っぽく話すことや、ザマレク中を徘徊していることを、まったく止める気配はなかった。それどころか、

「男の子は、男の子らしくなきゃね。」

などと言うのだから、僕はほとんどパニックになった。

お母さんは、向井さんがエビアンをボトルから直接飲むことも許したし（うちでは絶対に許されなかった）、おやつのスナック菓子を限界まで口に詰め込んでいるのを見たときは、指を差して笑ったりしていた。そして向井さんが僕と出かける段になると、向井さんの髪を艶が出るまで梳かし、ピンクや淡い紫色のジャンバーを着せるのだから、こんなおかしなことはなかった。

おかしかったといえば、僕たちはどれほど乱暴な言葉を使おうと、唾を吐いて歩こうと、お互いを「向井さん」「圷さん」と呼ぶことは、決して変えなかった。

「馬鹿じゃねーの、圷さん。」

「向井さんこそ馬鹿じゃん。」

そんな会話が、僕らの間ではまかり通っていたのだ。

向井さんは、単身赴任中のお父さんには、4歳から3年間、二度ほどしか会っていないらしかった。一度はカイロで、そして一度はケニアだったそうだ。

「ケニアのサファリに行ったんだ。窓のないジープで走ってたら、こーんなおっきいライオンがこーんな近くにいたんだぜ！」

向井さんは話をするとき、いつも大きなジェスチャーを交えた。向井さんは小柄だったが、そのジェスチャーのせいで、彼の話は僕にとってはいつも、途轍《とてつ》もなく規模の大きな、素晴らしき冒険譚《たん》に聞こえた。

「ライオンが襲い掛かってきたからよう、俺目にキックしてやったんだ！　ライオン、焦って逃げてったよ!」

規模が大きすぎて、時折嘘をついてしまうという失態は犯したが、それでも僕は、向井さんのことが好きだった。

向井さんと僕がよく一緒に遊んだのが、ゲジラスポーツクラブという場所だった。

スポーツクラブといっても、日本のそれを思い浮かべてもらっては困る。乗馬場、ゴルフ場、テニスコート、ふたつのプール、サッカー場、思い浮かべられる限り、ありとあらゆるスポーツが出来る、夢のようなクラブだった。ゴルフ場には鳩《はと》や猫の糞が散乱し、プールの水が濁ってはいたが、会員でないと入ることが出来ない、高級なクラブだったのだ。

僕は会員証を作ってもらい、向井さんと、ことあるごとにスポーツクラブに入り浸った。僕らが住んでいる島自体をゲジラというのだが、僕らはこのスポーツクラブをゲジラと呼んだ。面白い名前だったので、最初のほうなど、

「ゲジラ行こうぜ!」

そう向井さんが言うだけで、ふたりで笑い転げた。

ゲジラで僕らがやることと言ったら、夏はもっぱらプール(初めは結膜炎の洗礼を受けた)で、それ以外の季節は、オバケの樹《き》と呼んでいた大きな木で木登りをするか、サッカー場の隣の原っぱで走り回るか、乗馬場を走る馬を見学するかだった。ゴルフ場には危ないから近づくなと親から言われていたが、こっそり入って、ロストボールを盗んだりもした。

ふたりで遊ぶことが多かったが、クラスメイトを交えて遊ぶこともよくあった。男子は僕を含めて7人いた。すべて集まることは滅多になかったが、ある日3人で遊んで、翌日ほかの3人と

遊べば、もうそれですべてだった。そういうときも、向井さんはリーダーシップを発揮し、僕らが今何で遊ぶべきかを的確かつ迅速に決めてくれた。僕らは、いつも平和だった。

例えば僕たちは、原っぱを飛び回る小さなバッタを捕まえ、羽をちぎって一箇所に集めた。一番うまく捕まえるのは、杉山さんという生徒だった。杉山さんは、むちむちと白い肌の、一見して太った女の子といった容姿をしていた。なのに動きがとても速く、時にかけっこで向井さんを負かしてしまうこともあった。

盗んできたゴルフボールを使って、新しいゲームを考えたりもした。「だるまさんが転んだ」の変形版だ。鬼になった人間が、木に自分の顔をつけ、「ゴルフボールは固いです」と叫ぶ。その間に、他の数人が鬼に近づくが、鬼が振り返ると、動きを止めないといけなかった。鬼は持っていたゴルフボールを転がし、そのボールが誰かに当たったら、その子が鬼になるのだ。

その遊びは段々過激になり、とうとうゴルフボールを力強く投げるまでになった。一度、クラスで一番背の高い青柳《あおやぎ》さんが投げたゴルフボールが、双子の能見《のうみ》兄弟の片割れ、茂《しげる》さんの頭を直撃し、流血沙汰になってからは、この遊びは厳重に禁止された（能見兄弟だけは、能見さんではなく、茂さん、敦《あつし》さんと呼ばれた）。

テニスコートでテニスに興じる白人をからかおうと言ったのは、森見里《もりみさと》さんだ。僕たちはテニスを応援するフリをしながら、彼らを日本語で散々ののしった。白人がこちらを振り返ると、笑顔で手を振り、その顔のまま「うんこ野郎！」「でぶ！」と叫ぶのだ。最も口汚いののしり言葉を考えたのは、やっぱり向井さんだった。「ちんぽ菌」である。僕らはその言葉の持つ馬鹿馬鹿しさと破壊力に、腰が砕けるまで笑った。敦さんなどは、笑いすぎて、軽く小便まで漏らしてしまうほどだった。

僕たちは、限りなく狭い世界にいた。それは狭い分、とても強固な繋がりだった。何より重要なことは、この少ない人数で数年を過ごすこと（日本のようにそもそもクラス分けがないのだから）、そしてその数年の終了が、確実にやって来ることだった。

日本人学校全体の中でも、エジプトに永住するという子は見あたらなかった。僕たちはいずれ帰るのだ。卒業によってではなく、親の気まぐれな離婚によってではなく、別れは確実にやって来る。

ここにいる皆は、いつか会えなくなる友達なのだ。

幼かった僕らは、どこかでそれを分かっていた。だからこそ、その時間を大切にした。一瞬一瞬は、僕らの中でスパークし、それが二度と戻らないものであるからこそ、その輝きは強烈だった。

15

さきにエジプシャンのことを大好きになったと書いたが、一方で僕はこのような気持ちを抱えていた。どうしても困ることが、ひとつあったのだ。

現地の子供たちとの接し方だ。

日本人学校の周りには、よく子供たちがたむろしていた。近くにエジプシャンの小学校があったからだ。

人懐っこいエジプシャンの、それも子供たちだ。僕たちに興味がないわけがなかった。

僕たちは、登下校にスクールバスを使っていた。朝、バスが学校に停車すると、男の子たちがバスの腹を叩いてきた。僕らは男の子たちが待ち構えるなか降車し、弾丸のように話しかけられたり、バスと同じように叩かれたりしながら、門をくぐらなければならなかった。僕らは、まるで芸能人みたいだった。帰りもそうだ。彼らは僕らの帰宅時間を知っていたので、わざわざ待ち伏せしていた。そして、バスに乗る僕らの言葉を大声で真似したり、腕を引っ張ったりした。

彼らはただ、僕らをからかっているだけだった。だが、僕にとって、それは立派な恐怖体験だった。同じ年くらいの子供ならまだ良かったが、高学年の男の子となると、体も大きかったし、うっすら髭なんかも生えていたりするのだ。

時々指を差され、名指しで何かを笑われていて、その度僕は、体が縮むような思いがした。何を笑われているのかは分からなかったが、皆の前でからかわれるのは屈辱だったし、どんな風な態度を取ればいいのかも、まったく分からなかった。

僕のクラスメイトは、同じように窓を叩いて反撃していた。向井さんなどは、引っ張られた手を振り回し、口汚くののしったりもした。僕らは彼らのことを「エジっ子」と呼んでいた。低学年のおよそ全員が、エジっ子に対して臨戦態勢だった。だが僕には、それが出来なかった。そんなことをしたら、かえって向こうの興奮を煽《あお》るだけだと思っていたし、実際そうだった。皆が反撃すればするほど、エジっ子たちは僕らをはやしたて、大声を出すのだ。

大人びた高学年ともなると、さすがに僕の同級生のように幼いことはしなかった。だが、対応として、積極的な解決策は見つかっていないようだった。僕が観察している限り、何人かは、彼らに向かって中指を立てたり、日本語でからかい返したりしていたが、大抵の生徒は、「とにかく無視をする」ということに決めていた。

僕は何度も、大人たちが注意してくれればいいのに、そう思った。大人といっても、教師だけではなかった。バスのドライバーさんや添乗員さんと呼ばれるエジプシャンもいた。でも彼らは皆、子供たちの狼藉《ろうぜき》を取り立てて叱らず、対応を僕ら子供たちに任せているようなところがあった。

今思えば、大人たちも困っていたのではないだろうか。人懐こいエジプシャンのすることだ、しかも子供たちの関係に、大人が口を出すべきではないと、思っていたのではないか。もしかしたら、現地の子と触れ合う良い機会になるかもしれないし、それにとにかく、先生は現地の子供たちを叱ることが出来なかったのだ。現地の学校の先生との関係があったのかもしれないし、そもそもエジプトに住んでいる日本人として、なんらか思うところがあったのかもしれない。教育者としての矜持《きょうじ》かもしれないし、個人としての思いもあったのだろう。

でもとにかく、あからさまに現地の子供たちを叱ることが出来ない、ということに関して、皆の意見は一致しているようだった。エジっ子たちには、信じられないくらいの人懐っこさがあったが、こと教育者にとっては、日本にいるとき以上の「よそさまの子」感もあったのだ。

ドライバーや添乗員はエジプシャンだったから、学校の先生たちよりは、現地の子に接しやすいはずだった。現にドライバーは、エジっ子がバスの横腹を叩くと、窓を開けて怒鳴っていたし、添乗員も子供たちに何か話しかけられたら、少し荒っぽいアラビア語で答えていた。だが彼らも、結局は日本人学校に雇われている身だった。何かややこしいことを起こすよりは、静観しておいたほうがいいと思っていたのだろう。当時日本人学校は、エジプシャンにとって好条件の職場だった。だから彼らは、取り立てて僕らの助けにはなってくれなかった。日本人学校の教育方針と同じく、決定権はおおむね、僕たちに委ねられていたのだ。

前述したように、同級生のほとんどが反撃に転じていたが、僕には出来なかった。生まれ落ちた瞬間から、身近にいた人間が常に臨戦態勢だったこと、同じ轍《てつ》を踏むまいと、いつだって事を荒立てないように生きてきたことが、僕の行動を完璧に制御していることは確かだったが、それ以上にエジっ子と接することが、僕にはどうしても難しかった。

とりあえず、高学年の態度と同じように、僕は無視を決めこんだ。言葉は分からないが、おそらく彼らは悪意のあるなしにかかわらず、僕らをからかっている。真摯な質問や挨拶で無い限り、それは無視してもいいはずだ、許されるはずだ。僕が怖がったのは、もちろん自分が傷つくことだったが、それ以上に、彼らの気持ちを害することだった。

それは、僕の優しさからくるものではなかった。どうしてか僕は、エジっ子を傷つけてはいけない、出来ることなら仲良くやれたらいいが、それが適《かな》わないなら、少なくとも狼藉を働いてはいけない、そう思っていたのだ。

だが、エジっ子たちはまだ良かった。問題は、道にいる子供たちだった。

つまり、学校に行けないような子供たちだ。

僕たちと同じ年くらいの子もいれば、ヨチヨチ歩きの子もいたし、髭が生えてきている子もいた。皆、大きすぎる汚いサンダル、もしくは裸足で道を歩き、空き地に捨てられたごみを棒で漁ったり、どこで得たのか、エジプトのお菓子を取り合ったりしていた。そして僕たちが学校から出てくると、何かしら叫びながら、わらわらと集まってくるのだった。

大人たちは、「彼ら」に対しては、さすがに声を荒らげていた。「彼ら」は汚かったし、すごくにおったし、とても乱暴だった。

同級生たちは「彼ら」がやってくると、「くさい！」と鼻をつまんだ。慌ててバスに乗り込んだり、学校に逃げ込んだりした。エジっ子たちとは比べ物にならない危機感があった。エジっ子たちすらも、「彼ら」を恐れ、嫌悪していた。「彼ら」がやって来たときは、僕らとエジっ子の間で、なんとなく仲間のような、妙な連帯感が生まれさえした。

僕は、「彼ら」に対して、自分のスタンスをどうしても決めきれないでいた。エジっ子たちは無視すると決めたが、「彼ら」に大声で話しかけられると、どうしても無視しきれなかったし、無視出来たとしても、バスに乗り込むときに、胸がキリキリと痛むのだ。その胸の痛みに耐え切れず、曖昧に笑ってしまうことが、僕にはよくあった。

僕が笑うと、「彼ら」の何人かは笑い返してくれた。その笑顔を見ると、僕の胸は驚くほど晴れたが、それをきっかけに、「彼ら」が積極的に僕と関わろうとしてくると、僕は恐怖と、なんともいえない嫌な気持ちで体がすくんだ。そんな風になるのが分かっているのだから、わざわざ笑いかけたりしなければいいのに、それでも「彼ら」を見ると、僕はどうしても、笑ってしまうのだった。

僕のその態度を、向井さんはめざとく見つけていた。

「圷さんはどうして笑うんだ、あいつらは敵だぞ。」

でも僕は、もし「彼ら」が敵であっても、いや、敵であればあるだけ、卑屈に笑いかけてしまうのだった。僕は何もされていないうちから腹を出してしまう、弱虫の犬みたいなものだった。

でも僕は、まだその時点では、そういう自分を愛していた。優しさからくるものではないとしても、エジプシャンの子たちと喧嘩《けんか》をするいわれはまったくなかったし、人に笑いかけることを悪だとする価値観はないはずだった。特に、「彼ら」のような子供たちには。

だが、ある日、自分のこのやり方を、徹底的に恥じるきっかけになる出来事が起こった。

僕は母と、買い物に出かけていた。

7月26日通り沿いには、たくさんの店があった。母が初期の頃、頭つきの鶏を買ったのも、この通りだった。

母が入った洋服屋は、奥に長いのに窓がなく、薄暗い店だった。商品も少なく、見る限り、スカートは同じデザインのものが何着も並べられ、商品棚はぽつぽつと穴が空いているようだった。

それでも母は、自分の気にいるものを探すのがうまかった。少ない商品の中から、茶色くて太い革のベルトを探し出した。店の袋には、古代エジプトの女王、ネフェルティティの顔が印刷されていた。

店を出たときだった。僕たちの周りを、エジプシャンの子供たち数人が取り囲んだ。見る前から、においで分かった。「学校に行っていない子供たち」、つまり「彼ら」のにおいだった。僕は、母の少し後ろにいた。母越しに見た子供たちは5人いて、どの子も僕より少し大きかった。皆、垢《あか》じみた大きすぎる服を着て、3人は裸足で、残りのふたりは大人用のサンダルを履いていた。

気がついたら、卑屈に微笑んでいた。

一瞬で恐怖に包まれた僕に、出来ることはそれしかなかったのだ。

「彼ら」が、僕らに興味を持ってしまったこと、そして僕らに何らか接触しようとしていること、そして「彼ら」が、僕と圧倒的に違うこと、それが怖かった。

「汚い、あっち行き！」

そのとき、母の声がした。

突然のことで、僕は一瞬、母が何を言っているのか分からなかった。はじかれるように母を見上げると、母は犬にするように手を振って、「彼ら」を追っ払っていた。

胸を、強い力で押されたような気がした。

「あっち行き！」

「彼ら」は、それでもめげなかった。母に笑顔を向け、僕の腕を取ろうとした。びくりと体を震わせた僕と違って、母はその腕を強く払った。

「触るな！」

こんな好戦的な母を、僕は見たことがなかった。

母の剣幕に気おされたのか、「彼ら」は僕らから離れた。

僕の心臓は、どきどきと高鳴っていた。僕を襲った衝撃は、僕から全く去らなかった。

「彼ら」は、少し離れて、僕たちについて来ていた。母は僕の手を引っ張って、足早に歩いた。

そして、「彼ら」がついて来ているのが分かると、振り返って、

「ついて来るな！」

だめ押しで、そう叫んだ。

「彼ら」は、僕のように卑屈に、ニヤニヤと笑っていた。僕はその笑顔を見るのが嫌だった。唾を吐きかけられたほうが、まだましだった。でもそんなことをしたら、母がどんなに怒るか、僕には想像も出来なかった。僕はちらちらと、「彼ら」を振り返った。

「彼ら」の中に、ひとりだけ笑っていない子供がいた。5人の中で、一番小さな男の子だった。

僕はその子と目が合うと、咄嗟《とっさ》に笑ってしまった。

母に手を引かれながら、必死で笑顔を作ったのだった。それは、僕なりの「ごめんなさい」なのかもしれなかったし、そうではないのかもしれなかった。ただ分かっていたのは、僕の笑顔が、今まで作ったどの笑顔よりも、卑屈なものだということだった。

その子は、僕に向かって唾を吐いた。

白い泡が、べしゃっと、地面を汚した。

ニヤニヤと笑っている男の子たちの中、その子だけが、怒りに燃えていた。

僕はショックを受けた。数秒前は、「唾を吐きかけてくれた方がまし」、そう思っていたのに、実際そうされたときのショックは、計り知れなかった。地面に吐かれた白い唾は、僕を直接汚すよりも強く、僕を傷つけたのだ。

母のやったことは間違っている。それは確かだ。

だが僕は、母のやったことに、ほとんど感動すら覚えていた。

僕だって、本当はそう思っていた。「汚い」と。「触るな」と。でも、僕は、「そんなこと、決して思ってはいけない」と思っていた。誰に教わったわけでもないのに、僕はエジプシャンの子を、とりわけ学校に行くことが出来ない、物乞い同然の生活を送っている「彼ら」を、決して見下してはいけないと思っていた。

あなたたちに対して悪意はない、あなたたちのことを見下してはいない、そう言えない代わりに、僕は笑っていた。そして「彼ら」が、僕の笑顔に喜んで近づいてくると、恐怖で震えた。心の中で「こっちへ来るな」、そう叫んでいた。

僕に唾を吐いたあの子は、僕の笑いの意味に、気づいていたのだ。

僕が結局、彼らを下に見ていたことに。

扱いづらい、僕たちとはレベルの違う人間だと、認識していたことに。

母のやり方は絶対に間違っていたが、間違っている分、真実だった。己を貶《おとし》める行為をすることで、母は彼らと同じ地平に立っていた。「そんなこと、してはいけないことだ」「人間として下劣だ」、そう糾弾されるやり方で、母は叫んだ。

でも僕は、安全な場所で、誰にも石を投げられない場所で笑顔を作り、しかし圧倒的に彼らを見下していたのだ。母よりも、深いところで。

僕は自分がしていたことが、恥ずかしくて仕方がなかった。一度そう思うと、父のおかげで大きな家に住んでいること、学校に通っていること、すべてのことが恥ずかしく思えてきた。

僕と「彼ら」とに、どのような違いがあるのだろう。

どのような違いが、この現実を生んでいるのだろう。

カイロにいる間、母の無邪気さ、素直さは、ずっと変わることがなかったが、僕が「彼ら」に対して思う、この後ろめたさ、羞恥心も、決して消えることはなかった。

僕は毎日、「彼ら」に会わないことを祈った。そしてその祈りは、絶対に叶えられなかった。

僕は毎日、誰かしらの「彼ら」に会い、そのたび卑屈に笑い続けたのだった。

16

僕らはカイロにいた4年間で、たくさんの国に出かけた。特にヨーロッパは、地中海を挟んですぐのところにあるので、「ちょっとそこまで」といった感じで、度々出かけた。今から思うと、馬鹿みたいに贅沢な話だ。そのうえ、当時の僕にとっては、ヨーロッパ旅行はそれほどの楽しみではなかったのだから、まったく信じられない。

仕方がないのだ。僕はまだ幼かった。パリで食べる高級な料理より、台所に保管してある日本のカップラーメンのほうが貴重なものだったのだし、ミラノで買い物をするよりは、日本に帰ってテレビを思い切り見たかった。

何より、数々の遺跡を見て回っても、ピラミッド以上の衝撃が得られなかったのは、やはり不幸だったと言いたい。僕はピラミッド以上に大きな建造物も、ナイル河以上に大きな河も、見たことがなかった。

それでも、家族で旅行をするのは楽しかった。旅行に行く前には、いつも家族会議が行われた。それは夜、両親のベッドの上でだった。両親のベッドはキングサイズで、僕たち家族全員が寝そべっても、充分な広さがあった。

父がパンフレットを広げ、どこに行きたいか、何をしたいかなどを僕たちに訊く。姉は「教会」と答え、母は「買い物！」の一点張りだった。母は、我々圷家のなかで、ダントツの俗物だった。

そしてだからこそ、誰より旅行を楽しめる人でもあった。

僕には、行きたい場所はなかったし、何がしたいということもなかった。僕が唯一行きたかった場所、それは日本だった。

面白いアニメ、美味《おい》しいお菓子、中でも最も恋しかったものは、卵かけご飯だった。カイロでは、生の卵を食べる習慣が無い。僕たちに出来るのはせいぜい半熟気味のスクランブルエッグをご飯に乗せ、醬油《しょうゆ》（その醬油も、どれほど貴重だったことか！）をかけて誤魔化す程度だ。それは当然ながら、卵かけご飯とは違った。全く違った。

中には、卵かけご飯が食べたいあまり、日本に一時帰国した際、飛行機に乗る直前に生卵を購入し、機内に持ち込んで膝の上に大切に載せて来た人もいるくらいだった。卵かけご飯は、それほど貴重な食べ物だったのだ。

卵かけご飯に関して、忘れられない出来事がある。

ある日、玉城真里菜《たましろまりな》という女の子が、僕を家に誘ってきた。

体育が終わった後で、僕は学校の水道で手を洗っていた。どうしてひとりだったのかは、覚えていない。

ふと影が出来たので振り向くと、玉城さんが立っていた。玉城さんは、背の高い女の子だった。色が白く、すうっと切れ目を入れたような目をしていた。髪が腰まであって、それを縛ったりしないので、実は僕たちの間では、玉城さんのことを「幽霊」と呼んでいた。

「圷さん、卵かけご飯好き？」

玉城さんが急にそんなことを言ったことに、僕は面食らった。

「卵かけご飯、好き？」

玉城さんは、すごく真剣な顔をしていた。まるでその答えを聞くのが使命であるとでもいった感じだった。

「うん。」

玉城さんの勢いに気おされて、僕はそう言った。すると玉城さんは、重大なことを打ち明けるような顔で、

「私の家に、食べられる生卵があるの。」

そう言った。

「お父さんの会社の人がね、持ってきてくれたの。生だから食べられるのは明後日くらいまでよ。」

僕はそのとき、家に誘われているのだと気づいた。正直、玉城さんに興味はなかったが、卵かけご飯には、大いに興味があった。というより、めちゃくちゃ食べたかった。

「家に来ない？」

というわけで僕は、玉城さんの話に乗ってしまった。

玉城さんも、同じザマレク地区に住んでいた。

扉を開けた玉城さんを見たとき、僕は「しまった」、と思った。玉城さんは、普段学校では着ないような、薄い紫のドレスを着ていた。ピアノの発表会で着るような代物だ。

玉城さんの後ろには、玉城さんのお母さんもいた。お母さんも、玉城さんと同じように長い髪をしていて、色が白かった。ふたりで並ぶと、幽霊の親子みたいだった。

それからのことは、あまり記憶にない。玉城さんの、ものすごく少女趣味の部屋に通され、お

母さんが次々に出してくれた紅茶やらケーキやらクッキーやらを、腹一杯食べたと思う。そうなのだ。卵かけご飯は、出なかった。

玉城さんは、卵かけご飯で、僕を釣ったのだ！

僕はほとんど撲《なぐ》られたような気持ちで、玉城家を後にした。人に騙《だま》されるというのは、こんな気持ちなのかと、8歳の僕が学んだ瞬間だった。僕は玉城さんを恨んだ。

卵かけご飯！

強烈な憧れと共にあった卵かけご飯だが、思いの先にはやはり、日本への憧れがあった。日本人の中には、年に一度、ときには二度も一時帰国をして、日本のお菓子やら洋服やら、様々なものをごっそり調達して帰ってくる人がいた。彼らのくれるお土産を、僕は何より待ち望んだし、新商品のお菓子は、この世のものかと叫びたくなるほど美味しかった。

圷家は、カイロ在住の日本人の中では、一時帰国の回数が極端に少ない家族だった。何せ4年いたカイロ生活で、僕と両親がたった一度、姉にいたっては、一度も帰国しなかったのだから。

理由のひとつは、母が、せっかくの長期休みを、よく知っている日本ではなく、見知らぬ土地へ行って過ごしたがったことだ。

「スイス！」

「スペイン！」

「イタリア！」

母は、あらゆる国へ行き、あらゆる服を買い、あらゆる食べ物を食べたがった。まるで強欲な若いお嬢さんのようだった。

日本での圷家は、母の豪遊を許せるような経済状態にはなかった。だが、海外赴任というものは、とにかくお金が貯《た》まる。充分すぎる住宅手当と海外赴任手当が出るし、特にカイロのように物価が安い地域だと、給料はほとんど手付かずで残るようなものだった。

父は母の奔放を許した。母は日本にいるとき以上に自分に磨きをかけ、精力的に町を歩き、気がつけば日本人会で有名な人になっていた。

僕が大人に会えば、「あの圷さんの」と言われ、それは父のことではなく、母なのだった。カイロ時代の母は、恐らく人生で最も輝いていたと思う。そして皮肉にも、その時代が母にとって、最も辛い時代にもなるのだった。

日本に一時帰国しないもうひとつの理由が、姉が日本にちっとも帰りたがらなかったことだった。姉は、日本の話をすることさえ嫌がった。祖母からの手紙や夏枝おばさんの手紙には目を通すが、決してそのことに関して意見を言わなかった。

姉がふたりを愛していることには、変わりがなかった。でも姉にとって日本は、「ご神木」と呼ばれ、悪魔扱いされた苦しい思い出しかない場所なのだった。

何より姉には、牧田さんがいた。姉の恋は、のちのち悲しい結果を迎えることになるのだが、姉にとって牧田さんは、姉を初めて人間として認めてくれた人であり、カイロは、その牧田さんに出会ったロマンチックな土地なのだった。

日本に帰ることが出来ないことを、一番悲しんでいたのは、僕だ。

カイロ生活は楽しかった。楽しすぎると言っても良かった。でも、僕にとってやはり日本はれっきとした故郷だったし、楽しい思い出のある土地だった。

日本に帰ることが出来ない代わり、僕の望郷の念を満たしてくれるのは、夏枝おばさんや祖母が送ってくれる荷物だった。特に夏枝おばさんは、母や父にというより、明らかに僕と姉に宛てて荷物を選んでくれていた。大量のお菓子、日本で流行《はや》っているアニメのビデオや、僕が愛読している漫画の最新刊、などだ。

時々、気まぐれに好美おばさんからも荷物が届いた。好美おばさんの荷物は、夏枝おばさんと対照的に、ほとんど母や父向けの荷物だった。母はいちいちお礼の手紙を書くようなタイプではなかったが、ハンハリーリやザマレク地区の店で買ったエジプトらしい珍しい民芸品や絨毯、大きな絵などを、気まぐれに送ったりしていた。

ある日、好美おばさんから送られてきた荷物の中に、別包装の荷物が入っていた。電気屋さんの紙袋に入っていて、ガムテープで頑丈に止めてある。紙袋には好美おばさんの字で、「あゆむ君」と書いてあった。

「それ、義一君と文也君からだって。」

母の言葉に、心臓がぎくりと音を立てた。

その包みは、頑丈にガムテープが貼られていた。まるで、絶対に割ってはいけない国宝級のお宝を包んでいるみたいな梱包《こんぽう》だった。気配を察した僕は、その包みを持って、自分の部屋へ行った。

苦労して包みを開くと、そこには信じられないものが入っていた。

それは、裸の男の人が表紙になっている雑誌だった。

僕はもちろん、カイロに来る前、義一と文也が僕の家の和室で雑誌を開いていたあの瞬間を、思い出していた。あれは夢だったのかもしれないと思っていた。でも、夢ではなかった。義一と文也は、あの雑誌を、見ていたのだ。僕の家で。そしてその写真を、僕に見せたのだ。

何のために？

僕は静かに、パニックになっていた。

これは明らかに、母や父の助けを必要とする出来事だった。でも事件の性質上、助けを求めてはいけないということも、はっきり分かっていた。

表紙の男は、裸の尻をこちらに向け、物言いたげな顔でこちらを見ていた。なんてことだ、僕にとって生まれて初めて見たエロ本が、それだったなんて！　僕はトイレに駆け込んだ。そして盛大にゲロを吐いた。ゲロを吐くときも、トイレのコックをひねり、母に音が聞こえないように配慮する自分が、とても哀れだった。

僕はその雑誌を、学校に持って行った。向井さんにそれを見せて、向井さんを驚かそうと思ったのだったし、何よりひとりでそれを抱えきることが出来なかったのだ。

最初に表紙を見た向井さんの反応は、僕の予想通りだった。

「……っ！」

向井さんは、完全に絶句していた。目を丸くして、こめかみに筋を立て、雑誌を持つ手は、かすかに震えていた。僕は嬉しくてたまらなかった。義一と文也も、僕の反応を見て、このような気持ちになったのかもしれないな。僕はふと、そう思った。

僕らはその雑誌を、音楽教室の一番後ろ、鍵盤ハーモニカやタンバリンなどがしまってある棚の、段ボール箱の下に隠した。この段ボール箱に先生が触れるのは見たことがなかったし、よしんば雑誌が見つかったところで、僕らが告げ口しない限り、永遠にバレることはないだろうというのが、向井さんの言い分だった。

だが、翌週の全校朝礼で、驚くべきことが起こった。

校長先生が壇上に立ち、僕らにこう言い放ったのだ。

「音楽室で、学校にふさわしくない雑誌が見つかりました。」

僕の体は、足元から冷えた。

「学校に、全く、ふさわしくない雑誌です。」

校長先生は、怒っているようだった。ものすごく怒っているようだった。校長先生は初老のおじさんで、細長かった。顔が淡いピンク色に染まっているので、フラミンゴみたいだなぁと、僕はいつも思っていた。

「どんな雑誌ですかぁ。」
5、6年生の列のあたりから、声があがった。
声を発したのが誰かは分からなかった。でも僕は、そいつの勇気に驚嘆した。校長先生は、声のした方を見て、しばらく黙っていたが、やがて低い声を出した。

「ここで言うのも憚《はばか》られるような、ひどい雑誌です。」

皆、わずかにざわつき出した。校長先生は、今度は皆を見回した。

「触るのもおぞましい、低俗な雑誌です。」

もしかしたら先生は、答えを言いたいのではないだろうか。小出しにヒントを出すそのやり方を、僕は疑い始めていたのだったが、生徒の間では、すでにヒソヒソ話が回っていた。「エロ」

という言葉が聞こえたとき、僕の膝は小さく震えた。

「私は、その雑誌を持ってきた生徒に言いたい。」

先生は、スウと、息を吸った。

「君は卑猥《ひわい》だとっ！」

ヒソヒソ話に興じていた全校生徒が、水を打ったように静かになった。先生が何を言っているのか、僕には分からなかった。そもそも今の叫びが、雑誌を持ってきた人間に、つまり僕に向けられた言葉だと理解するのにも、数秒を要した。

この事件の後、この言葉を、学校中のいたるところで耳にすることになった。

「キミハヒワイダトッ！」

その言葉には、まるで、時間を止める呪文みたいな威力があった。

それから向井さんは、僕を見ると目を伏せるようになった。

17

「キミハヒワイダトッ！」事件とときをほとんど同じくして、僕に新しい出会いがあった。

僕はその日、母に頼まれて、近所のスーパーに卵を買いに行っていた。スーパーの名はサンシャインスーパー、僕らは略して「サンスーパー」と呼んでいた。小規模だったが、品揃えは良かった。日本食などは全く置いていなかったが、小さいながらおもちゃのコーナーや文具のコーナーがあり、僕はその界隈をじっくり見て回るのが好きだった。

僕が頼まれていたのは、12個入りの茶色い卵だった。目当てのケースに手を出したとき、同時に手を出した人物がいた。

それが、ヤコブだった。

これが成人した男女だったら、まさに運命的な出会いだ。ふたりはきっと顔を赤らめ、はにかみながら見つめ合っただろう。

でも、ヤコブも男だった。僕は少年だったが、ヤコブは僕より年上に見えた。がっしりとした体に、くたびれた白いポロシャツ、ネイビーのコットンのパンツを穿き、大人の男が履くような茶色いサンダルを履いていた。

エジプシャンの子供が苦手であるということは、散々記述した。

そのときも僕は、早速、卑屈に笑っていた。同時に手に取った卵を、譲るつもりだったのだ。

通常のエジプシャンの子供だったら、絶対になにやら話しかけてくるか、体に触ってくるかしてくる。覚悟していたが、ヤコブは違った。卵のケースを取り、微笑みながら、僕に差し出したのだ。

ふいをつかれた僕は、思わずケースを手に取ってしまった。ヤコブはにこっと笑って、自分は違うケースを手にした。

そのときのヤコブの笑顔を、僕は忘れられないでいる。

口全体をにやりと広げる、子供の笑い方ではなかった。口角だけをわずかに上げる、「微笑み」といっていい、大人の笑い方だった。それも、とても高貴な大人の。

がっしりとした体と対照的に、ヤコブの指はほっそりと細く、長かった。そして、小指の爪だけを伸ばしていた。それがまた、ヤコブを大人に見せていた。

僕は、ヤコブに礼を言った。

「シュクラン。」

ヤコブはもう一度僕を見て、

「アフワン。」

どういたしまして、と言った。

僕ははにかんだ。嬉しくて、耳がカーッと、熱くなった。

エジプシャンの子供に対して、こんな気持ちになったのは、初めてのことだった。

ヤコブは僕に、卑屈な思いをさせなかった。ただ堂々と、そこにいた。くたびれた服を着ていたが、身のこなしの優雅さは、ハッとするほどだった。

僕は颯爽《さっそう》とその場を離れたヤコブを、しばらく観察していた。

卵だけを買った僕と違って、ヤコブは牛乳も選んでいた。一本一本、賞味期限を確認している姿さえ、卑しさとは無縁だった。ヤコブは、それが必要だからそれを取るという行為の、完璧なシンプルさの中にいた。

僕はしばらく、ヤコブに見とれていた。やがて我に返ったとき、ちくしょう、これじゃあまるで、オカマみたいだ、そう思った。そのとき、僕の脳裏によぎったのは当然、あの雑誌だった。同時に、向井さんの裏切りを思い出し、胸がチリチリと痛んだ。その傷が僕に、きっとあのような大胆な行動をさせた。

店を出たヤコブの後を、僕はつけたのだ。

ちょうどいいことに、ヤコブは僕の家のほうに歩いていた。これならつけていることにならない、僕も帰宅しているんだから。そんな風におかしな言い訳を心の中でしながら、僕はヤコブの15メートルほど後ろを歩いた。

ヤコブは、右足を綺麗に上げて、かかとから地面に降りていた。そしてそのときには、もう左足を優雅に上げていた。つまり彼は、ただ歩いているだけだった。だが、その姿には、子供に似つかわしくない、なんともいえない威厳があった。

サンスーパーを左に出て2ブロック歩き、右に曲がったところに僕のフラットがあった。なんと彼は、2ブロック目で右に曲がった。そして曲がるとき、ちらりと僕を見た。

目が合ったそのとき、僕は笑うことが出来なかった。いつもなら、卑屈に笑うはずだった。咄嗟に歯を見せるはずだった。でも僕は、ヤコブが僕を見ている、ということに、完全に舞い上がっていた。

ヤコブは、僕を見て笑った。まったく美しい笑顔だった。

僕は再び、その笑顔に射抜かれてしまった。ヤコブと話したい、そう思った。エジプシャンの子供に対してそう思ったのは、もちろん初めてのことだった。

あとで分かったことだが、ヤコブは、僕の家からもう数ブロック行った先に住んでいた。

僕らは、友達になった。

話しかけてくれたのはヤコブだったが、そうさせたのは僕だった。ヤコブの笑顔に対し、もじもじと恥ずかしがり、何か言いたげな顔をしていた。それはエジプシャンの女の子が僕らに見せる態度だった。そう、僕は全く、女の子みたいだった。

僕らは卵と牛乳を持ったまま、僕の家の前で、数十分話し合った。

僕はアラビア語を全く話せなかったし、ヤコブも日本語を全く理解していなかった。でも僕らは、お互いの母国語と体を使ったジェスチャーを駆使し、お互いの名前、自分たちが同じ年なこと、僕は2年前からこの家に住んでいて、ヤコブは4年前から住んでいること、などを伝え合った。そしてまた明日の夕方、ここで会おうという約束まで、交わしたのだった。

家に戻った僕は、有頂天だった。

友達がこんなに簡単に出来ることに驚いたし、苦手としていたエジプシャンの子供と、素直に「友達になりたい」と思った自分が嬉しかった。たった数十分の出来事だったのに、ヤコブはもう僕の中で、絶対的に大きな存在になった。

初恋が成就したような高揚の中で、僕は卵をゼイナブに届けようとした。

ゼイナブは、台所のテーブルに座って、紅茶を飲んでいるはずだった。いつも一日の仕事が終わると、ゼイナブはこのテーブルで紅茶を飲み、エイシと呼ばれるエジプトのパンを食べていた。ゼイナブの紅茶の飲み方はおかしかった。砂糖をカップに入れるのではなく、受け皿に入れ、そこに紅茶を注いで飲むのだ。しかも、砂糖の量が尋常ではなかった。エジプシャンは、甘いものが好きだった。家の近くのケーキ屋で売っているドーナツなどは、日本では考えられない甘さだったが、でも、段々その味にも慣れてきて、日本のさっぱりしたドーナツを、僕らも物足りなく思うまでになっていた。

僕はほとんどスキップせんばかりの勢いで、台所に向かった。中から、母の声がした。すぐに、母が泣いているのが分かった。

動けなかった。母が泣いているのを見たことなど、一度もなかった。姉の暴虐の最中も、粛々とお洒落《しやれ》をし続けていたような母、父を言葉で言い負かし、エジプシャンの子供たちに、「あっちへ行け！」と叫ぶことが出来るあの母が、声を殺して泣いていた。

母の泣き声の合間に、布がこすれる音が聞こえた。ゼイナブが、母の背中を撫でているのだろう。

僕は、玄関まで引き返した。そっと外に出て、大げさな音を立てながら、扉を開けた。そして、大きな声で叫んだ。

「ただいまぁ！」

しばらく待っていると、母が「おかえり」と言った。そして、ゼイナブが姿を現し、拙い「オカエリナサイ」を言ってくれた。僕はゼイナブに卵を渡し、何事もなかったような顔をして、自分の部屋に引っ込んだ。

僕には、母の涙を直視する勇気がなかった。

母が泣いていたのは確かだったが、その姿を見ることで、それが現実のものになるのが怖かった。

そして母も、僕に自分の涙を見られることをよしとしないだろうと、僕は思っていた。僕たちに決して弱いところを見せなかった母が、小さくなって泣いているところを、僕たちに見られたいわけがない。それはそうであってほしいという、僕の願望でもあった。

だが、僕の願望に反し、母はそれから、僕の前で度々涙を流すことになる。

圷家の不穏な時代が、幕を開けようとしていたのだ。


始まりは、一通の手紙だった。

圷憲太郎、つまり父に届いた手紙の差出人を見たところから、母の、そして圷家の「不穏」は始まっていた。僕は、その現場に遭遇していた。

僕のフラットには、ポストがなかった。郵便物は、郵便屋さんがわざわざ家まで来て、ドアの下から滑り込ませるか、それが出来ないときはベルを鳴らした。ゼイナブが出勤してきたときに扉を開けるのが僕の役目だったように、手紙を受け取るのも僕の役目だった。

受け取った手紙の差出人を読み上げるのが、僕は好きだった。学校では英語の授業があり、僕は簡単な英語を読めるようになっていたし、差出人のアルファベットを読み上げると、両親がいちいち感心してくれることが嬉しかったのだ。

大抵はエアメールで、日本から届いたものだった。「NATSUE　IMABASHI」という14文字が、僕が一番読み上げたアルファベットだ。

両親には、友人が少なかった。だから、知らない人から手紙が来ることは、ほとんどなかった。たまにあっても、ほとんどが父の会社の人だった。

その日届いた手紙は、例に漏れずエアメールだった。

両親はテーブルで朝食を食べていて、姉はいつものソファに座って、優雅に紅茶を飲んでいた。

「手紙来たよ。」

それは、僕なりの「僕を見て！」だった。両親はもちろん、僕の望むように僕を見てくれた。裏返した手紙には、僕の見知らぬ名前が書かれてあった。学校の先生が書くような、綺麗な字だった。一見してすぐに、女の人の字だと分かった。

僕が、アルファベットを読みあげたとき、母が立ち上がった。ガチャン、と、食器が大きく音をたてるほど、乱暴な立ち方だった。姉が振り返った。僕も、読むのをやめた。

母は、立ち上がったまま、どこへも行かなかった。左手でおでこを押さえ、じっとしていた。すぐに、ただならぬことが起こっていると思った。僕は先回りして謝りたいような気分だった。でも、声を出すことも出来なかった。結局、すがるように父を見た。

父は静かに、そう言った。救われたような気がした。僕は急いで父に手紙を差し出した。まるで、この手紙が爆発物であるかのように。そのとき、ぴくりとも動かないでいた母が、急に僕の手から手紙を奪った。

「貸しなさい。」

「奈緒子。」

父の声は、低く、乾いていた。

「あんた宛やん。」

母は、手紙の表を見ていた。そこには、やっぱり綺麗な字で、「To KENTARO AKUTSU」と、書かれてあった。

母は父に手紙を投げつけ、そのままダイニングを出て行った。僕はその場に、馬鹿みたいに突っ立ったままだった。父が手紙を拾い、ポケットに入れた。そして僕に、

「歩、朝ご飯食べなさい。」

と言った。

悪いのは僕じゃない。そう思った。

でも、僕が読み上げたあの手紙のせいで、こんな不穏な雰囲気になっていることは、間違いなかった。僕は、いたたまれない気持ちで席につき、もくもくと朝食を食べた。姉はしばらく、父のことを見ていたが、父がことの顚末《てんまつ》を姉に説明する気はなさそうだった。姉もそのことを分かっていたのだろう。すぐにこちらに背を向け、また、姉だけの世界に没頭していった。父はインスタントコーヒーを流し込み、迎えに来たジョールと一緒に、何も言わずに出勤していった。

父が扉を閉めた後、遅れてゼイナブが玄関に見送りに行った。何かを察したのか、すぐに母のいる寝室へ向かった。そして僕も、姉に連れられ、「行ってきます」を言うことなく、家を出たのだった。

バス停に向かう途中、僕は姉に、

「なんかあったんかな。」

そう言った。姉は、中学1年生になっていた。背がまた伸び、ほとんど外国人みたいに高かった。相変わらず食が細かったのでガリガリに痩せていて、それに加え、ちゃんと眠っていないのか、目の下には隈《くま》が出来ていた。

「さあ。どうせ子供が口突っ込むことじゃないとか言うんでしょ。」

姉は、どこか怒ったような口調で、そう言った。


それ以降、僕は母を、なるべく見ないようにしていた。

母がまた、乱暴に席を立つのが怖かったし、父に何かを投げつけるところを見るのが怖かった。僕は全力で、あの朝のことを忘れようとしていた。母は変わっていないと、思おうとした。

そして実際母の、変わっていないところばかりを見た。

僕が帰宅すると、母は綺麗に着飾って僕を出迎えたし、カイロで出来た友人と長電話をしたり、ゼイナブに家事を任せて、プールに行ったりしていた。変わらない母を見ていると、僕の心は落ち着いた。

父は帰りが遅く、4人で夕飯の食卓を囲むことは稀《まれ》だったが、朝食は一緒だった。母は、もう急に立ち上がったりしなかった。だが、父と目を合わせなかった。父と目を合わせない母ではなく、いつものように朝食を食べ、紅茶を飲む母だけを、僕は見た。


母が台所で泣いている声を聞いたとき、僕が最初に思ったのは、だから、「見たくない」ということだった。

母には、いつもの母であってほしかった。僕に、泣いているところなど、見せてほしくなかった。母が泣いていることを認めてしまうと、家族すべてが変わってしまうような気がした。僕は母に「僕がいる」ことを、気づかせようとした。

僕がいるよ、僕の前では泣かないで、僕に「変わっていない」と思わせて。

だが母は、憚らなくなった。

以前の朗らかさは去り、時々黙り込んで、一点を見つめるようになった。僕がそばを通っても、その気配を消そうとはしなかったし、僕が明るく話しかけても、沈んだ気持ちを隠そうとしなかった。

母は「不穏」だった。その「不穏」は台所を出て、廊下やダイニングにまで侵入していた。もう母を、変わっていないと思うことは出来なかった。

母はとうとう、リビングで堂々と泣くようになった。リビングまで制覇したら、「不穏」は、もはや家中を満たしているようなものだった。

僕が歩くと、どこかしらに「不穏」の糸があった。毎日、それにつまずいてるような気分だった。

外の世界がどれほど楽しくても、帰ってきたら、家の中の「不穏」に、足をすくわれた。部屋にいても、ビデオを見ていても、家にいる限り、僕はいつも糸に絡め取られていた。そしてその糸と格闘している僕の耳に飛び込んでくるのは、いつだって母の泣き声だった。

ソファに座り、両手で顔を覆っている母の隣には、必ずゼイナブが座っていた。ゼイナブは、姉よりも頻繁にソファに座るようになった。大きくて分厚い掌《て》で母の背中を撫で、時には母と一緒に泣いていた。

「マダム、マダム。」

そう言いながら。

母とゼイナブの年齢は母娘ほど違っていなかったし、母は日本人、そしてゼイナブはエジプシャンだった。だが、時折ふたりは、親子のように見えた。

僕には母を慰める気はなかった。そもそも理由を知らなかったのだし、訊く勇気もなかったから、慰めようがなかった。

僕は出来る限り、母の涙に気づかないフリをした。

以前より、明るく、活発な子供を演じた。家の中の「不穏」を振り払うように、圷家は問題がないと言い聞かせるように、僕は家の中で徹底的にふざけ、学校であった出来事をことさら大げさに話してみせた。「不穏」から、全力で目を逸らし続けた。

だがもちろん、「不穏」は僕を放っておいてくれなかった。

18

僕はヤコブに夢中になった。

ヤコブは、本当に恰好良かった。

向井さんが、ザマレク中の道を知っているとすれば、ヤコブはザマレク中の網の目を知っていた。ヤコブは僕を連れて、向井さんと通った道の先、こんなところに道が、と驚くような路地へ入り、思いがけない場所へ出た。それだけではなく、壁に落書きをする楽しさを、ゴミ置き場のゴミを燃やす楽しさを、そして店に入り、店の大人と、まったく対等に話す楽しさを教えてくれた。

堂々とした体軀《たいく》と、気品のある態度がヤコブを大人に見せていることは確かだったが、それ以上に、ヤコブには人を受け入れる度量のようなものがあった。同じ年なのに、ヤコブは僕を守ろうと決めているように見えたし、僕も完全にヤコブに頼っていた。

いつしか僕も、ヤコブと同じような服が着たくて、父の着なくなったポロシャツをねだるようになった。母は、僕も姉のようになってしまったと言って嘆いたが、ブカブカと大きなシャツは、当時の僕にとって最高に恰好いいものだった（父のサンダルを履くことは、さすがに許してもらえなかった）。

僕とヤコブは時々、お互いの服を交換して着た。母に怒られるので、帰りには元に戻さねばならなかったが、ヤコブの服を着ているとき、僕はヤコブの勇気や知恵を授けられているような気分になった。洋服には、ヤコブの体臭が染みついていた。僕にとってそれは何より、安らぎを与えてくれるものだった。

ときどき僕は、体を洗うのを躊躇した。裸になった僕の体には、ヤコブのにおいがまだ残っていた。それを取るのが嫌だったのだ。ヤコブのにおいを感じている限り、「不穏」は僕のそばまでやって来ない、そんな気がしていた。

母に言われてしぶしぶ体を洗うと、だから僕は心細かった。清潔な体で入る清潔なベッドは気持ち良かったが、それだけだった。僕は枕に顔をうずめて、ヤコブと過ごした一日を思い出しながら眠りについた。そして眠った後は、ヤコブの夢を見た。

僕とヤコブの意思の疎通は、加速度的に増して行った。

数ヶ月もすれば、僕らはほとんど、ジェスチャーなしで話をすることが出来るようになっていた。それは本当に、不思議なことだった。僕は今でも、アラビア語を話すことが出来ない。当時の僕が話せていたとも思えない。でも僕は、確実にヤコブと会話し、ヤコブの冗談に笑い、ヤコブに質問して、確かな答えを得ていたのだ。

ある日は、トランシーバーで遊んだりもした。トランシーバーといっても、プラスチックのおもちゃのトランシーバーだったが、何十メートル離れても、十分話せる機能を持っていた。僕はそれを、お小遣いをはたいてサンスーパーで手に入れたのだった。

僕らはそれぞれのトランシーバーを手にし、道路を挟んで街を歩いた。そして、様々なことを交信しながら街を探検した。「野良犬に注意」「花売りのおじさんが吐く唾に注意」「前方に山羊の糞」など。つまり僕らは、まったく言葉だけでコミュニケーションを取ることに成功していたのだ。

僕らにはきっと、僕らにしか分からない言葉があった。

アラビア語でもない、日本語でもない、ましてや英語でもない、僕とヤコブにしか分からない言葉があったのだ。

今でも覚えている、別れの言葉がある。

「サラバ。」

僕たちが別れるのは、いつも僕のフラットの前だった。僕たちは手を上げ、「サラバ！」と叫んだ。初めは、アラビア語の「さようなら」である「マッサラーマ」を使っていた。僕がふざけて「マッサラーバ！」と言い出したのが、始まりだった。

アラビア語の「マッサラーマ」と日本語の「サラバ」を組み合わせたそれを、僕はとても気に入っていたのだが、ヤコブは単純に「サラバ」を気に入った。

「とても綺麗な言葉だ。」

僕がいくら「マッサラーバ」と言っても、ヤコブは頑なに「サラバ」と言い続けた。

実際、ヤコブの「サラバ」は美しかった。

まるで、「さようなら」という意味ではない言葉のように聞こえた。輝かしい可能性を孕《はら》んだ、キラキラした3文字に思えた。

いつしか僕もヤコブを真似て、「サラバ」と言うようになった。そして僕らの「サラバ」は果たして、「さようなら」だけではなく、様々な意味を孕む言葉になった。「明日も会おう」「元気でな」「約束だぞ」「グッドラック」「ゴッドブレスユー」、そして、「俺たちはひとつだ」。

「サラバ」は、僕たちを繋ぐ、魔術的な言葉だった。

僕はいつしか、ヤコブがいないときでも「サラバ」と言うようになった。ピンチのときや、何かいいことがあったとき、つまり思いついたときにはいつでもだ。その3文字を呟《つぶや》くと、僕はそばにヤコブがいてくれるのだと思えた。ヤコブのにおいを、ヤコブの気配を感じることが出来た。そしてそれは、僕を安らかにしてくれた。だから僕は家の中で一番、「サラバ」を口にした。

「サラバ」は、僕らだけの言葉だった。

僕が急速にヤコブと関係を深めていくのに反して、向井さんとはどんどん疎遠になっていった。僕は放課後のほとんど毎日をヤコブと過ごしていたし、「キミハヒワイダトッ！」事件の余波は、まだ僕達の間に根強く残っていた。

とはいえ、仲が悪いというわけではなかった。クラスメイトとは時々ゲジラで遊んだし、それぞれの家へ遊びに行ったりした。みんなの中にいると、僕と向井さんの気まずさは目立たなかった。

一度、皆と僕のフラットの中庭で遊んでいるとき、ヤコブが来たことがあった。ヤコブとは、特別毎日約束をしていたわけではなかった。ヤコブが僕のフラットに来たとき、僕が外に出ていないこともあったし、僕が外に出ていても、ヤコブが来ないときもあった。

僕らは連絡手段を持っていなかった。

向井さんや同級生と遊ぶときは、それぞれの家の電話を使っていたが、ヤコブと僕には、その選択肢はなかった。そもそも僕は、母にヤコブと友達になったとは、言っていなかったのだ。

ヤコブはとても大人びた子供だったし、頭が良く、とてもハンサムだったが、エジプシャンだった。それも恐らく、裕福な家の子ではなかった。

ヤコブは大抵、初めて会ったときに着ていた白いポロシャツか、茶色いシャツを着ていた。そしていつも、あのサンダルを履いていた。そんな大きすぎるサンダルで、僕より速く走ることが出来るヤコブを、僕は尊敬していたのだったが、そのサンダルは、大人にとっては汚い、ただのサンダルだったのだと思う。それはそのまま、ヤコブの家庭環境を示すものだった。

向井さんたちは、いまだにエジっ子と攻防を続けていたし、「彼ら」を敵だと認識していた。ヤコブは「エジっ子」でも「彼ら」でもなかったが、それを説明するほどの知恵を、僕は持っていなかった。

僕と向井さんたちは、中庭でサッカーをしていた。全力で駆け回り、ゴールを決めた後は、向井さんと抱き合って喜んだ。僕は、久しぶりに向井さんと屈託なく接することが出来たことを喜んでいた。

ヤコブが顔を覗かせたとき、僕はちょうど能見兄弟のディフェンスをかわしたところだった。ヤコブと目が合ったのは分かったが、どきりとしたその瞬間、すぐに目を逸らしてしまった。

僕はそのまま、ゴールを決めた。皆に肩を叩かれ、称賛され、でも僕は喜ぶことが出来なかった。ヤコブを無視したことになったのではないかと、気が気ではなかった。耐え切れず門を振り返ると、ヤコブはもういなかった。

僕は猛烈な自己嫌悪に襲われた。どうしてヤコブと目が合ったとき、目を逸らしたのか。屈託なく手をあげ、挨拶出来なかったのか。咄嗟に判断をヤコブに委ねた自分が恥ずかしかったし、同時に、そっといなくなったヤコブに、猛烈に感謝してもいた。

混迷した僕の気持ちは誰にも気づかれることなく、サッカーは続行された。僕はそれから、ゴールを一度も決めることは出来なかった。


次の日、僕はヤコブを門で待っていた。

今までヤコブを待った時間の中で、一番苦しく、長い時間だった。

ヤコブは来ないかもしれない、と思っていたし、それでも仕方がないと思った。願わくばヤコブが、あのとき僕がヤコブに気づかなかっただけだと、そう思っていてほしかったが、あれだけしっかり目が合ったからには、それは通用しないだろうと分かってもいた。

だから、遠くにヤコブの姿が見えたときには、僕は心中、飛び上がらんばかりだった。ヤコブの名を叫びたかった。ありったけの感謝の言葉を口にしたかった。でも僕は、表面上は努めて冷静に、片手をあげて彼を出迎えた。何も変わっていないようにふるまいたかったのだ。

「アユム。」

ヤコブは、僕を抱きしめた。それはヤコブの、いつもの挨拶だった。ヤコブの体温とにおいを感じることが出来て、僕は嬉しかった。やはり叫びだしたかったが、ぐっと堪《こら》えた。

「日本人も、サッカーが好きなんだな。」

ヤコブが言った。

心臓が、どきりと音を立てた。ヤコブは僕から腕を離し、僕の顔を覗きこんだ。

ヤコブの目は光を浴びて、金色に光っていた。驚くほど長い睫毛《まつげ》が、眼球に影を作って、美しい芸術作品のようだった。

「エジプシャンは毎日サッカーするけど、日本人もそうだとは思わなかったよ。」

静かにそう言うヤコブは、でも、怒っていなかった。口角を上げ、この上なく優しい顔をしていた。

僕はそのとき、猛烈に恥ずかしくなった。そして、ヤコブへの愛情で胸が潰れそうになった。僕は、自分がどれほどヤコブのことを愛しているか、心から尊敬しているか、伝えたかった。その気持ちだけは嘘じゃないと、分かってほしかった。

僕たちは、「エジプシャン」と「日本人」だが、そしてその「ふたつ」の間には隔たりがあるかもしれないが、僕らに関しては、僕らに関してだけは、それを越えた強い何かがあるのだと、言いたかった。だが言えなかった。少なくとも、それを言うのは僕ではない、そう思った。溢れそうな感情を言葉にする代わりに、僕は手をヤコブの肩に乗せた。僕はすべての思いを掌に委ねた。ヤコブに伝わりますようにと、願った。

ヤコブは僕の手を握った。僕のより大きなその手は、やはり温かく、湿っていた。ヤコブは、こう言った。

「サラバ。」

その言葉だけで、僕は救われた。

僕らは「サラバ」で繋がっている。僕らの間には、何の隔たりもない、僕らはひとつだ。そう、思うことが出来た。

僕の方が、ヤコブが「ヤコブの世界の人」といるところに、出くわしたこともあった。

僕はその日、母とゲジラの前に建っているホテルに向かっていた。金曜日、カイロの暦では休日だった。休日はヤコブに会えないので、僕は憂鬱だった。そのうえ、大嫌いな美容室に連れて行かれるとあって、歩くたび憂鬱は増した。

子供だった僕に、自分の髪型を決定する権利はなかった。ホテルの美容室には、当然のように母が付き添った。僕は母の言う通りに髪を切られるのだ。

美容室には、油絵のように化粧をしたおばさんたちや、気絶してしまうほど香水をふりかけた美容師たちがいた。僕はどちらも大嫌いだった。おばさんは僕を見つけるとカーラーを巻いた頭をものともせず近寄って来ては、僕を強く抱きしめたし、美容師はというと、髪を切っている最中、ことあるごとに僕の頬や頭にキスをしてきた。僕はそのたび「子供じゃないんだ！」そう叫び出したくなった。男らしいヤコブと出会ってからは、特にその思いは強かった。

ホテルには、3つの入り口があった。僕らの家からだと、ホテルの裏側にあたる入り口が一番近かった。このホテルには、僕も馴染みがあった。母が通っているプールや、父が通っているジムもこの中にあったし、日本人が多いザマレク地区の夏のお祭りや会合が、このホテルの中庭で行われていたからだ。

裏口は、少し坂になっていた。僕は母のヒールを履いた足のふくらはぎの、きゅっと盛りあがった筋肉を見ながら、だらだらと歩いていた。

「歩、はよ歩きなさい。焼けるやろ。」

母は珍しく、日傘を持っていなかった。汗をかくのが嫌らしく、早くホテルに入りたがっていた。

「ほら、はよ！」

そのとき、一台のバンが僕らを追い抜いていった。

エジプトではよくある、とても汚れたバンだった。元々白い車体が、砂埃でミルクティーみたいな色になっている。

舌打ちをしながら避けると、助手席にヤコブが乗っているのが見えた。ドキッとした。バンは坂を上りきり、従業員用の通用口の前で止まった。

歩みを遅めた僕を、母は容赦なく急かした。

「いい加減にしなさいよ！」

そのおかげで、僕らが入り口に着いたとき、ヤコブと、髭の生えたおじさんが、バンの荷台を開けているところに出くわしてしまった。ふたりは、中からたくさんのシーツを取り出していた。僕は咄嗟に目を伏せた。でも、好奇心に抗《あらが》えず、やはり見てしまった。

初めヤコブは、僕には気づかなかった。荷台に乗り込んでシーツをおじさんに渡すのが、ヤコブの役割らしかった。ヤコブの上半身ほどもあるシーツの塊を持ち上げ、おじさんが用意していた籠に入れてゆく。大きく腕をあげたヤコブの腋が、汗で染みになっていた。

僕はヤコブのにおいを思い出していた。ヤコブの少し酸っぱい、ナツメのようなにおいを。そしてほぼ瞬間的に、何故か泣き出しそうになった。

おじさんは、受け取ったシーツがいっぱいになると、それを通用口まで運んだ。

その間、ヤコブはバンの中で待機していた。シャツの袖で額の汗を拭い、肩で息をしていた。

そして、何気なくバンの外に目をやり、そこで、僕と目が合った。

先ほどから気づいていた僕と違って、ヤコブには覚悟が出来ていなかった。ヤコブは、「あ」という顔をし、それからすぐに逸らした。僕がサッカーでやったときと違う、あからさまなやり方だった。いや、もしかしたら僕もあのとき、ヤコブくらい明らかなやり方で、目を逸らしていたのかもしれなかった。

ヤコブはうつむいて、シーツを検分するフリをしていた。僕もすぐに目を逸らし、母の後についてホテルに入った。そのときにはもう、今見たことは忘れようと決意していた。

「なに、あの人知ってるん?」

母がそう言った。

通用口に入って行ったおじさんは、なかなか出てこなかった。僕は今この瞬間、あの汚いバンの中でシーツに囲まれているヤコブを思った。

「知らん。」

無関係であるふりをし続けることが、僕がヤコブとずっと友人でいられる条件だと、僕は勝手に思っていた。僕は妙な罪悪感と切なさ、そして不思議に甘美な思いに胸を粟立《あわだ》たせながら、歩いた。うだるような暑さの屋外と違って、ホテルはキンキンに冷えていた。


翌日、僕はまた門で、ヤコブが来るのを待っていた。

今度は僕がヤコブを許す番のはずだった。だが、どうしてもそう思えなかった。

僕がヤコブを無視することはもちろん、ヤコブが僕を無視することに関してだって、非があるのは僕の方だと思っていた。いや、僕ら側の方だと。そしてそんな考え方が、卑怯《ひきょう》で下劣なものだと分かってもいた。つまり僕は、どうしていいのか分からなかった。

ヤコブは、いつも通り歩いてきた。笑って手を振り、僕の肩を抱いた。

「サラバ。」

ヤコブは笑っていた。僕も、いつもと同じようにふるまった。昨日のことには触れるべきではないと思っていたし、そうする以外僕には出来なかった。だが、ヤコブは、

「歩のお母さんは綺麗だな。」

そう言った。僕は声が出せなかった。

ヤコブを見ると、ヤコブはにこにこ笑っていた。卑屈な笑いではなかったし、無理しているわけでもなさそうだった。

「でも、僕のお母さんも、すごく綺麗なんだ！」

ヤコブは僕の手を引いて歩き出した。突然のことに戸惑った。ヤコブはどうやら、自分の母親に、僕を会わせようとしているようなのだ。

ヤコブの家は、僕のフラットから3ブロックほど歩いたところにあった。ザマレク地区は高級住宅街だ。僕は正直、ヤコブがこんな場所に住めることに驚いたし、そうやって驚いた自分が嫌だった。自分が自分側にいることが、苦しかった。

恐ろしく古びたフラットが見えた。ヤコブの家族は、そのフラットの地下に住んでいた。ヤコブのおじさんがボアーブ（うちでいうドラえもんだ）をしているというフラットだった。ヤコブはその3部屋の家に、おじさん夫婦、お父さんとお母さん、ふたりの妹と一緒に住んでいた。

地下だったから、家には窓がなかった。全体的に湿っていて、独特のにおいがした。実際、床の隅には水たまりが出来ていた。そのそばで雑巾を持って笑っている人はヤコブのおばさんで、その年頃のエジプシャン女性にしては珍しく、ぴたりとしたジーンズを穿いていた。

ヤコブのお母さんも、洋装だった。白いブラウスと茶色いフレアスカートを穿き、髪の毛は剝き出しでひとつに結んでいた。ヘジャブをかぶったエジプト人女性に慣れていた僕には、それは新鮮に映った。

急な訪問だったにもかかわらず、お母さんは僕の体を抱きしめ、大きな声で何か言った。僕にはヤコブ以外の言葉は分からなかった。妹ふたりは、そばで恥ずかしそうに笑っていた。

お母さんは、とても太っていた。美人かどうかなんて言えるような風貌ではなかった。ヤコブの妹ふたりもまるまると太り、僕はヤコブの体格の良さの理由が分かったような気がした。

ヤコブは家族に囲まれて、嬉しそうだった。

家族はヤコブを愛していた。それは僕にも分かった。そしてヤコブは、その家族を誇りに思っていた。自分の母親を心から美人だと思っていたし、この場にいないお父さんのことを、何度も何度も褒めた。

ホテルで会ったとき、目を逸らしたのは、羞恥からではなかったのだと、そのとき気づいた。ヤコブは僕と母に、ただ気を使っただけだったのだ。もしかしたら、ホテルの従業員に、ホテルの客を見てはいけないと、言われていたのかもしれなかった。僕は自分の卑しい思いに、また打ちのめされた。そして同時に、ヤコブをますます愛しているという実感を得た。自分の仕事を、地下の家を恥じないヤコブを、僕は眩しく思った。

「僕」と「ヤコブ」の間には、きっと、大きな溝がある。

でも、「　」に入らない丸腰の僕とヤコブの間には、僕らを遮るものなど、何もなかった。ヤコブは僕を愛してくれた。そして、僕のヤコブに対する愛は、きっとそれ以上だった。ヤコブを失うことなんて、考えられなかった。僕はヤコブのためなら、何でもしたかった。ヤコブが笑ってくれるなら、どんな苦しい気持ちも引き受けたかった。

家族に囲まれて笑っているヤコブを、僕はいつまでも見ていた。

僕はますますヤコブとふたりでいる時間を尊く思うようになり、その思いを隠さなかった。僕たちは、まるで許されぬ恋をしている恋人たちのように、蜜月を重ねていった。

19

僕とヤコブが蜜月を重ねていくように、姉と牧田さんも、その頃には学校中の噂になるほど、仲の良いふたりになっていた。

牧田さんは、僕らと同じバス停を使っていた。姉と牧田さんはバス停で会うと、当然のようにふたりで並び、バスに乗り込んだ後は、隣同士で座った。そしていつまでも、小声で話し続けていた。

同じクラスで授業を受けているというのに、休み時間も、いつもふたりでいた。お互いがトイレに行くときは、トイレの前で待ち、帰りのスクールバスでも、隣りあって座った。バス停で降りた後は、ほとんど日が翳《かげ》ってくるまでふたりで話し込み、ときには家の電話を使っても話し続けた。あまりの濃厚さに、大人びた生徒たちでも、さすがにふたりをからかわずにはおれなかった。

姉は幸せだっただろう。だが僕にとっては迷惑な話だった。廊下で誰かに会うと、

「あ、圷さんの弟だ。」

と笑われ、悪いときには、

「牧田さんの弟だ。お兄さん元気?」

そうからかわれるのだ。

自分の姉の恋を、こんなに狭い世界で目撃するのは苦痛だったたし、時々牧田さんが僕を見つけて、家族のように親しげに笑いかけてくるのも、気持ちが悪かった。

僕から見ても、牧田さんはいい男だった。すらっと背が高くて、肌は滑らかで、いつもこざっぱりとした服を着ていた。なんていうか、「貴族」って感じだった。僕には、牧田さんが姉のような人間と一緒にいたがる理由が全く分からなかった。母の選ぶ綺麗な服を着ていても、姉はやはり「ご神木」といった感じだったたし、姉のクラスにも、他のクラスにも、姉より可愛い女の子はたくさんいた。姉はどこにいても、正直「一番可愛くない部類」に属する女の子だった。そんな姉が、牧田さんと、雛鳥みたいにいつもくっついているのだ。

僕は、恋愛の不思議を思わずにいられなかった。

牧田さんといるときの姉は、よく笑い、熱心に話し、家にいるときとは全然違った。

姉も、圷家の「不穏」には、もちろん気づいていた。

母はもはや、僕らの前でも憚らず泣くようになった。母の隣にはいつもゼイナブがいて、母と一緒に涙したり、母の背中を撫でたりしていた。父が帰宅してからは、深夜まで言い争う声が聞こえた。ほとんど一方的に母が怒鳴るだけだったが、時折、あの大人しい父が声を荒らげていた。

そのたび、僕の心臓はキュウと縮みあがり、毎度毛布を頭までかぶり直さなければならなかった。隣の部屋で、姉はどんな風に思っていたのだろうか。広い家だったが、両親の「不穏」は、一番奥にあった姉の部屋まで、きっと届いていたのに違いなかった。だが僕と姉が、「そのこと」について話し合うことはなかった。

姉と話し合うことで「そのこと」が現実になるのが怖かった（それは紛れもない現実だったが）。

こうやって知らないふりを続けていれば、いつしか「不穏」は圷家から去るだろう、僕はそう思っていた。

だが「不穏」は、速度を増した。

6月に入ると、父が突然、一時帰国すると言い出したのだ。

カイロに来てから今まで、一度も帰国したことなどなかったのに、今さらそんなことを言い出したのは、最近の「不穏」が原因なのだと、すぐに分かった。母は、父の意向を聞いて、ほとんど半狂乱になって怒った。

「私は絶対に帰らない。」

ほとんど何かに誓うように、母は頑なだった。

「あんたも帰らせへんから。」

父と母は、毎晩話し合いを続けていた。だが、結局話し合いは決裂したようだった。父は帰ることをやめようとしなかったし、母もそれを許そうとしなかった。

今や圷家の嵐は姉ではなく、母だった。母は、もくもくとご飯を食べていたと思ったら、急に「ああ」と大きな声を出して立ち上がったり、3秒に一度大きな舌打ちをして、家の雰囲気をこれでもか、というほど悪くしていた。

姉は、そんな母を静かに見守っていた。

関係性は良好と言えなかったし、そもそも姉は圧倒的に父派だった。だが、姉と母の間で、ある共通認識が、いつの間にか出来ていたみたいだった。驚くことに姉は、今回のことで、母ではなく父に対して嫌悪を示しているようだった。父が帰宅しても、出迎えには行かず、朝食の席で一緒になっても、父を見なかった。それは姉の年齢によくある反抗期とは違った。姉は明らかに父を避けており、その原因は確実に両親の「不穏」にあった。

だからといって姉は、母の味方をするような性格ではなかった。父のことは嫌悪するが、そのことで取り乱している母を、わずかに軽蔑しているようだった。母のやり方はまったくみっともなかったし、騒々しかった。静かにソファに座っているつもりでも、全身から「私はかわいそう」のオーラが出ていて、やかましかった。

その姿は、母が姉の母であることをまったく証明するものだったが、小さな頃、どんなに暴れても訴えても、自分の思いを汲《く》んでもらえなかった（と姉自身が思っている）経験を持つ姉は、母を完全に許そうと決めたわけではなさそうだった。

僕はというと、ただただ困惑していた。

僕は、父も母も好きだった。何より彼らの「不穏」の原因を知らないのでは、行動のしようがなかったし、ではその理由を聞く勇気があるかというと、やはりなかった。僕が選ぶのはいつだって中庸であることだった。そしてここでは、それは逃亡を意味した。

母が泣いていると、僕はその姿が見えないところへ逃げた。父と母の言い争う声がすると毛布を頭までかぶり、「サラバ」を言い続けた。そして、家とは関係のない様々なことを頭の中で想像し、現実の声を追い出した。

想像が毎晩続くと、いつしかそれは物語になった。僕は頭の中で竜に乗って宇宙を飛び、目の覚めるような綺麗な猫に傷を癒してもらい、夜の終わりには、平和で美しい森で眠った。そしてその想像には、必ずヤコブが寄り添ってくれた。僕がピンチのとき、絶対に助けてくれるのはヤコブだったし、時折は勇気を出して、ピンチに陥ったヤコブを、僕も助けることが出来るのだった。

「サラバ！」

そして朝になると、「なんてさわやかな朝なんだろう」というような顔をして、腫れた目をした母に屈託なく挨拶をし、無言でコーヒーをすすっている父に今日の予定を話し、今では大抵無視を決め込む姉にまで、昨日見た夢を話した。つまり僕は、「圷家の明るく無邪気な末っ子」を演じ続けたのだ。


宣言通り父が帰国すると、圷家はとても静かになった。

元々、父はとても無口な男だった。母に暴言をぶつけられても、おおよそ受け身の態勢でそれをやり過ごし、時折声を荒らげた後は、羞恥で耐えがたいといった感じでうつむいて、それ以降じっとしていた。

休日になると、朝早くからスポーツクラブに出かけ、もう充分引締まって痩せている体を苛《いじ》め、疲れ切って帰ってきた。父はまるで、苦行に耐える僧侶のようだった。そしていつしか、家にいるときも、僧侶のように、全身から沼のような静けさを発するようになった。

そんな父が数週間いなくなったところで、圷家は何も変わらないだろうと思っていた。

でも、違った。父の存在は、とても大きかった。

玄関に、バスルームに、リビングに残った父の残滓《ざんし》は、決して消えることがなかった。その残滓は、静けさを発した。それはほとんど実際の温度を低くしてしまうほどの静けさだった。父の不在は圷家を砂嵐のように覆い、かえって静かなその部屋では、母は泣かなくなった。ゼイナブと共にキビキビと家事をし、今までで最高に奇抜なお洒落をした。

父が不在の間に、事件が起こった。

カイロで暴動が起こったのだ。

暴動の理由は僕には分からなかったが、あれよあれよという間に規模が大きくなり、制圧には軍が出動した。そしてとうとう、外出禁止令が布かれるようになった。当然学校は休みになり、僕らは一日家にいることを命じられた。

母は、このうえなく不安そうだった。ゼイナブもジョールも、出勤することは出来なかったし、父はいなかった。母は、僕と姉を、ひとりで守らなければならなかったのだ。

幸い、終日の外出禁止令は数日で解け、一日数時間の禁止令になり、やがて夜間だけの外出禁止令になった。だが、エジプトで暮らしていて一番恐ろしかった時期に、父が家にいなかったことで、母は父への不信を決定的なものにした。父からは何度も電話があったが、その度母が、これ以上ない辛辣な言葉を浴びせていた。当然、僕たちには決して代わってくれなかった。

一日のうち、数時間だけ外出禁止令が解かれるときも、母は、僕たちの外出を許さなかった。僕はヤコブに会いたくてたまらなかった。家の中の空気は、決定的に悪くなっていた。姉は部屋でずっと牧田さんと電話をしていたし、母はあらゆる場所で、ずっと泣いていた。僕は息が詰まりそうだった。せめて外の空気を吸いたくて、毎日ベランダに出た。

ある日、いつものようにベランダから外を見ていると、人影が見えた。

ヤコブだった。

ヤコブは外出禁止令の合間を縫って、僕に会いに来てくれたのだ!

僕はほとんど、ロミオに恋をしているジュリエットの気分だった。ヤコブは僕に手を振り、僕もヤコブに手を振り返した。それだけだった。でも、僕は毎日、ヤコブが来るのを待ち焦がれるようになった。ヤコブは、禁止令が解除される時間になると、いつも律儀に姿を現した。僕らはベランダ越しに見つめ合った。それは、言葉を交わし、抱き合う以上の濃密な時間だった。

暴動は数週間で治まった。母はほっとしていたが、目の下に出来た黒い隈は、いつまでも取れなかった。

ようやく再会した僕とヤコブは、ますますお互いへの愛情を高めていた。僕らは手に手を取り、ほとんど駆け落ちするような気持ちで、ゲジラ島から出るようになった。

島を出るには、ナイル河を渡っている、車がゆきかう大きな橋を歩かなければならない。

僕達は男同士、しっかり手をつないだ。橋を渡り、ゲジラ島の対岸から自分たちが住んでいる島を眺めた。まるっきりの都会のただ中で、僕たちの気分は完全にトム・ソーヤーとハックルベリー・フィンだった。あるいは、それ以上だった。

初めは橋を渡り切ったあたりで満足していた。だが、僕たちは段々大胆になっていった。河沿いを歩き、エジプト考古学博物館や、タハリール広場まで行くようになった。遠足でしか来たことのない場所に子供だけで来ているスリルは、言葉では言い表せなかった。

道行く人は、必ず、エジプシャンの子供と東洋人の子供という、おかしな組み合わせを見た。中には色々と話しかけてくる大人や子供がいたが、それはヤコブがうまく話をつけてくれた。

ヤコブは、僕に与えた印象を、エジプシャンに対しても与えられる人間だった。つまり、とても大人っぽく、高貴な人間という印象を。着ているものはいつも古びていたし、サンダルは相変わらず汚かったが、しゃんと背中を伸ばして歩く姿は凛々《りり》しかったし、笑うときに見せる真っ白な歯は、皆をたちまち魅了してしまうのだった。

不思議なことに、僕はヤコブといると、「彼ら」に対する卑屈さを忘れることが出来た。心から、純粋に一緒にいたいと思えるエジプシャンの友達といることが、僕の罪悪感を和らげたのだったし、驚くことにヤコブ自身も、「彼ら」に対して、僕と同じような対応を見せたからだった。

ヤコブは「彼ら」が来ると、困ったような顔で笑った。決して乱暴なことはしなかったし、怒鳴ったりもしなかった。「彼ら」は僕らにしつこくつきまとったが、僕とヤコブが身を守るように、ふたりだけの世界に没頭し続けていると、やがて飽きてどこかへ行ってしまった。そんなとき、心からほっとしたような表情をするところも、僕とヤコブは、とても似ていた。

一度だけヤコブが「彼ら」に対して怒ったことがある。「彼ら」が、ヤコブのことを、何ごとか野次ったのだ。

僕にはヤコブの言葉は分かったが、エジプシャンの言葉は相変わらず理解出来なかった。でもそれはきっと、いつも僕たちに浴びせられる、他愛ない野次と同じだろうと思っていたし、普段のヤコブは、そのような心ない野次程度で、怒りを露《あらわ》にするような男ではなかった。

だが、そのときヤコブは、そばにあった空き缶を拾い、「彼ら」に投げつけたのだった。僕は心から驚いた。そんなヤコブを見たのは、もちろん初めてのことだったのだ。

「彼ら」は逃げたが、ヤコブは怒りが収まらないらしく、目についたものを次々と、もう逃げていった「彼ら」にぶつけていた。

しばらくして、我に返ったヤコブは、僕に詫《わ》びた。とても、恥ずかしそうだったが、同時に、まだ怒りが収まってもいないようだった。

「大切なものを、馬鹿にされたんだ。」

ヤコブの声は、低く、乾いていた。僕は静かに、ヤコブの肩を叩いた。

「サラバ。」

ヤコブは、僕を見た。その目が安堵《あんど》で濡れていた。

僕たちは、ほとんどその言葉にすがるようになっていた。

「サラバ。」

ヤコブは、肩に置いた僕の手を握った。そしてまた、あの高貴な笑顔に戻った。

「サラバ！」

それは、ほとんど魔法の言葉だった。


ヤコブには、あれから何度か家へ招待を受けていた。

僕はお父さんにもおじさんにも、つまりヤコブのすべての家族に会っていた（痩せていたのは、ヤコブのおじさんだけだった）。いつ行っても、家族は僕を歓迎してくれた。僕は湿った居間のソファに座り、皆からお茶を注《つ》いでもらったり、お菓子をもらったり、ときどきワケもなく抱きしめられたりした。

ヤコブの家族は、最高に優しかった。僕は段々、ヤコブの家に本当の居心地の良さを感じ始めていた。家のなかは、あたたかい何かに溢《あふ》れていた。そしてそれは、当時の僕の家には、決してないものだった。

家に招待を受けたのに、反対に僕がヤコブを招待することはなかった。

僕は恥じていた。綺麗なシャンデリアを、磨かれたアップライトピアノを、なのにヤコブの家にある柔らかなものが欠如した空間を。あの「不穏」を。

ヤコブは、僕が招待しないことを責めるようなことはなかった。僕はそれに感謝し、ときどき意味もなく「サラバ！」と言うことがあった。ヤコブはその度、ちょっと驚いたような顔をして、でもすぐに言い返してくれた。

「サラバ！」

僕はそれを聞くと、自分がとても明るく、健やかで、敵意のない世界にいると思えた。僕はひとりではなく、皆から愛された幸福な子供なのだと、思うことが出来た。

サラバ。

あのとき欠落していた僕の穴を埋めていたのは、ヤコブの「サラバ」だった。

母も、姉も、僕がまさかエジプシャンの子供の家へ遊びに行き、ゲジラ島を出ているなんて思いもしなかっただろう。ふたりとも、僕に構っている暇はなかった。特に母は、いつだって深刻だった。思い悩み、時折声をあげて泣き、しばらくすると、黙って中空を見ていた。

家での僕は、ヘラヘラと笑い、無邪気さを装って存在を消す、ただの子供でしかなかった。僕の心は、外にあった。僕は出来る限りの時間をヤコブと費やした。

禁止されていた生水を飲み、屋台で売っている得体の知れないお菓子を食べ、そしてヤコブの家で家族に愛された。

時々、心から本気で、ヤコブの家の子供になりたいと思った。その思いが、母を裏切ることになると分かっていたが、そう思うことは、止められなかった。

20

父がカイロに戻ってくると、母と父との関係にも、変化が現れた。

泣き叫び、朝まで話し合っていた時間はなくなった。その代わり、お互い、そこにいないかのようにふるまうようになった。母は朝食を作ったし、父はその朝食を食べた。それは明白で大切な家族の繋がりのはずだったが、でも、ふたりは、ただ朝食を作り、ただ朝食を食べる人だった。そこで綺麗に、断絶していた。

母が感情を発露しない分、ふたりがどうなっているのかは、ますます分からなくなった。父はどんどん痩せ、母はソファに座り続けた。相変わらず着飾って、ふたり揃ってパーティーに出かけるときもあった。だが、僕がホッとしているのは少しの間だけで、帰宅後は見知らぬ人といるようなふたりに戻った。

僕は正直、以前の騒々しい「不穏」のときのほうがましだと思った。

騒々しい「不穏」のときは、毎度毛布を頭までかぶらなければならなかったが、静かな不穏のときは、毛布をぐるぐる巻きにしなければならなかった。「不穏」は容赦なく寝室に侵入し、僕の耳や鼻や、自分でも了解していない毛穴から、僕の体内に滲《にじ》んできた。僕はより強い物語を、より明瞭な「サラバ」を必要とした。僕は眠っている間、自分の部屋に結界を張っているようなものだった。静かでたちの悪い「不穏」を寄せ付けないために、僕は夜だけ陰陽師になった。

僕らが4年生になった夏、向井さんが帰国することになった。

正確には、カイロを離れ、お父さんの新しい赴任先であるモロッコに行くことになったのだ。エジプトを心から愛していたお母さんだったが、モロッコのエキゾチックな町並みに惹《ひ》かれたらしかった。

向井さんは数日落ち込んでいた。それを告げられた僕たちクラスメイトも、落ちこんだ。避けがたいことではあったが、僕らにとって精神的支柱であった向井さんがいなくなることは、相当のダメージがあった。

中でも最も落ち込むべきは、僕のはずだった。僕が向井さんのパートナーであることは、クラスの誰もが認めることだったし、僕らも皆の前ではそうふるまっていた。でもその実、僕らの間には、「キミハヒワイダトッ!」事件の蟠《わだかま》りが、まだ尾をひきずっていた。あのときから向井さんが僕を避けだしたのは明らかだった。そして、そのことが大いなるスプリングボードになって、僕はヤコブへ事実上の鞍替えを果たしたのだし、実際僕の頭の中は、ヤコブのことでいっぱいだった。

向井さんが帰国する日、でも僕は泣いた。

僕だけではなかった。クラスメイトの皆、女子たちも泣いた。皆、自分たちに訪れた劇的な出来事に、がっちりと心を捉えられていた。

特に、「卵かけご飯事件」の玉城さんの泣きっぷりはすごかった。空港の床に座り込み、両手で顔を覆って声をあげる様子は、大金で雇われた人のような迫力があった。

玉城さんの周りには女子たちが輪を作っていた。玉城さんを慰めながら、共に泣いていた。

「向井さんのこと、好きだったもんね、ねぇ。」

玉城さんにまったく興味がなかった僕でも、その言葉にはショックを受けた。女って。そう思った。

のちに分かったことだが、玉城さんはおよそ考えられる、あらゆる男子生徒に好意を示していた。そしてそのことが原因で、玉城さんを慰めるために優しい輪を作っていた女子たちに、軽くハブられることになった。

女って！

残念ながら、僕らは、成長していたのだ。

僕と向井さんは、お互い手紙を書こうと約束して別れた。しかしその約束も、反古《ほご》になった。

原因は、牧田さんだった。

姉は、相変わらず牧田さんとくっついていた。だが、今まで彼らの間に漂っていた「世界はふたりだけのもの」感は去り、代わって老齢の夫婦にあるような乾いた空気、不躾《ぶしつけ》な雰囲気が支配するようになっていた。

特に変化したのは、牧田さんだった。

元々、とてもノーブルでフェミニンな雰囲気があったが、それに拍車がかかった。というより、過剰になった。例えば姉と一緒にいるとき、牧田さんはよく笑ったが、笑うときに口に手を当て、体をくねらせるようになった。校内で僕に会ったときも、口角をあげて優雅に笑うのは変わらなかったが、僕に積極的に話しかけるようになった。こんな風に。

「歩君、元気なのぉ？」

つまり、そういうことだった。

牧田さんは、僕とヤコブのような精神的ホモセクシュアルではなく、真性のホモセクシュアルだったのだ。ただ、牧田さん自身、自分のセクシュアリティをこれまで分かってはいなかったようだ。姉といると、とても気が楽だった。セクシュアリティの部分ではノーマルだったが、姉自身のアイデンティティが、マイノリティだったからだ。

つまりふたりはマイノリティの魂同士で、共鳴し合ったのだ。

なんとなくモゾモゾとした感情を抱えながら、牧田さんは日々を過ごした。姉といると心地よかったが、皆がからかうような感情を、姉に対して持つことは出来なかった。

そしてある日、牧田さんは自分のセクシュアリティを知ることになったのだ。

あの雑誌で。

驚くなかれ。僕と向井さんが音楽室に隠したあの雑誌を見て、牧田さんは自分のセクシュアリティに目覚めたのである。

図らずも僕は、間接的に、姉の恋を終わらせてしまったのだ！

牧田さんがあの雑誌をどうして見つけることになったのかは、牧田さん自身が教えてくれた。

「あの雑誌、歩君が持ってきたんでしょぉ？」

おそらく、僕の家のリビングだったと思う。姉がどうしてその場にいなかったのかは、覚えていない。台所にジュースを入れに行っていたのか、自分の部屋に何かを取りに行っていたのか、とにかく僕と牧田さんは、ふたりきりだった。

驚き、黙りこんだ僕に、牧田さんは優しかった。

「違う違う、責めてるんじゃないよ？　あの雑誌、僕が読んだあと、きちんと隠さなかったから、先生にバレちゃったんだよね。それを謝りたくって。」

どうしてあの雑誌のことを知ったのか、とか、そういうことを訊いたのだと思う。でも僕は、それを聞く頃にはもう、分かっていた。

「向井さんが、教えてくれたのー。」

僕は向井さんに、一度も手紙を書かなかった。僕と向井さんとの友情は終わったのだ。そしてそれは同時に、姉と牧田さんとの恋の終わりでもあった。

向井さんのことをきっぱり忘れ、僕はますます、ヤコブに没頭した。ヤコブの家で家族のように過ごし、ヤコブと手を繋いで街を闊歩《かっぽ》した。

圷家の3人は、それぞれに暗い時期を過ごしていた。僧侶のような父と、その父を許さない母、初めての恋に破れた姉。僕は3人を、避けて過ごした。ヤコブと離れると、僕は「サラバ」の結界を張った。圷家の静けさに、からめとられてしまわないように、自分の心を結界の奥深くにしまいこんだ。

自分の部屋にいても、リビングにいても、僕は耳と目と心を閉ざしているようなものだった。

1987年は、おおむねそんな風に過ぎようとしていた。

僕の結界は、すっかり強固なものになっていた。物語を作るのはお手のものだったし、僕は母の泣き声を、物語のBGMにすることすら出来た。圷家の中で唯一健やかな人間、それが僕だった。

だが、そんな強固な僕の結界を、ある日母が破った。

僕は夢を見ていた。冬だ。夢の中で僕は、相変わらず自身が作った物語の中にいた。様々な危機はあったが、僕の物語の中で、僕は必ずハッピーエンドの申し子だった。僕は安心して眠っていた。そろそろ、ヤコブが出てくる頃だったからだ。

だが、体を強く揺さぶられ、僕の夢は途絶えた。ヤコブには会えなかった。現実に戻った僕の目の前に、母の顔があるだけだった。

「歩、日本に帰るよ！」

母は泣いていた。暗がりの中、母の頬が涙で光っていた。

母は僕を抱き起こし、驚くことに、ぎゅうと抱きしめた。母に抱きしめられたのなんて、数年ぶりのことだった。

僕は気恥ずかしさと、大きな困惑を感じていた。恐れていたことが決定的になった恐怖におびえながら、同時に、母に力一杯抱きしめてもらっていることの、肉体的な歓びに驚いてもいた。

僕は母の胸の鼓動を聞いた。

そのとき強烈に、「僕はお母さんの子供なんだ」、そう思った。

現実の世界では、様々に逃れられないことがある。これもそのひとつだった。僕はどうあがいても、抗っても、どうしようもなく、母の子供なのだ。

帰ろうと言った母は、本気のようだった。

僕の学校にかけあって僕に休みを取らせ、早々に荷造りを始めた。僕は戸惑った。それはそうだ。日本に帰る？　しかも、見る限り、母は僕だけを連れて帰るつもりのようだった。

姉に救いを求めると、姉は、僕のことを鼻で笑った。

「いいじゃない、あんたはいつだってあの人に選ばれてきたんだから。」

こんなときに拗《す》ねるなよ、そう言いたかった。だが、僕が勇気を奮い起こしたときには、姉はもう、自分の部屋に引っ込んでしまっていた。

実際のところ、母は姉にも帰ろうと言っていたのだ。でも、姉は断固として断った。ここ最近の両親の不仲に、家の中が乗っ取られていることに、姉もイライラしていたのだ。どうやら悪いのは父だが、母が悪くない以上に、自分たちは決定的に悪くない。両親だからといって、同居している子供の気分を害する権利はないはずだというのが、姉の主張だった。

かつてあれだけ圷家を「不穏」に巻き込んでいた姉が言うのは、いささか説得力に欠ける。だが、ようは、いつだって大人の都合に振り回され、挙句選択権がない自分たち子供の境遇への、怒りの表明だったのだろう。

大人の都合に振り回されることに関していえば、一番の被害者は僕だ。

「僕、転校するん？」

荷造りを終えた母に、僕はそう言った。ほとんど、泣きそうだった。

「また？」

そう言ったことが、僕なりの反抗表明だった。だってそうじゃないか。急にエジプトに住むと言われて、エジプトくんだりまで来た。そして、やっと慣れてきた頃に、また急に帰るなんて言われるのだ。

ヤコブはどうなるんだ？　何より、僕の気持ちは？

自分を徹底的に「被害者」と認識していた母だったが、僕の表情を見て初めて、わずかばかり残っていた母性を復活させたようだった。

僕の手を取り、笑顔を作った。いかにも、「慈愛に満ちた」笑顔、といった感じだった。

「違うよ、ちょっと帰るだけ。」

母はなんとか、僕を安心させたがっていた。僕は、一度見せられた「母の顔」に感化され、つかのま子供に返った。

「ちょっと、てどれくらい？」

僕にしては、珍しくしつこい、反抗的といっていい態度だった。

「なあ、どれくらい？」

でも、少し図に乗りすぎたようだ。

「ちょっと。」

母の言い方は優しかったが、それ以上の質問を許さない頑なさがあった。

僕は、口をつぐんだ。そして得意技を繰り出した。

僕の得意技は？　そう、諦めることだ。

諦観に寄り添うことで、僕はこれまで生きてこられた。生きのびてこられた、といってもいいだろう。一方、母は、「子供は、親の言うことに従うもの」という感覚を、全く疑う人ではなかった。僕たちはだから、相性のいいふたりだったのだ。

僕は母の「ちょっと」を信じた。信じざるをえなかった。
僕達は静かに、カイロを発った。

21

飛行機の中で、母はこの期に及んで泣いていた。

だが、日本が近づいてくると、嬉しさからか、段々明るい顔を見せるようになっていた。憂鬱だった僕でも、日本に久しぶりに帰ることが出来ると思うと、自然に高揚してきた。

空港には夏枝おばさんが来てくれていた。僕らを見ると、細い腕をあげ、にこりと笑った。

「歩くん、えらい大きなって！」

夏枝おばさんは、褒め言葉でそう言ってくれたのだと思う。でも僕は、急に大きくなってしまった自分が恥ずかしかった。夏枝おばさんを裏切ったような気分だった。僕は夏枝おばさんの前で、ことさら昔と変わらない自分を演出することにした。子供ぶったり、つまらないことに歓声をあげたりして、夏枝おばさんを安心させようとしたのだ。

「大きなったなぁ。」

でも、夏枝おばさんは、タクシーの中で、それればかり繰り返していた。

僕らは自宅に向かわず、そのまま祖母の家に向かった。

祖母は家の前で、僕らが来るのを待っていた。強く、泣いたことのなかった祖母が、タクシーから降りた僕の姿を見て涙ぐんだのには、僕も胸が詰まった。

荷解《にほど》きもそこそこに、母は祖母と台所のテーブルに座って、熱心に何やら話し始めた。

僕はその話を聞かないようにした。このタイミング、そして熱心さであったなら、圷家の「不穏」に関することに違いないからだ。母国に戻っても、僕の逃げの姿勢は、一貫していた。僕は炬燵《こたつ》に入り、祖母が作ってくれた、懐かしくも茶色い料理をたらふく食べ、夢のように多い日本のチャンネルをさんざんザッピングし、信じられないほど美味しいお菓子を食べた。その瞬間に関しては、完全にカイロのことを忘れていた。

「こたつ最高。」

僕が言うと、夏枝おばさんは、

「良かった。」

そう言って笑った。

その日は、祖母の隣で眠った。夢を見た。どんなだったか忘れてしまったが、多分ヤコブが出てきた。

翌朝目をさますと、隣に、もう祖母はいなかった。

台所に行くと、テーブルで母と夏枝おばさんが話をしていた。母の顔はだいぶ晴れやかになっていた。僕は家族の強さを感じた。だがその家族のせいで、僕たちはこのような状況に陥っているのだから、厄介だった。

「歩、矢田のおばちゃん覚えてる？」

矢田のおばちゃん！

声をあげそうになった。姉をあっという間に手なずけ、地域の王様のような存在だったおばちゃん。僕が矢田のおばちゃんを、忘れられるはずもなかった。背中の弁天様は、まだあるのだろうか？　たくさんの猫たちや犬たちは、まだそこにいるのだろうか？

「矢田のおばちゃん？　覚えてるよ！　元気なん？」

「元気やって。今日会いにいくよ。歩も行くやろ？」

僕と母は、確実に日本を楽しみ始めていた。

矢田のおばちゃんの家に歩いていく途中、母は様々な場所で歓声をあげた。主に「懐かしい」という歓声だったが、たまに変わったことに対して興奮しているときもあった。

空は晴れ、澄んでいた。カイロの空に似ていたが、何かが違った。

「矢田のおばちゃんは、全然変わってへんよ。」

夏枝おばさんが言った。

矢田マンションは、果たして変わらず、そこにあった。木造の2階建て、古い外観。ただ、姉が様々なものを埋葬した空き地は、3階建てのマンションになっていた。

矢田のおばちゃんは、僕を見て、大声を出した。

「いや！　もう人間やん！」

矢田のおばちゃんといるとき、僕はまだ人間ではなかったらしい。

「背もえらい高《たこ》なって！」

圷家の遺伝子は、姉だけではなく、僕にも及んでいた。背がみるみる伸び、今では年上の生徒と同じくらいになっていた。ヤコブには、遠く及ばなかったが。

「入り、入り。」

おばちゃんの家は、懐かしい匂いがした。香ばしい、何かを煎ったような匂いだ。ここに昔、姉は入り浸っていた。僕は矢田のおばちゃんにおしめを替えてもらった。

一本だけ脚が短くて、座るとガタガタする炬燵、小さなテレビの上に置かれた虎の置物と何かのトロフィー。敷地内にたくさんの猫がいること（残念ながら、野良犬の姿は見えなかった）や、おばちゃんが出してくれるおまんじゅうまで、昔と全く変わっていなかった。母は変わらない矢田のおばちゃんを笑い、おばちゃんは変わってしまった僕を笑った。

だが、そんなおばちゃんの家で、変わったことがひとつあった。その変化は、ちょっと驚くべきものだった。

奥の部屋の壁際に、大きな祭壇がしつらえられていたのだ。

白木で三段の枠組みを組み、一番下の段には、お酒の一升瓶や果物などが置かれていた。二段目には升に入った米、封筒に入った何か、そして数珠と木で彫られた花の置物、最上段には、お札が置いてあり、お札にはこう書いてあった。

『サトラコヲモンサマ』

僕らがおばちゃんの家にいる間、女の人がやってきた。おばちゃんが部屋に入れると、僕らがいるのも気にせず、まっすぐ祭壇へ行った。そして、お祈りを始めたのだったが、それがまったく、妙なものだった。まず、両の掌を畳につく。そして目をつむり、何事か唱えながら、掌を交互に持ち上げる。ちょうど、手で足踏みをしているような感じだ。見てはいけないとは分かっていても、女の人のおかしな動きが気になって、目が離せなかった。

おばちゃんは、女の人の後ろで、じっと座っていた。

母は、一連のことに面食らっていた。ただ、「何やってんの?」とぶしつけに訊くようなことはなかった。カイロの日本人会で、彼女なりの社交術を身につけていたのだ。母は夏枝おばさんに目で合図を送ったが、夏枝おばさんは慣れているのか、それとも母の合図の意味を分かっていないのか、小さくうなずいただけだった。

女の人は、どうやらお祈りを終えると、バッグの中から封筒を出し、祭壇の二段目に置いた。その際、また深々と頭を下げ、矢田のおばちゃんにも頭を下げた。

「ほんまに、サトラコヲモンサマのおかげですわ。」

おばちゃんは、

「良かったやないの。」

うっとりするほどの威厳で答えた。

女の人が帰っても、母たちは話さなかった。話のきっかけを探しているようではあったが、母は気のきいたことを言える人ではなかったし、夏枝おばさんにいたっては、無言の時間を苦痛に感じる人ではなかった。

僕たちは、なんとなく気詰まりな様子で家を後にすることになった。腰をあげた僕に、おばちゃんは、

「ほんま、ちゃんと人間になって!」

もう一度そう言った。

「なんで教えてくれへんかったん!」

帰り道、母は夏枝おばさんの肩を叩いた。姉妹だから出来る、親しみのこもった仕草だった。

「何を？」

「何をって、あんななんか、宗教みたいなんなってるなんて。」

「宗教っていうか、まあ祭壇を作って、お祈りするだけやけどな。」

「それが宗教やん！　なんか変な名前つけてたやん？　なんとかコウなんとかって。」

母は新しい知識を覚えるのが、苦手な人だった。

「サトラコヲモンサマね。」

「それ！」

声に出して言いたくなる言葉だ、そう思った。さとらこをもんさま。

「何なんそれ？」

「知らん、うちらも気づいたら出来ててん。」

「祭壇が？」

「そう。まあ、前からおばちゃんのとこには、困った人がよう来てたからなぁ。」

「それで宗教にしたわけ？」

「宗教やないと思うよ。」

「だって祭壇作ってさあ、なんかお布施みたいなんももらってたやんか。」

「でも、あれはおばちゃんがくれって言うてるわけやないからな。」

「勝手に持ってくるってこと？」

「勝手にっていうか、お礼がしたくて持ってくるんやない？」

「おばちゃんに？　なんとかかんとかさま？」

さっきよりひどかった。さとらこをもんさま、だ。

「うーん、一応サトラコヲモンサマに、やない？　結局おばちゃん宛にはなるけども。」

冬の日差しは淡く、道の端で揺れている小さな雑草を柔らかに照らしていた。カイロとは、光が違った。冬の光でも、カイロのそれは、すべてをつまびらかにするような朗らかさがあった。でも、日本の光は、影すら遠慮がちに地面に横たわり、つまり情緒があった。

夏枝おばさんは、ふと僕を見た。

「寄ってく？」

いつかの神社の前だった。小さな頃、おばさんにおぶわれて行った、あの神社だ。

「うん。」

神社は、記憶よりうんと小さかった。あれだけ怖ろしかった狛犬《こまいぬ》も、おどろおどろしく見えた境内も、拍子抜けするくらい普通に、そこにあった。僕はそのときやっと、夏枝おばさんや矢田のおばちゃんが、僕のことを大きくなった、と散々に驚いたことを理解出来た。

あのときは、姉が一緒にいた。僕はうんと小さく、夏枝おばさんの腕にすっぽりと抱かれていた。狛犬を蹴ったり、むしりとった苔を賽銭《さいせん》箱に放り込んだり（どのような暴虐も夏枝おばさんは見逃していた！）、神をも恐れなかった姉は、父のTシャツをワンピースみたいに着ていた。

つまり、やはりとても小さかった。

おばさんはポケットからガマ口を出して、10円玉を僕と母に渡してくれた。母はこういうとき、もちろん、自らすすんで金を出すタイプではなかった。

3人同時に10円を投げ、つかのま手を合わせた。そのとき、僕は自分がこの神社でお祈りをするのが初めてのことだと気づいた。あのときは、幼すぎた。ここが祈る場所だということを、僕は知らなかったのだ。ただ僕は、夏枝おばさんが熱心に手を合わせているのを、眺めているだけだった。

ふたりを真似て手を合わせたものの、僕は何を祈っていいのか、分からなかった。

『あの、まあ、よろしくお願いします。』

心の中でそれだけ言って、目を開けた。自分でも迫力がないなぁと思う祈りだった。

祈り終えて初めて、ああ、こういうとき我が家の「不穏」を直してください、とか、そういうことを頼むものなのだと気づいた。でも、目を開けると、母はすでに祠《ほこら》から離れ、退屈そうに玉砂利を蹴っていた。拍子抜けしてしまった。おそらく一番お祈りをしなければいけない立場にあるのは、母のはずなのに。

母とは対照的に、夏枝おばさんは、熱心に、いつまでもお祈りしていた。僕はそのとき、小さかった頃の母と夏枝おばさんを、見たような気がした。

日本にいる時間は、あっという間に過ぎていった。

僕らは慌ただしく好美おばさんに会い（幸いなことに、義一と文也には会わなかった）、2泊ほど、母とふたりで懐かしい我が家に泊まって（姉の部屋の巻貝は、そのままにされていた。やはり夏枝おばさんだ！）、やっと時差ボケが直る頃には、もうカイロに戻らなければならなかった。

何故日本に帰ってきたのか、僕にはさっぱり分からなかった。

でも、日本を存分に楽しんでしまったからには、文句は言えなかった。僕は数キロ体重を増やし、カイロではおよそありえない最新のおもちゃや漫画を大量に買ってもらっていた。それに、飛行機に乗り込む母の顔から鑑みて、きっとこの帰国は、母にとって良い影響を及ぼしたのに違いなかった。それが僕にどのような人生をもたらすのかは分からなかったが、何が起ころうと、僕はお得意の諦観でもって、流れに任せようと思った。父とは違うが、あり方としては似ていたかもしれない。父が苦行に耐えるそれなら、僕は、大いなる流れに寄り添う僧侶のような心境だったのだ。

今回の一時帰国で、もっとも興味深かったことは、カイロの空港に着いたときに「帰って来た」と思ったことだった。

酸っぱい体臭や叫び声、信じられないほど古びた床に汚いトイレ。初めて来たときはすべてが恐ろしく、僕らを憂鬱にさせたそれらが、僕を安心させ、懐かしい気持ちにさせたのだから、「住む」という経験がもたらすものは、計り知れない。

母も、有象無象をかき分け、タクシーの運転手を散々ねぎり、家までの道を指図出来るまでになっていた。僕たちは完全にカイロに住む人だった。だがカイロは、僕たちの故郷ではなかった。

僕たちはいずれ、ここから去る人間なのだった。

家の静けさと同じように、僕らの未来も、静かに告げられた。

22

僕たちは、帰国することになった。そしてそれと同時に、両親も離婚することになった。１９８８年、春のことだった。

それはあまりに自然な流れだった。母と父が一緒にいる意味は、僕にも正直分からなかったし、母はあの一時帰国以来、何かを決意しているように見えた。僕たちは日本に一時帰国して、もう３ヶ月後には、本格的に帰国することになったのだった。

帰国と同時に、住んでいた家は売り、代わりに祖母の家の近くに住むようになること、だから以前とは違う学校に通うことになることなどが、母の口から告げられた。

母の口調は穏やかだったが断固としていて、やはり僕ら子供たちの非難を受け入れるような余地を見せなかった。私たちは離婚する。でも、私は悪くない。子供たちは、母親についてゆくのが当然、そしてこれからは、あなたたちが私を支えてくれなければならない。口に出して言わなかったが、母の目が、息継ぎが、ぴんと伸ばした背中が、そう言っていた。

僕は母の言葉をぼんやり聞いていたが、姉は母が話している途中で立ち上がり、そのまま部屋に引っ込んでしまった。

結局僕は、父から離婚に至った経緯を聞くことはなかった。それどころか、離婚することになったという報告すら受けなかった。父は今までと変わらず、ほとんど空気みたいな感じで家にいて、週末は朝から晩まで体を鍛えた。もはやアスリートみたいだった。

僕は帰国することを、誰よりも先に、ヤコブに報告した。

僕らはタハリール広場を歩いていた。大体いつも、この広場のあたりまで来てブラブラして、それからザマレク地区に戻るのが、なんとなくの僕らのコースになっていた。

夕方だった。

広場にはたくさんの車が溢れ返り、クラクションが鳴らされていた。ヤコブは器用に車を避け、時々僕の背中を押して、歩道側に誘ってくれた。そのたび僕は、ほとんど恋心に似た頼り甲斐《がい》を覚え、ヤコブの顔を眩《まぶ》しい思いで眺めた。

「日本に帰るんだ。」

僕がそう言うと、ヤコブは立ち止まった。

僕とヤコブは、歩道の真ん中で、しばらく立ち尽くしていた。歩道の敷石は崩れ、雑草が生えていた。どこから流れてきたのか、カイロの町特有のにおいが、僕らを包んだ。

ヤコブは言葉を失っていたが、やがて口を開いた。

「神がそう望むなら。」

それは、僕が望んでいた言葉ではなかった。「なんでだよ」「いやだ」、子供の力でどうにかなるわけではなかったが、それでも僕はヤコブに、子供らしいだだを期待していた。

だが、ヤコブは静かだった。とても静かだった。

「神がそう望むなら。」

ヤコブは、歩こう、と言った。そして、僕の返事を待たず、歩き出した。情けないことに、僕は泣きたかった。ヤコブの代わりに「いやだ」と叫びたかった。だが、出来なかった。僕は陰鬱な顔で、ヤコブの後に従って歩いた。

ヤコブは、僕を初めての場所に連れて行った。

それは石造りの教会だった。僕たちがカイロでよく見る、イスラム教のモスクではなかった。丸い屋根の上に、少しいびつな十字架があり、集っている人たちは、誰もガラベーヤを着ていなかったし、ヘジャブもかぶっていなかった。

僕はそのとき、初めてヤコブの宗教を知った。

「僕は、コプト教徒なんだ。」

教会はとても静かで、ロウソクの燃えるにおいがした。正面に女の人が笑っている絵がかけられていた。

「マリア様だよ。」

ヤコブが、小さな声で説明してくれた。

マリア様と聞いて、僕が連想できるのは、キリスト教だけだった。僕はそのときまだ、ヤコブの言う「コプト教」とキリスト教を結び付けられないでいた。ヤコブという名前が、聖書から来ていることにも、気づいていなかった。

なんたって、ヤコブはヤコブだったのだ。それ以外の、何ものでもなかった。

僕にとってヤコブは、唯一無二のヤコブだった。こうして僕の手を取り、

「アユム、祈ろう。」

静かにそう言うヤコブは、もう僕にとっては、なくてはならない人、ただそれだけのことだった。

「祈る?」

「そう。」

「何を?」

「なんだっていい。心に思いつくことを、なんでも。」

僕が畳み掛ける前に、ヤコブはもう、目を閉じていた。長い睫毛がびっしりと瞼《まぶた》を覆い、何かを呟いている唇は、分厚くて、少しひびが割れていた。ヤコブの耳たぶは大きく、そこに生え揃っている毛は、金色に光っていた。その姿は、僕にそれ以上の追及を許さなかった。ヤコブが祈っている姿の完璧さに、僕は打ちのめされた。

僕は、ヤコブの隣に膝をついた。

ヤコブと同じように掌を組み、唇の下に持って行った。知らない神に、何を祈ればいいのか分からなかったので、目をつむっていようと思った。ただ目をつむって、ヤコブの隣にいよう、と。

でも、

『またヤコブと会えますように。』

不思議なことに、自然と言葉が浮かんできた。

あの神社での僕とは、雲泥の差だった。僕は目をつむりながら、ヤコブの気配を感じていた。ヤコブは、目をつむっていても、どうしようもなくヤコブだった。僕を包み、僕を安心させ、僕が誰より勇敢な人間なのだと思わせてくれるヤコブの大きな力が、まるで僕の体に直接入り込んでくるようだった。

ヤコブ。

僕は心の中で何度も、その名前を呼んだ。ヤコブは隣にいるのに、その気配を存分に感じているのに、僕はヤコブの体内にいるようだった。ヤコブ、ヤコブ、ヤコブ。

『それまでどうか、ヤコブをお守りください。』

僕はそのとき、生まれて初めて、自分以外の人のことで祈りをささげた。

『どうか、どうか、ヤコブをお守りください。』

どこの誰だか知らない神様に、真剣に祈った。


教会を出た僕らに、数人の子供たちが何か叫んだ。舌を出したり、指を突き立てたりしていた。

ヤコブは耐えていた。

「僕の神を否定しているんだ。」

ヤコブの言葉は分かるのに、子供たちの野次は、やはり、ちっとも分からなかった。

「こんなことは、よくあるんだよ。」

僕はそのとき、以前ヤコブが一度だけ、声を荒らげたときのことを思い出した。

あのときも子供たちは、ヤコブに対して、野次を飛ばしていた。それがコプト教にまつわることだとは、そのときは思わなかった。

「ヤコブはコプト教徒だって彼らに分かるの?」

子供たちは散々野次を飛ばしていたが、僕らが無視していると、やがて飽きたのか、めいめいで好きなことをし始めた。

「分かるんだよ。アユムには分からないかもしれないけど、イスラム教徒とコプト教徒の違いは、僕たちにはすぐ分かるんだ。」

残念ながら僕には、ヤコブと彼らの違いは分からなかった。やはり、ヤコブは僕にとって、ヤコブ以外の何ものでもなかったからだ。ヤコブその人として、ただ存在していたからだ。

僕たちはいつの間にか、ナイル河沿いの歩道を歩いていた。

ナイル河には、ファルーカと呼ばれる帆掛け舟や、豪華なクルーズ船が停泊していた。河岸にはファルーカのこぎ手のおじさんたちが座り、お茶を飲んだり水煙草《みずたばこ》を吸ったりしていた。夕方のナイル河は、どこよりも時間がゆっくり流れていた。

僕たちは自然に手を繋いでいた。繋いだヤコブの手はじんわりと湿って、温かかった。何度、この温かさに助けられたか知れなかった。ヤコブの体温は、僕の体内に入り込み、決して出てゆかなかった。僕はヤコブの種火を温め続け、その火に寄り添って眠ったのだ。何度も。

西に傾いた太陽がナイル河を照らし、ナイル河はオレンジ色に輝いていた。

モスクから、アザーンが聞こえてきた。夕方の礼拝を、知らせていた。アザーンは泣いているように聞こえた。特に今日の響きは、とても悲しげだった。

ヤコブと僕はしばらく何も言わず、河岸を歩いていた。

河からは風が吹き、僕らは急に冷えてきた外気に、身を寄せ合った。白い鳥が頭上を旋回し、河に小さな影を落とした。ナイル河はゆらゆらと揺れ、赤黒く濁っていた。時々魚が跳ね、また深く潜っていった。

ヤコブは、ある場所で立ち止まった。身振りで、座ろう、と言っていることが分かった。僕はもちろん、素直に腰を降ろした。

静かだった。アザーンの声以外、何も聞こえなかった。神に祈ろう、と皆を誘う声だけが、ただ僕らを包んでいた。

僕たちは恐らく、何か言うべきだったのだと思う。僕が帰国することについて。離れ離れになることについて。でも、ふたりが別れるのだという事実以外、何を言っていいのか、分からなかった。

僕は、僕らのあずかり知らないところで、僕らの運命が決定されてしまうことに絶望していた。圷家がバラバラになること、ヤコブと離れること、その事実そのものよりも、その決定に僕が微塵も関わっていられなかったことが悲しかった。

太陽はほとんど、ナイル河の向こうに沈みかけていた。ファルーカのこぎ手たちはいつの間にかどこかへ去り、クルーズ船に、きらびやかな灯りがついた。

僕はほんの少しだけ、家で食事を作っているであろう母を思い出した。でもそれも、すぐに消えた。僕はそのとき、この場所に永遠に留まっていたいと思っていた。このまま時間が止まればいい。ヤコブとこうやってふたり、じっとナイル河を見ていられたら。

アザーンが止《や》んだ。ナイル河が流れるかすかな音が、代わって僕たちを包んだ。

僕の体は、わずかに震えていた。

見たことのある景色、過ごしたことのある時間だったが、そのときの僕は、まるで生まれて初めて世界を見た赤ん坊のような気持ちだった。

ほとんど自分の体ほどに大切な友人と、世界一大きな河の河べりに座り、沈み行く太陽と、その光に染まる水面を見ている。ふたりは数週間後には別れる。それは永遠になるかもしれない。僕の心は、手に負えない感傷で、はち切れそうだった。「寂しい」、という言葉では収まらなかった。

僕の気持ちはあらゆる感情の枠を超えて、どんどん拡散していた。ものすごい勢いで、ものすごい強さで。やがて僕は泣いた。自分自身の感情をどうしていいのか分からなかった。声をあげて泣きたかったが、それでは足りなかった。僕は泣き叫ぶよりも、もっと強い力で泣いていた。涙がぽろぽろと流れ、止まらなかった。顔を覆うことも苦しかったし、うずくまることも苦しかった。僕は腰かけたまま、ナイル河を見つめたまま、ただ泣いていた。自分の非力さに、世界の残酷さに、泣いた。

ヤコブも泣いていた。

ヤコブは僕とちがって、嗚咽《おえつ》していた。憚らず声を出し、顔を覆い、頭をかきむしって泣いていた。それはまったくエジプシャンのやり方そのものだったが、ヤコブのそれには、やはり、悲しくなるほどの高貴さがあった。

さきほどまで、ずっと手を繋いでいたのに、僕達はそのとき、何もしなかった。肩を叩くことも、お互いを抱きしめることもしなかった。ただそれぞれの感情に向き合って泣いていた。そうしているだけで、僕たちは完全にひとつだった。

「サラバ。」

ヤコブが呟いた。僕も呟いた。

「サラバ。」

声に出すと、言葉と一緒に涙と、涙より熱いものが溢れ、僕はほとんど呼吸困難だった。それでも言った。

「サラバ。」

僕らは言い続けた。

「サラバ。」

そのとき、河が、大きく波うち始めた。

最初は小波のように、そしてどんどん大きく、やがて僕らの足元まで脅かすような高波になった。僕らは声を出さなかった。それどころか、腰もあげなかった。ただ涙を流し、河面を見ていた。

あのときの感情を思い出すのは、とても困難だ。

あんな不思議な体験をしたことは、後にも先にもあのとき以外なかったし、その出来事をどのように考えればいいのかも、未《いま》だにきちんと説明がつかないでいる。

僕らは分かっていた。

その数秒後に起こった出来事に、僕らは本当に、本当に心から驚いたのだったが、僕らはそのとき分かっていたのだ。それが起こることを。

「サラバ。」

僕らの前に、大きな白い生物が現れた。

初め僕は、それを鯨だと思った。大きな白い鯨が、ナイル河に現れたのだと。でも、そんなはずはなかった。

白い生物は、僕たちが目視できる限り、30メートルほどあった。僕らが見ているのは、背なのか腹なのか分からなかったが、それが水面に現れると、それだけで10メートルほどの高さになった。

生物の皮膚は、ヌルヌルとしているように見えたし、とても固そうにも見えた。輪郭がぼやけていたが、それが水しぶきからそうなっているのか、生物そのもののせいなのかは分からなかった。

僕とヤコブは、茫然《ぼうぜん》と、その姿を見ていた。

白い生物は弧を描き、水面下に潜って行った。ゴォォォォォ、という地響きのような音が鳴り、ナイル河は、これまでにないほど大きく波打った。

生物の顔は見なかった。だから、僕らが見た生物の姿が、生物の全てではなかった。長さ30メートル、高さ10メートルは、だから生物の一部なのだ。生物はきっと、想像も出来ないほど大きなものなのだった。

生物がすっかり河に潜ってしまうと、波打っていた水面は、徐々に元に戻った。僕とヤコブの足元は、水浸しになっていた。それどころか、僕達ははっきりナイル河の水をかぶっていた。髪が濡れ、顔が濡れ、だからどれが涙なのか河の水なのか、分からなかった。

すっかり河面が静かになったとき、ヤコブがやっと、口を開いた。

「見たよな。」

僕は言った。

「見た。」

僕らはそれから、何も言わなかった。こんな出来事が起こったことに、もちろん驚いていたが、そう、やはり、分かっていた。僕らはそれが現れることを、分かっていたのだ。

僕らは静かだった。日が暮れるまで、じっとナイル河を見ていた。河は、先ほどまでのことが嘘のように、ただ静かに流れていた。

「サラバ。」

ヤコブが言った。

「サラバ。」

僕も言った。それが、ヤコブとの別れだった。

第三章　サトラコヲモンサマ誕生

23

日本へ向かう飛行機の中で、僕の耳に残っていたのは、ゼイナブの泣き声だった。

ゼイナブは僕たちが帰国すると聞いてから、毎日のように泣いていた。母が座って泣いたあのソファに、今度はゼイナブが率先して座り、涙を流すようになったのだ。隣にはやはり母が、または姉が座り、ゼイナブの背中を撫《な》でたり、共に泣いたりして、盛大に別れを惜しんでいた。

僕だって、悲しかった。

ゼイナブには本当にお世話になったし、時には、自分の母親以上の親しみを覚えることさえあった。でも、女たちに先に、あんな風に悲しまれると、僕の出番はなかった。つまり悲しむ余地がなかった。僕は帰国当日、ゼイナブにさわやかに別れを告げざるを得なかったのだ。

「いつかまたエジプトに戻ってくるよ！」

明るくそう言った僕を、ゼイナブは泣きながら抱きしめた。それは僕の心からの想いだったが、ゼイナブにこんな風に泣かれ、抱きしめられると、自分が悪いことをしているような気持ちになった。泣きたかったが、やっぱり泣けなかった。

結局僕が泣いたのは、機内のトイレでだった。

僕の鼓膜の、（あるとするならば）襞《ひだ》のひとつひとつに、ゼイナブの泣き声がこびりついていた。

その音が、カイロの思い出を、すべて牽引《けんいん》していた。町中に響くアザーン、ガス売りの声、肉屋に吊《つ》られた首のない牛、大量の山羊《やぎ》の糞《ふん》、ソファで泣く母、ヤコブのすべて、そしてナイル河に現れた白い、大きな生物。

僕はゼイナブの泣き声に寄り添うように泣いた。飛行機の狭い個室は、花々のようなエジプトの思い出で埋め尽くされ、まるで棺桶のようだった。

いつか必ず、エジプトに戻ってくるんだ。

その瞬間強く、本当に強くそう思ったが、僕は、情けないくらい、圧倒的に子供だった。いつか自分が大人になって、両親の庇護《ひご》のもとから抜け出すことになるなんて、想像も出来なかった。絶対に戻ってくる、そう思う心のどこかで、もう二度と戻ってくることは出来ないだろうと、諦めてもいた。

父は、遅れて帰国することになっていた。イランと同様、残務処理があったからだ。カイロでの別れが、事実上僕たち親子の別れになった。

父は、苦しそうだった。姉を見て、そして僕を見て、何か言いたそうだった。でも、そこで結局何も言わないのが父、圷憲太郎だった。鍛えすぎて骨ばった腕で、僕と姉の肩を叩いた。そこでも僕は、ことさらさわやかに、別れを告げてしまった。

本当は、僕だって悲しかった。泣きたかった。

でも、そのときの僕は、隣にいた姉に、心から賛同していた。

僕は悪くない。

姉は、憮然《ぶぜん》としていた。ファザコンだった姉だ、父と別れるのは辛かったに違いない。でも姉はきっと、こう思っていたのだ。

私たちは悪くない。

僕も、同じ気持ちだった。

父と母が別れることになったのは、そして父が僕たちと離れなければならなかったのは、僕らの、少なくとも僕のせいではなかった。父がどんなに悲しんでいたって、苦しそうにしていたって、そのことで僕が胸を痛める義理はなかった。悲しいのであれば、僕たちと一緒にいればいい。家族皆で一緒にいられる努力をすればいい。大人たちの問題に、子供たちが介入できないのであれば、僕たちだって、自分の感情を惜しげもなく手渡すつもりはない。そう思っていた。

それに僕たちは今後、自由に父に会うことを許されていた。永遠の別れというわけではなかった。ここ1年ほど、父は、平日は夜遅くまで帰ってこなかったし、休日は一日中体を鍛えていたわけだから、実際僕たちと会う時間はほとんどなかった。姉は反抗期に入りかけていたし、僕は家より外の世界に注心していた。僕たちが必要以上に悲しむ必要は、だからほとんどなかったのだ。

唯一心から悲しかったのは、僕たちが住んだあの家が、すでに売りに出されていたことだった。僕は自分の家に、ゆっくり別れを告げることも出来なかった。父も母も、一度決意すると、やることが早かった。離婚を決めた途端、日本の代理人に動いてもらって、早々に買い手を決め、さらに僕たちが住む新しい家まで決めてしまっていたのだから。もちろん、僕たちに何の相談もせずにだ。

父と母は、自分たちの思い出となるものと、とことん決別する魂胆らしかった。

大人たちの身勝手さは身に沁《し》みて分かっていたつもりだったが、これには参った。ふたりにとっては消してしまいたい過去がある家でも、僕らにとっては大事な我が家だ。カイロにいるとき「日本に帰りたいなぁ」と思うときは、必ずあの家を思い浮かべていたし、あの家が、僕の中の「帰る場所」なるものを、まるごと引き受けていた。あの家に住んでいたとき、僕はまだ小さかったが、風呂場に大きな蜘蛛《くも》が出たこと、階段から落ちて血を流したこと、すべてが麗しき瞬間だった。あるいは僕が成長したからかもしれないが、驚くことに、姉が描いたあの恐ろしい巻貝だって、僕にとっては、尊い思い出のひとつになっていたのだ。

家を買った人は、母から聞いたところによると、僕たちと同じ四人家族らしかった。「巻貝の部屋」には、一体誰が暮らすのだろうか。

姉に未練があるのかどうなのかは、分からなかった。姉はますます無口になっていたし、眉間に皺《しわ》を寄せる他は、表情らしい表情を見せなかった。姉は牧田さんとの恋を終えた瞬間から、積極的に感情を発露するのをやめてしまっていた。帰国時、牧田さんとも、なんともあっさり別れた。

僕たちの新しい家は、祖母の家と同じ町内にあった。

同じ町内どころではない。ブロックまで同じだった。だが、祖母の家よりも数段綺麗な一戸建てで、小さいながら庭もあった。のちに分かったことだが、購入資金はすべて父が出したのだったし、僕たちの養育費、生活費も、父が出すことになっていた。母は実質、ほとんど働かなくていい状態だったのだ。しかも、夏枝おばさんと祖母への仕送りも、父は続けていた。今橋家は、父・圷憲太郎に、とことん頼っていたし、これからも頼り続けるつもりのようだった。

でも、そのときの僕は、そんなことをまだ知らなかった。とにかく、父は、母を傷つけ、それも相当な傷をつけることをやってのけ、そして逃亡したのだ。そう思っていた。

「逃げやがった。」

今から思うと、子供らしい、だからこそとても残酷な感想だと思う。でも10歳の僕の想像力では、それが限界だった。

僕は実質、母と姉の諍《いさか》いのある現場に残された。姉、母、そして祖母と夏枝おばさん。僕の周りにいるのは、女だけになってしまった。

僕は5年生の新学期から、小学校に通うことになった。

1学期からの転入だったので、皆もクラス替えを経験し、まだ馴染《なじ》んでいなかった。それでも、1年生からいる児童たちは顔見知りだったし、友達同士同じクラスになったりして、それなりに楽しそうにやっているようだった。

僕は緊張していた。いや、ほとんど恐怖していた。

カイロでは、クラスなんてひとつしかなかった。でも僕が通う小学校には、1クラス40人、それが5クラスもあった。僕がここまでの大人数を経験したのは、1年生の1学期だけだ。そんな頼りない記憶は、新しい環境を生き抜くよすがにはならなかった。

僕が入ることになったのは、5年1組だった。転入生として紹介された僕が、

「エジプトから来ました。」

そう言うと、クラスメイトたちは知っている者同士歓声をあげたり、目配せをしあったりした。かなり盛り上がっているな、ということは理解出来たが、それが好意的なものなのか、別の何かなのかは、まだ分からなかった。

僕はずっと、緊張していた。

カイロにいたことをことさらアピールしてはだめだ、とは分かっていた。マイノリティをひけらかすと、ロクなことにならない。でも皆が僕を尊敬するくらいには、伝えなければ。僕は良い塩梅《あんばい》を探すため、頭を必死に働かせた。掌に大量の汗をかいた。探り探り自己紹介をしながら、僕は心の中で「サラバ、サラバ」そう唱えていた。隣にヤコブがいるところを想像した。たくましくて聡明で、頼もしいヤコブが。それは僕の心を束の間落ち着かせたが、想像すればしただけ、ヤコブの不在に、胸がぎゅうっと締め付けられた。

席は出席番号順だった。僕は会田という児童の後ろに座った。緊張は解けなかったが、僕が座っても、ヒソヒソ話や笑い声が起きなかったので、とりあえずホッとしていた。

この世には、転入生に最初に話しかけてくれる人種がいる。

その人種は、大抵お調子者で好奇心が強くて、そして優しい。転入生は、あらゆる場所で連中に助けられる。トイレの場所や流行《はや》っているものを教えてもらったり、クラスのなんとなくの人間関係を示唆されたり、ときには勉強の遅れまでサポートしてくれたり。

だが不思議なことに、そういう連中と転入生は、次の学期には疎遠になっている。喧嘩《けんか》別れをするわけではないし、お互いに幻滅するわけでもない。ただ、クラスの中にそれぞれの居場所が出来てゆくのだ。

初めて僕に話しかけてくれたのは、長木《ながき》という男子児童だった。

「今橋ってエジプトから来たん？　すごいな。」

言い忘れていたが、僕の苗字は今橋になった。

圷歩から、今橋歩への変化だ。出席番号は、そんなに変わらなかった。長木は、わざわざ「な」行のエリアから僕の席にやってきて、話しかけてくれたのだ。

「すごないで。僕は親に連れられて行っただけやから。」

謙虚さは幼少の頃から身につけていた。それに加え、僕にはカイロでの「彼ら」との邂逅《かいこう》があった。「彼ら」は、何もしていないのに、親のおかげで大きな家に住む僕に、決定的な羞恥心と罪悪感を植え付けた。偉そうにしちゃいけない。自慢しちゃいけない。これは、僕の手柄ではないのだ。僕はしゅくしゅくと、長木の質問に答えた。

「でもエジプトに住んでた奴なんて、初めて見たで。」

「でも僕、いうて4年だけやから。もっと長く住んでる人もおったし。」

「へえ！　お父さんもお母さんも日本人なん？」

「日本人やで。お父さんの仕事で行ってただけやから。」

「恰好《かっこう》ええなぁ！」

「そんなことないよ。」

「あ、俺長木って言うねん。」

僕は長木のことを、思わず「長木さん」と呼びかけそうになった。

でも、長木が僕のことをすぐに「今橋は」と話し始めたことは、しっかり頭に入っていた。この場所ではこれがスタンダードなのだ。僕は、クラスメイトたちの話し方を注意して聞き、自分のことを「僕」と言わず「俺」と言うようにした。そんなことは簡単なことだった。僕は、転入生の自己紹介で、すでに関西弁を使っていたのだから。

すみやかに皆に馴染もうと努力するとき、僕の脳裏に浮かぶのは、必ず姉だった。姉は、恐らくやらかしているに違いない。教室にいるたくさんの生徒を見て、姉は例の強迫観念に駆られたはずだ。僕はそう思っていた。

果たして、その通りだった。

姉はやはり、やらかしていた。

姉は市立中学校3年4組での自己紹介で、あろうことか、日本語と英語を混ぜて話したのだった。

「初めまして、今橋貴子です。エジプト、カイロから来ました。皆さんに会えてソーハッピー、日本は分からないことだらけだけど……」

というような具合だ。

姉は気負ったのだ。

たくさんの生徒、しかも同じ制服を着た何十人を前にして、久しく忘れていた、暴力的ともいっていい「私を見て！」願望を思い出したのだろう。どんなに無口になった姉でも、精神的な喧《やかま》しさは、まったく衰えていなかった。それどころか、強度を増していた。

姉のクラスも僕と同じ40人、クラスに至っては8組もあった。久しぶりに見た大量の同じ年の子、姉にとっては無個性に見える同級生に対して、姉は精一杯虚勢を張ったのだった。

日本にいたときのクラスメイト、姉を「ご神木」と呼んでいた生徒たちがひとりもいなかったことも、もしかしたら姉の精神に悪い結果をもたらしたのかもしれない。姉はもう一度やり直したかったのだし、忌まわしき日本の思い出に、復讐《ふくしゅう》をしたかったのかもしれなかった。かつて「ご神木」として貶《おとし》められた者が、今度は本当の「ご神木」のように、崇《あが》め奉られることを求めたのだ。

確かに「エジプトから来た女の子」は、大きなトピックのひとつだった。僕の小学校と同様、姉の中学校にそんな生徒はいなかったし、姉の「日本語と英語交じりの自己紹介」も、姉の中学校を大きく賑《にぎ》わせた。

だが、姉は失敗した。

中学生が、どれほどややこしい感情を持っているかを、姉は知らなかった。姉は確かに彼らに驚きを与えたが、それ以上に戸惑いを、そして最終的に苛立《いらだ》ちを与えた。姉のやったことはつまるところ、関西弁で言う「いきり」以外の何ものでもなかった。調子に乗った奴、いきがった奴、しゃらくさい奴。つまり姉は、「エジプトという珍しい場所から戻ってきたことを、これみよがしに自慢する嫌な奴」だった。

そして、ここには牧田さんはいなかった。牧田さんだけではない、牧田さんに代表される、大人びた同級生はいなかった。

断じて言うが、姉の新しい同級生たちが悪いわけではなかった。姉のような異質な、しかも自らの異質をプロデュースしようとする人間に対して、寛容な態度を取れる余裕がなかっただけだ。彼らはほとんど、生まれたこの町から出たことがなかったのだし、今年は受験を控えていた。

芽生え始めてから、みるみる化け物のように成長した自意識を抱えながら、彼らは懸命に生きていた。懸命さでいえば、姉も同等だったが、姉のやり方は、皆とはあまりにも違っていた。そして異質なものは、排除される運命にある。

姉は、「ソー・ハッピー」と呼ばれるようになった。

もちろん、好意的なあだ名ではなかった。姉は、皆に疎ましがられた。姉はそれに戸惑った。自分がどんな失敗を犯したのか、分かっていなかった。

一方、僕らを新しい環境に追いやった張本人である母は母で、あれほど長く住んでいた日本の生活に、戸惑いを見せていた。

まず、スーパーの品数と清潔さに打ちのめされた。一時帰国のときは、宝物のように見えたそれらが、これから永遠に手に入るものだと認識してしまった途端、どうしようもなく贅沢《ぜいたく》で、ふざけたものに変わった。

あらかじめ小さく切られたネギのパックを見て、母は「嘘やろ」と言い、レトルトの袋に書いてある「ここからお開けください」の矢印を見て「阿呆か」と言った。

母が言うには、このままでは、日本人の手は退化し、脳みそも小さくなるに違いない、とのことだった。駅に行けば「電車の到着が1分ほど遅れましたことをお詫《わ》びもうしあげます」、電車に乗れば「傘のお忘れものにご注意ください」、確かにこれでは、自分で考える暇がなかった。

いちいち値段交渉をしなくていいタクシーや、ひねれば綺麗な炎が出るガスコンロ、絶対に停電しない電気と、永遠に綺麗な湯が出続ける風呂。母は喜びと、同時に苛立ちで爆発しそうになっていた。

「なんやのこの国！」

母にそんなことを言う権利はまったくなかった。そしてそれをはっきり言ってしまうところが、母に長年友人がいなかった所以《ゆえん》だった。カイロでの、母のあのきらびやかな生活、たくさんの人に囲まれ、有名人然として生きてきた母の夢の時間が、そのときまさに、終わりを告げたのだった。

全く相いれないふたりだったが、図らずもカイロの生活が性に合っていたという点で、姉と母は母娘だった。DNAの力はあなどれない。

一方、その対極にいたのが僕だった。

姉と母のように、合う場所があり、合わない場所がある人間とは違って、僕にとって場所は、それほどの力を持っているものではなかった。力があるのはこちら側だった。自分をなくすということにおいて、僕は最強の力を発揮した。僕はどんな場所にも、いずれは寄り添うことが出来た。

僕は5年1組に慣れ、いつの間にかまた、「クラスの中心的な奴の親友」という地位を頂戴していた。世間のご多分に漏れず、長木とは疎遠になった。もちろん、険悪な別れではなかった。朝会ったら挨拶をしたし、席が近くなったら話もした。でも、積極的にかかわり合うことはなくなったのだ。

僕の親友になったのは、大津《おおつ》という奴だった。

体が大きく、切れ長の目をしていて、5年生なのに6年生より貫禄があった。ほとんどまだ半ズボンを穿いているクラスメイトの中で、ひとりだけ上下黒のジャージを着ていて、それが色の黒い大津の皮膚と相まって、黒豹《くろひょう》のような雰囲気を演出していた。

大津は僕のことを、今橋を略してイマバと呼んだ。「し」くらい言えそうなものだが、その投げ出すような呼び方がイカしていた。クラスの皆が大津の真似《まね》をした。4文字以上の苗字《みょうじ》の生徒は、皆3文字で切られた。高橋はタカハ、永沢はナガサ。

僕は正直まだ、今橋という姓には慣れていなかった。僕の中では僕は、やはり圷歩だった。でもイマバという呼び方は、わずかな違いでも、今橋から遠くなったような気がした。たった1文字が、今橋とイマバを隔てたのだ。

僕はすぐにイマバになった。そして大津のことを、「おおつ」ではなく、「オーツ」という感じで呼んだ。

普通、僕たちのような帰国子女は、私立の学校に入れられることが多い。特に中学生や高校生は、帰国子女枠というものがあり、特別なクラスが設けられたりする。帰国子女はたいてい英語が話せ、そして裕福な家の子供が多い。

僕と姉は、英語を話すことは出来なかったが、立派な帰国子女だ。それに、カイロでのあの暮らしを考えたら、裕福な家の子と言って良かった。

でも、僕らが通っている学校は、地域の公立の学校だった。生徒たちの中には、八百屋の子もいたし、サラリーマンの子もいたし、僕のように片親の子もいたし、スナックのママの子もいた。そのことに僕は驚いた。

カイロのときの友達は、皆、商社や僕の父親のような一般企業のサラリーマンだった。それも、裕福なほうの、だ。とにかく親の経済状態は、大体似通っていた。でも日本では、特に僕の学校には、様々な出自の子供たちがいた。

父親が働いていない子もいた。室井《むろい》、という名前のその児童は、いつも同じ服を着て、痰《たん》をからませていた。オーツの話によると、すでにタバコを吸っているということだった。つまり僕らのエリアは、あまりガラがいいほうではなかった。

両親には、僕らの環境を考えて、私立に入れる選択肢もあったはずだ。だが、ふたりは自分たちの離婚のことにかまけていた。特に母は、とにかく実家の近くに家を買うことだけを、かたくなに決めていた。それ以外のことは、考えなかった。

帰国子女がたくさんいる私立に転入していたら、姉があれほど目立つこともなかったのかもしれない。英語と日本語交じりの自己紹介も、あるいは普通のことだったのかもしれない。でも、それが普通のことである場所でなら、姉はそんなことはしなかったはずだ。姉はその場で一番特別であろうとするからだ。姉は、どこへ行っても失敗していただろう。何より、そんな「たら」「れば」の話をする前に、僕たちの生活は、すでに始まってしまっていたのだ。

この街が、僕たちのすべてだったのだ。

僕は全力で街に馴染むように努力した。11歳は、そろそろ体に変化がみられる年齢だった。クラスメイトの中には、うっすら髭《ひげ》が生えている男子がいたし、5年生にしてどこか中年の疲れた男のような雰囲気を持った者もいた。そんな中、僕は可愛いすぎた。鼻の下にも顎にも、髭が生えてくるような気配はなかったし、髪の毛は茶色くサラサラとなびき、くりくりした目は濁りがなかった。つまり美少年だった。美少年のままだった、と言っていい。

それはきっと、人に誇れることだった。でも、11歳、大人になりかけの僕ら男子にとって、それは長所ではなかった。特に、こういった、少し荒っぽい地域では。

クラスの中には、僕と同じように、まったく髭の生える気配を見せない、どう見たって低学年にしか見えないような連中もいた。というより、そんな連中ばかりだった。だが僕は、そういう自分に安穏と胡坐《あぐら》をかいているような人間ではなかった。

僕は早々に、男っぽくなる努力を始めた。

美少年はやがて「女っぽい奴」になるだろう。すらりとした体型も、いずれは「ヒョロヒョロした奴」になるだろう。「俺」と言っているだけではだめなのだ。現に、オーツはもう上腕に筋肉の筋が浮かぶようになっていたし、もちろん髭も生え始めていた。そして重要なことに、オーツのお父さんは、柔道の先生をしていた。オーツは小さな頃からお父さんに柔道を習い、オーツの中学2年生のお兄さんは、区の大会で準優勝をするほどだった。

僕は迷わず、母にオーツの柔道教室に通わせてくれ、と懇願した。

男らしくなるためなら、何も厭《いと》わなかった。母は、僕の願いを聞き、驚いていた。

「あんたが柔道？　ガリガリやないの！」

姉にガッカリさせられたからか、母は僕の容姿をとても気に入っていた。

母は僕に、どちらかというとお坊ちゃんぽい恰好をさせたがった。例えば青のチェックのボタンダウンシャツや白いポロシャツなんかだ。何度も言って恐縮だが、美少年の僕は、そういった服がとてもよく似合った。母といるとき、ほかの日本人のお母さんに会うと、お母さんたちは僕を見て目を細め、「まあお上品な坊ちゃんね」などと言い、母を得意にさせたものだった。

カイロにいる間は、それで良かった。何故《なぜ》なら、僕の友人は皆、本当のお坊ちゃんだったからだ。でも、ここでは違った。イニシアチブを握っているのはオーツだったし、これからも、「オーツ的なもの」が主流であり続けるだろう。とにかく男は男らしくすることが、この町の流儀なのだ。

「あんた、苛《いじ》められてるんと違うやろな？」

母は、僕が柔道を習いたがることに疑念を抱いたようだった。

僕はもちろん、苛められていたわけではなかった。でも、未来に可能性のある忌まわしき芽は、すべて摘んでおきたかった。美少年のこの顔が治らないのであれば、スペックで勝負するしかないのだ。

僕の懇願以上に、母の拒絶も強かった。

「柔道やったら耳つぶれるやん！　いや！」

母はとことんまで、そういう女だった。

僕は珍しくごねた。とにかく男らしいスポーツをさせてくれ、と訴え続けた。

結局母との妥協点となったのは、地元のサッカークラブへの入会だった。柔道ほどの男らしさはなかったが、いつだってスポーツが出来る人間は、簡単に尊敬されるものだ。僕は週に三度、放課後に行われるサッカーの練習に参加するようになった。

半年も続けていると、だんだん足に筋肉がつき、顔は日に焼け、精悍《せいかん》になってきた。もうオーツの隣にいても、そんなにひけを取らなくなってきた。そして校外に友人が出来たことで、僕の世界は一気に広がった。

まだ髭は生えてこなかったが、僕の中でまあ合格ラインの男には、なれたのだった。

24

僕らは度々、祖母の家へ行った。

父が買ってくれた僕らの新しい家は綺麗で快適だったが、なんとなく祖母の家の古びた感じや、雑然とした風景の方が落ち着いた。僕らはよく祖母の家でご飯を食べた。

姉と母の生活は、姉の学校生活と同様、前途多難だった。

姉は、学校のつまらなさ、自分の待遇の悪さを、すべて母のせいにした。日本への帰国は決まっていたことなのに、まるで父と母の離婚のせいで、無理矢理帰国させられたかのように言いつのった。

前述したが、以前の街へ戻っても、姉はきっと苦しんでいたに違いない。なにせ、自分に「ご神木」とあだ名をつけた生徒たちがいる街なのだ。

でも姉は、この下町の、少し乱暴な生徒たちがいる学校を憎んだ。そして、そんな場所に自分を無理矢理連れてきた母を、私立中学に行かせるという選択肢をまったく度外視していた母を憎んだ。

でも母は、姉のそんな抗議に、一切取り合わなかった。母にとって悪いのは父だった。父だけだった。その理由を僕は知らなかったが、それだけ頑なであったなら、そうなのだろう、という程度の感想しか持たなかった。僕も僕なりに、新しい環境に馴染むのに必死だったのだ。

姉と母の仲は、日を追うごとに悪化していった。

部屋の壁に巻貝を彫ることはしなかったが、姉はまたご飯を食べなくなった。部屋に閉じこもり、出てきたと思ったら母に反抗的な態度を取った。家の中の雰囲気は、はっきり言って最悪だった。

僕らの避難場所は、だから祖母の家というわけだった。

僕は雰囲気の悪さから逃げるために、母は子育ての難しさから逃れるために、ほとんど祖母の家に入り浸った。あわれ父が購入した綺麗な家は、ほとんど姉の家としてしか、機能しなくなったのだ。

しかもその姉も、祖母の家にはよく来た。姉は夏枝おばさんが好きだったし、祖母の家にいると母との関係もやわらいだ。僕らは祖母が作った茶色っぽいご飯を食べ、ときには狭い風呂に入り、そしてしぶしぶ家に帰って、いつまでも綺麗なままの部屋で眠った。

祖母の家には、僕らだけではなく、様々な人が遊びに来た。

それは大抵祖母の友人だったが、女ばかりだった。つまり僕は、日常的に女の人の様々な体の不調、悩みや傾向を聞かされることになった。

例えば僕は、クラスの女子が生理になったことを驚かなかった。

オーツのように、男兄弟しかいない、しかも男臭い環境で育ってきた奴からすれば、女子の生理は脅威だったようだ。女子が恥ずかしそうにポーチを持って立ち上がると、それだけで騒ぎ立てた。名指しでからかわれた女子は可哀想《かわいそう》に、顔を真っ赤にして、中には泣き出してしまう子まいた。

でも、オーツはきっと、どうしていいか分からなかったのだ。分からないことを黙ってやり過ごせるほど、オーツは大人ではなかったし、真っ赤になってうつむいてしまうほど子供ではなかった。つまりとても中途半端な状態にあった。男子たちにとって、女子の体の変化はただただ脅威でしかなく、そのような脅威には、からかうという行為でしか立ち向かえなかったのだ。

僕にとっても、女子の成長は脅威ではあった。

前の席に座っている女の子の背中に、ブラジャーの線が見えたときはドキッとしたし、体育の時間、校庭を走っている女子の太ももの艶めかしさに、おののいたこともあった。ただ、僕はオーツのようにみっともなくうろたえはしなかった。だからからかうという攻勢に出なくても済んだ。

祖母の家のトイレには、生理用品が隠すことなく積まれていた。それは祖母のゆるさから来るものだったが、今思うと、あのとき祖母に生理があったはずはなかった。あれは夏枝おばさんのものであったのだし、母のものでもあったのだろう。

母は父と別れてから、どんどんだらしなくなっていた。日本に住んでいる安心感、何をするにしてもいちいち声を張り上げて交渉しなくていい環境も背中を押していた。僕の目から見てもわかるほど、母は緊張感というものを手放していた。

例えば僕が知っている母は、家の中でもきちんと化粧をし、髪を束ね、ぴたりと体に沿う服を着ていた。でも、帰国後の母は、ゆったりとした服に身を預け、気まぐれにしか化粧をしなくなった。ご飯は大抵祖母に任せていたし、部屋の隅にうっすら埃《ほこり》が溜《た》まっていても、気にしないようになった。

存在感のない父だと思っていたが、父の存在は大きかった。

母は父という男に向けて生活していたのだと、父がいなくなって初めて分かった。母は、良い母である前に、いい女でありたかったのだ。

その証拠に、母はその後様々な恋人を作ることになるのだが、恋人がいる時期といない時期の相違は、見ものですらあった。恋人ができたことを、僕にいちいち報告することはなかったが、母に恋人が出来ると、すぐに分かった。ゆるんでいた輪郭がきっちりと引かれた線になり、その線がキビキビと動いた。家の中は綺麗になり、それ以上に母は自分を磨いた。

帰国直後の母は、母の人生史上もっともゆるんでいた時期だったのだろう。

エジプトという異国で、社交界（というほどの大きなものではなかったが）の華として謳《うた》われていたステイタスを手放し、自分の地元で、思う存分自らを甘やかしていたのだ。

祖母は祖母で、そういう母を叱るようなタイプではなかった。

祖母の家は父でもっていたようなものだったし、それにもともと、祖母もゆるい人だった。いや、ゆるくなったのだった。

地区の小町として店の采配を振っていた時期が去り、今では働かなくても暮らしてゆけた。祖母にも何人か恋人のような人はいたようなのだが、祖母は母と違って、男の前でいい女たろうとしなかった。祖母はゆるい人のまま恋人をつくり、決して繕わなかった。まるで、娘3人を育て上げたことで、すべての糸が切れてしまったかのように、祖母はとことんゆるい人として生き、そのゆるさは家の形態にもなっていた。つまり、近所の女の人が勝手に出入りするような、誰にも開かれた場所として、祖母の家はあった。

そんなところに集まってくる人たちだ、やはりゆるかった。

例えばその人たちは、僕がいるからといって話題を選ばなかった。「生理痛がひどい」に始まり、「生理があがった」や「更年期障害がつらい」、果ては「夫との性生活」にまで及ぶあけすけな話を聞き続け、僕は否応《いやおう》なしに女の様々なことを解する男になってしまった。

だから僕は、オーツたちのように女の子がポーチを持って席を立ってもからかわなかったし、揺れる胸を見ないようにしてあげた。オーツのような生徒と一緒にいて、そういうスタンスを保つのは難しいことだったが、僕には伝家の宝刀、存在を消すという技があった。オーツたちがそういう気配を出すと、僕は何気なくその場を離れたり、ほかのことに心を奪われているふりをした。

姉にどうやら生理が来ていないようだと僕が気づいたとき、姉はもう学校に行くことを放棄していた。冬の気配が感じられる頃で、僕はジャンバーを着て、近くの公園でリフティングの練習をしていた。

公園でリフティングをしながら、どうして姉の生理のことに思い至ったか、今でも分からない。トイレにあるナプキンを数えていたわけでもないし、姉に直接聞いたわけでもなかった。でもそのとき僕は、姉に生理が来ていないことを、急に悟ったのだ。

姉は、本当に痩せっぽちだった。

母の作ったご飯は食べなかったが、祖母や夏枝おばさんが作るものは食べた。だが、それだけの食事では、育ち盛りの姉の体を肥え太らせるには十分ではなかった。姉はそもそも、中学の給食を食べなかった。数百人が同じメニューを、プラスチックとアルミの食器で食べるなんて、まるで囚人だと言ったのだ。

そう、姉は確かにそう言ったのだった。

姉は、自分の意見が注目されるなら、それがどんな種類のものであれ、積極的に発言した。

「みんな同じものを、同じ食器で食べるなんて、まるで囚人だわ。」

それを聞いた生徒たちは、こう思ったに違いない。

「では、それを嬉々《きき》として食べる俺たちは、囚人だってこと？」

姉の言葉は、いちいち生徒たちの心を砕き、苛立たせた。もはや「ソー・ハッピー」は、皆の攻撃対象以外の何ものでもなかった。

姉は、苛められるようになった。

最初は、英語の時間だった。リーディングを命じられた姉が、あの流暢《りゅうちょう》風の英語で読み始めると、皆耳をふさぐようになった。それは次に国語の時間の朗読に移り、最終的に皆、姉のことを見ないようになった。

姉が登校してくると、皆机につっぷしたり、掌で目を覆ったり、とにかく「あんたを見ない」ということを、姉に知らしめた。

苛めには色々な種類がある。

どれも卑劣で、だからこそ許されるものではないし、優劣をつけることはナンセンスだ。でもそのときの姉にとって、「無視されること」「いないことにされること」ほど辛い仕打ちはなかった。姉は見られたがった。いつだって誰かの視線の中にありたがった。それを渇望するあまり、おかしな言動を繰り返し、それが誰かを傷つけ、苛立たせるという、最悪の循環に陥っていた。

姉にとっては肉体的な、そうでなくとも、罵られたり、ちょっかいを出されたり、とにかく積極的に介入されるような苛めのほうが、救いになったのかもしれなかった。暴力を受けることであれ、罵られることであれ、攻撃者は少なくとも姉を見ている。姉はもしかしたらそのとき、ドイツ軍に捕えられるアンネ・フランクの気持ちに近づけたかもしれないし、ユダヤ人に罵声を浴びせられるキリストの気持ちを追体験出来たかもしれなかった。姉は想像力が、とても豊かな人だったから。

だが姉は、自分が再び見られていると知ったとき、決定的に傷つけられることになった。

ある日、日直だった姉は、授業が終わった後の黒板を消していた。共に日直だった大嶽《おおたけ》という男子生徒は、姉を手伝いもしなかったし、そもそも、やはり姉を見ることもしなかった。

姉は真面目だった。皆に無視されていながらも、日直の仕事を投げやりにこなすことなど出来なかった。理科の先生が書いた細かな文字を、左端から丁寧に、丁寧に消していった。チョークの粉がかかることを気にしなかったし、背伸びした自分の背中が、セーラー服の裾から見えることも気にしなかった。やはり誰も、姉を見ることはなかったからだ。

だが、黒板の右半分に差し掛かったとき、教室内で、くすくす笑う声が聞こえた。

姉は敏感な人だった。特に見られなくなったそのときとあっては。

姉はその笑い声が、自分に向けられていることを分かっていた。皆は、自分を見て笑っているのだ。それは数ヶ月ぶりの視線だった。

姉は、少しおかしくなっていた。

いないものとして扱われていた数ヶ月の渇望を経た姉には、その蔑んだようなくすくす笑いでさえ有難かった。「自分が今ここにいること」の証として、受け止めたかった。すべてきちんと、受け止めたかった。

姉はますます丁寧に、黒板を撫でた。どれだけ時間がかかっても構わないと思った。姉がそうする度、笑い声は大きくなった。姉は見られていた。

だが最後、すべて消し終わった姉の目に飛び込んで来たのは、この文字だった。

『　本日の日直　大嶽
　　　　　　　今橋←ご神木　』

姉は、ひっと、声を出した。

「ご神木」を知っている生徒は、いないはずだった。姉はだからこそやり直したかったのだ。結果気負って失敗してしまったし、「ソー・ハッピー」は姉を貶める呼び名だったが、それでも姉はそれが「ハッピー」という肯定的な言葉であることにすがった。

ご神木。

それを誰が書いたのか分からなかった。

だが姉にとって、それは問題ではなかった。

誰も昔の自分を知らない場所でもなお、自分は「ご神木」なのだ。どんなに変わろうとしても、自分は「ご神木」にしか見えないのだ。

姉は自分の容姿に構っていなかった。

浅黒く痩せた肌が木の幹のように見えること、セーラー服のリボンの白が、しめ縄を思わせることが、分からなかった。つまり、小学校の頃そう呼ばれた時期よりも尚、そう見えることに、気づいていなかった。

姉にとってその呼び名は、ただの容姿に対する中傷ではなかった。それは、自分の存在に対する呪いだった。

自分は「ご神木」なのだ。どこへ行っても。

姉は、学校に行かなくなった。そして、進学することを拒否した。

大騒ぎしたのは、母だった。

姉の難解さ、手に負えなさには慣れているつもりでも、登校を、そして進学を拒否するとまでは思っていなかったのだ。

僕は正直、それくらいのことは覚悟していた。母としてではなく、弟としてでもなく、年の近い者として見る姉には、それくらいの危うさはあった。

でも母は、姉のことを、まだ自分の子供だと思っていた。どこかで「話せば分かる子」、母として愛情をもって接すれば、いずれ「まっとうな娘」になると信じていた。つまり、とても楽観的だった。

何度も言うが、母は、息子の目から見ても、母親であるより女である自分を優先するタイプだった。離婚に関して悪いのは父だ、父だけだという態度は天晴《あっぱれ》だったが、誰より悪くない僕たち子供への配慮は、あまりにもなさすぎたような気がした。それどころか、母の態度には、どこかに「あんたたちのために私が犠牲になったのだ」とでもいうような気配があった。

僕は当時ガキだった。

両親が離婚することになったとき、子供たちを引き取るべきなのは、紛れもなく母親だと思っていた。いや、当然すぎて、そう思いもしなかった。

母には、僕たちを父親に預けるという選択肢もあったのだ。

独身の身軽な女性として、人生をやり直すことも、母には出来たのだ。

そんなこと、僕には想像すら出来なかった。僕は母のことを、どこかで母親失格だと思っていた。母さえちゃんとしていてくれれば姉は、ここまでのことにはならなかったのではないか。僕は何度も、そう考えた。

だが、そんなことを言っている僕自身、何もしなかった。何もだ。

僕は、姉がご飯を食べなくても「食べろ」とは言わなかったし、母に反抗的な態度を取っても、母と姉が激しく罵りあっても、「やめろ」とは言わなかった。僕は家の中で、ただただ、空気と化していた。とことんまで中立であろうとすると、人間は輪郭がなくなるのだと、そのとき学んだ。僕はもう母と姉から評価されることを望んではいなかった。

僕は外の世界に夢中だった。オーツ達と遊んだり、サッカーの練習試合でいい動きをすることで、もう僕のキャパシティーはいっぱいになった。

だから僕は、カイロ時代の思い出を、いつの間にか手放していた。

最初の数ヶ月は、日ごとにカイロのことを思い出しては、ヤコブに会いたい、ヤコブに聞いてほしい、そんなことばかり考えていた。でも2学期が過ぎ、3学期が過ぎると、僕の頭の中は、ほとんど学校とサッカーだけになった。

そしていつの間にか、「サラバ」とも言わなくなっていた。

あれほど僕を助けてくれた「サラバ」は、いつしか、ただ遠い日の記憶に成り下がってしまった。

成長期の少年は、かくも残酷なのだ。

25

学校に行かなくなった姉は、でも自分の部屋に引きこもっていたりはしなかった。姉はたびたび祖母の家に顔を出し、夏枝おばさんと映画や小説の話をしていた。夏枝おばさんは以前から芸術を解していたが、その愛情は年齢を重ねるにつれ増していた。

夏枝おばさんは、働いていなかった。祖母と同様、僕の父や治夫おじさんの世話になっていることに、全く良心の呵責《かしやく》を感じていなかった。おばさんはもらったお金を映画や小説、音楽につぎ込んでいた。

つぎ込んでいた、と書くと、とんでもない散財屋のように思われるだろうが、それは違う。おばさんは、とてもつつましい人だった。僕が覚えているおばさんは、大体4パターン程度の洋服しか持っていなかった。(恋人が出来たら)毎日違う服を着て、時には一日二度ほども着替える母とは大違いで、おばさんはそもそも化粧をしていなかったし、白髪を染めることもなかった。若く見える母より、だからうんと年上に見えたし、姉であるはずの好美おばさんの、年の離れた姉のように思われていた。

映画を見に行くときも、厳選に厳選を重ねていたし、大概は家の小さなテレビで借りてきたビデオを見るにとどめていた。レコードと本はたくさん持っていたが、すべて古レコードか古本で、どれも擦り切れていた。

姉はおばさんの本棚から本を借りて読み、レコード棚からレコードを出してターンテーブルに置いた。おばさんの棚は脈絡がなかった。例えば本棚には、おおむね日本の近代文学が並んでいたが、その中にミヒャエル・エンデやジェイムズ・エルロイが混ざり、檀一雄の料理本の隣に新約聖書がある、といった具合だった。レコード棚もそんな感じで、のちに真似事でＤＪを始めるようになった僕は、よくおばさんの棚からレコードを拝借したものだった。

オーティス・レディング、サム・クック、シュープリームスは分かるが、その間にあるショパン、登川誠仁には驚いたし、もっと後に覗《のぞ》いた棚には、ニルヴァーナやウータン・クランまであったのだから、計り知れなかった。

おばさんの選ぶものは脈絡がなかったが、脈絡がないからこその真剣味があった。おばさんは、誰かに知らしめるためにそれらを吸収していたわけではなかった。つまり自分のアイデンティティを形成するために芸術を利用することは、決してしなかった。おばさんは自分のために、あるいは自分を慰めるためだけにそれらを欲した。おばさんはおそらく、エラ・フィッツジェラルドにもビョークにも太宰治にも相米慎二にも平等に力をもらい、それを糧としていた。時にボンジョビを口ずさみ、銀色夏生の詩をそらんじ、スパイク・リーの劇中でのセリフを真似た。

姉はそんなおばさんを愛した。おばさんが好むものは理解できないことが多くても、おばさんの真実味だけは、何をおいても信じられるものだった。

おばさんは、昔のおばさんと変わっていなかった。僕らに積極的に何かをすることはなかったが、僕らが発したことはすべて受け止めてくれた。つまり徹底して受け身の姿勢を取り、決して否定しなかった。

だから姉が不登校であることに関しても、おばさんは何も言わなかった。母は、おばさんのそういう態度が不満であるらしかった。

「あの子、なっちゃんの言うことは聞くのんやから、なんか言うたってよ！」

そう夏枝おばさんに詰め寄る母を、何度も見たことがある。そのたびおばさんは、

「せやなぁ……。」

と、言葉を濁し、結局うなずきも断りもしないのだった。

姉は一日の大半を夏枝おばさんの部屋で過ごした。だから姉は孤独ではなかった。姉は無口な伯母だけでなく、たくさんの音楽と小説と映画に囲まれていた。

やがて姉は、高校に行かない16歳になった。

僕は6年生になり、サッカークラブのレギュラーを獲得した。ポジションは左のサイドバック。僕は右利きだが、サッカーにおいては、ひそかに左で蹴る練習をしていた。左利きの選手は珍しかったし、僕はよく練習したから、レギュラーは比較的簡単に取ることが出来た。でも、僕が本当にやりたかったのは、ミッドフィルダーだった。

ミッドフィルダーは試合運びを決め、中心となってチームを動かす。運動量も負担も大きいが、華もあった。でも、サッカーをやればやるほど、自分にはサイドバックが似合うと思うようになった。サイドバックは、ミッドフィルダーに比べると、受けの姿勢が問われるポジションだ。自ら試合を動かすというよりは、徹底的にチームを守ることに重点が置かれる。守りだけではなく、攻めに転じることもあるにはあるが、それは厳密に言うと僕らの仕事ではなかった。

僕には受けのサイドバックはぴったりだった。自分から能動的に行動を起こさず、メンバーを

背後からじっくり観察しながら動くことには、すぐに馴染んだ。そして時折、勇気を出して誰も中継しないフォワードへのロングパスを出し、皆に歓声を挙げられると、快感で頭が爆発しそうになった。実際にゴールを揺らすのも、ゴールを守るのも僕ではなかったが、それでも自分が勝利に貢献しているのだという思いは、僕を思っている以上に高揚させた。

別れた父は、僕がサッカーをやっていると知ると、喜んだ。

父とはよく電話で話し、1ヶ月に一度ほどは会ってもいた。日曜日にサッカーの試合があると見に来てくれたし、クリスマスや誕生日にはプレゼントもくれた。

母は、僕と父の接触をまるでなかったことのようにふるまった。

僕が父に会うために出かけても、不機嫌になったりはしなかったが、僕が帰って来ても、今日はどうだったかに始まることを一切訊かなかった。母は何ごともなかったようにご飯を作り、またはテーブルの上に「おばあちゃんちにいます　ご飯はそこで」という置き手紙を置いて行った。

母はそのときそろそろ、新しい恋をしていたのだと思う。

話は前後する。

帰国後、僕たちがすぐに会いに行ったのは、矢田のおばちゃんだった。

矢田のおばちゃんの家に、大きな祭壇が出来たこと、そこに知らない人たちが出入りしていること、そして「サトラコヲモンサマ」という、なんだか声に出したくなる神様のようなものを祀《まつ》っていることを、姉がどう思うか、僕はおおいに興味があった。

姉はアンネ・フランク以外にも、マハトマ・ガンジー、マーティン・ルーサー・キング、坂本龍馬やチェ・ゲバラなど、様々な人物に傾倒してきた。つまり、とても影響を受けやすい人だった。

どれも大人物で、おしなべて孤独だったが、孤独であればあるほど、姉は彼らと自分を重ね合わせた。そういえば6年生のときには、牧田さんとふたりでジャンヌ・ダルクの劇の脚本を書いていたこともあった。その劇は上演されることがなかったが、リビングで脚本を見つけた僕は、上演されなかったことを、心から喜んだ。どうせ姉がジャンヌ・ダルクをやるにきまっているからだ。

矢田のおばちゃんは、もちろんジャンヌ・ダルクでもアンネ・フランクでもなかったが、姉に影響を与えたという点では遜色がなかった。姉はよく、おばちゃんの背中に彫られた弁天様の絵を描き、僕はそのあまりの精緻さに驚かされた。姉には絵の才能があった。

僕は壁じゅうに、そして天井にまで描かれた巻貝の絵を忘れていなかった。

あの巻貝は、7歳の僕だけではなく、母親まで圧倒してしまったのだ（もちろん、母は別の意味で圧倒されたのかもしれないが）。でも、とにかく姉は、おばちゃんの弁天様をしっかり思い出すことが出来るほどおばちゃんの背中を見ていたのだったし、ドン・コルレオーネ的なおばちゃんの存在に憧れていたことも確かだった。

おばちゃんの家には、相変わらず大きな祭壇があった。

一時帰国したときと違っていたのは、おばちゃんの家に訪れる人数が、明らかに増えていたことだった。

矢田のおばちゃんの家には、母と姉、僕と祖母の4人で訪ねた。僕ら4人がいた2時間ほどの間に、知らない人間が5人来た。それは驚くべきことだった。

人が来るたび、僕たちは話を中断しなければいけなかった。来る人来る人、祭壇に何かをそなえ、熱心に拝んでゆくのだが、その間僕らはもちろん気まずい思いをした。特に母と、矢田のおばちゃんを姉のように慕っていたはずの祖母は、居心地が悪そうだった。

話をしていたのは、主に僕以外の4人だった。僕は30分も経《た》つと、完全に飽きていた。

姉はまず、部屋の中央に置かれた大きな祭壇を見て絶句した。だがそれを見ても何も言わなかったのは、もしかしたらすでに祖母から何か聞かされていたのかもしれなかったし、姉が大人になったからかもしれなかった。

姉は、矢田のおばちゃんのスキンシップを喜び、おばちゃんの昔話（熊のぬいぐるみが半分埋められていたときは腰抜かしたで、あんたに狐の嫁入りを教えたばっかりになぁ、など）に照れ、矢継ぎ早に繰り出される質問に答えながら、時々祭壇をチラチラと見ていた。

「サトラコヲモンサマ」と書かれた札は色あせ、その札が置かれた祭壇も、白い布がところどころ黄ばんでみすぼらしくなっていた。それとは対照的に、祭壇に置かれた供え物は、どれも新しい光を放っていた。以前僕が見たときは、酒や米といった、比較的庶民的なものばかりだったが、そこには高価そうなワインや電化製品、男の人がプロポーズするときに用意するような指輪が入った小箱まであった。

姉は、人が来て祭壇に祈りをささげるたび、目を大きく開け、まるでその瞬間を見逃すまいとするように、集中していた。祈りは相変わらずおかしかった。皆、両の掌を順番に踏みしめ、そのせいか、おばちゃんの家の畳は一か所だけ大きく変色していた。

ちらりとおばちゃんを見ると、以前と同じだった。いつものこと、とでも言うように、相手より少し下に視線をやりながら、ぼうっと座っていた。おばちゃんが来る人に声をかけるのは、最初と最後だけだった。来る人は来る人で、挨拶もそこそこに無言で祈り、そしておばちゃんに頭を下げて、または祭壇に何かを置いて、帰ってゆくのだった。

矢田のおばちゃんの家が、ちょっとおかしなことになっているのは、僕にも分かっていた。十分わかっていた。母は訝《いぶか》しさを隠せる人ではなかったし、あれだけ矢田のおばちゃんと仲が良かった祖母の足が、あまりおばちゃんの家に向いていないことにも気づいていた。

そのときの僕には、いわゆる「新興宗教」の知識はなかったが、矢田のおばちゃんの家で、それに類する何らかのことが行われている、ということは理解していた。

姉はおそらく、僕よりもうんと知識があったのだろう。大好きな矢田のおばちゃんの家で行われている諸々《もろもろ》のことに、ある程度のショックを受けていたに違いなかった。

でも、難しいのは、矢田のおばちゃんが、全く変わっていないことだった。

祭壇の禍々《まがまが》しさ、来る人たちの持つ不穏なオーラをものともせず、おばちゃんはおばちゃんだった。威厳のあるたたずまい、僕らに話しかける時のなんともいえない朗らかさ、そして野良猫を撫でるときの慈悲のこもった仕草は、僕らが親しんでいたものだったし、おばちゃんは、数年ぶりに会っても、ちっとも老けていなかった。あまりにもおばちゃんすぎるおばちゃんと、おばちゃんの家の環境との落差に、僕らはとまどった。

だからこそ母も姉も、おばちゃんにズケズケと「これはどういうことなのか」と訊けなかったのだと思う。大きな祭壇はまさにおばちゃんの家にあるのに、その住人であるおばちゃんが、祭壇になど気づいていないかのようなのだから。

それに、おばちゃん自身が祭壇に祈ることはなかった。ただ来ている人が祈っているだけだった。おばちゃんの部屋の中に、急に木が生えてきたようなものだ。木はおばちゃんの部屋の日常になり、おばちゃんはそれに煩わされることなく、生きていた。

でも、「サトラコヲモンサマ」という札の文字は、明らかにおばちゃんの字だった。マジックで書かれた、男のような力強い字には、僕も見覚えがあった。この祭壇の上に祀られる何かが「サトラコヲモンサマ」だと決めたのはおばちゃんなのだ。それがどのようなものなのか、何故それなのか、でも結局、誰も訊くことは出来なかった。

帰り道でも、姉は以前の母のように、あれはどういうことかと騒いだりはしなかった。じっとおし黙り、何かを熱心に考えているようだった。姉はそのとき膝丈のスカートを穿《は》いていた。スカートの裾に、おばちゃんの家にあがりこんでいた猫の白い毛が、びっしりとついていたことを、僕は今でもよく覚えている。

帰国してからの1年、母も僕も、祖母ですらも、矢田のおばちゃんの家から足が遠のいていた。僕は学校や地域に馴染むことに忙しかったが、働いていない母や祖母はそれを言い訳にはできなかった。ふたりは意識して行かなかったのだ。おばちゃんの家で行われている何らかのことに、警戒の念を抱いていたのだろう。

だが、姉はぽつぽつ、おばちゃんの家に行きはじめていた。

特に、学校に行かなくなってからは、頻繁に行くようになった。前述したように、姉は引きこもりではなかったが、姉が接する人間は家族と祖母、夏枝おばさんだけになっていた。ミドルテイーンの多感な少女からすれば、あまりにも狭い世界だ。その小さな世界の中で、矢田のおばちゃんが未《いま》だ燦然《さんぜん》と輝いていることを、僕らは驚かなかった。

母は特に、姉が出かけるとホッとしているようだった。家の中で、朝から晩まで姉とふたりでいることに、耐えられなかったのだと思う。母にはやはり恋人がいたが、姉が祖母の家や矢田のおばちゃんの家に行ってくれている限り、母は気兼ねなく恋人と会うことが出来た。

母がどこで恋人を見つけてくるのか、当時の僕には分からなかった。

母は父の仕送りを当てにしていてちっとも働かなかったし、僕が学校から帰ると、大体家にいるか、祖母の家にいた。出かけるといったら、スーパーに買い物に行くか、祖母と洋服を買いに出かけるかくらいで、だから母がいつの間にか綺麗に化粧をし、どうやら恋人に会いに行っているのだと分かったときは、まるで魔法のようだと思った。

僕は、いわゆる思春期に入りかけていた。もやもやした想いと、体の変化をこれでもかと感じていた。母が恋人を作るということは、僕にとって歓迎できることではなかったが、それよりも「どうやって？」という驚きの方が勝った。

僕もどこかで、母がこのまま終わるわけがないと思っていた。母が、僕たちに気を使って何かを我慢するというタイプでないことも。だから母が、魔法のように恋人を作ってしまったその鮮やかさを嫌悪する前に、僕はただただ、感心することが出来たのだった。

26

ある晩、姉と僕が珍しく自宅のリビングでふたりきりのときがあった。

僕はすごくくたびれていた。「ご飯はおばあちゃんちで」という置き手紙があったが、面倒くさかった。僕は家の台所でふたつカップラーメンを作り、貪り食った。

祖母の家から帰ってきた姉が、リビングにやってきた。

姉は無言で僕の対面に座った。そしてじっと、ラーメンをすする僕のことを見ていた。

「何。」

正直、鬱陶しいなぁと思った。だが、無視するには、姉の視線はぶしつけすぎた。

「そんなものばかり食べてると、早死にするわよ。」

姉がカップラーメンのことを言っているのは分かったが、僕は返事をしなかった。

当時は、今のように食品添加物や食べ物に関して注意を払っている人は珍しかった。姉のように十代で気にしている人はさらに稀《まれ》だったが、姉は真剣だった。この界隈《かいわい》に無農薬野菜を買えるようなスーパーなどなかったが、夏枝おばさんの代わりにお使いに行った八百屋で、産地はどこか、農薬を使ってはいないかと訊く姉は、近所でもちょっとした有名人だった。もちろん、「面倒くさい奴」としてだ。

僕は、姉がダメなほうの有名人であることには、慣れているつもりだった。だが、中学に入るとなると、そうも言っていられなかった。

姉の存在は、僕が入学した頃でも、ちょっとした語り草になっていた。何せ、あの「ご神木」である。しかも途中から姿を消し、進学を拒否した女子生徒なのだ。

なかでも僕が問題にしていたのは、姉が苛められていたということだった。

兄弟がイケているかそうでないかというのは、当時の僕たちにとって、いや少なくとも僕にとっては重大なことだった。オーツの兄は柔道で府の大会に出ていたし、安井という生徒の姉は、美人のヤンキーだった。オーツも安井も、彼ら自身の力で人気者だったが、やはりどこかで、「あの○○の弟」、という見られ方をしていたように思う。

だからこそ僕は、「あのご神木の弟」という風に呼ばれてはならなかった。

僕は怯《おび》えていた。小学校に入ったとき、僕のクラスにやってきた意地悪な5年生のことを、僕は忘れてはいなかった。持ち上がりだったので、6年もオーツたちと同じクラスで遊び、そここの地位を確立していた僕だったが、中学校という新しい世界は、やはり僕を不安にさせた。

結果的に、地元のサッカークラブに入っていたことが、僕を救ってくれた。

僕らの通う中学校は、ふたつの小学校を統合していた。僕らが通っていたのは南小だが、中学には北小からも生徒がやって来た。つまり、学年の半分が初めて会う連中だった。でも僕は、地元のクラブに入っていたから、北小の奴らとも親交があったのだ。

僕が入ったのは1年1組、オーツと離れたが、そこにはサッカークラブで一緒だった小池と大《おお》垣《がき》がいた。だから僕は、入学初日からひとりでいるということがなかった。初日から仲良く話している僕たち3人は、とても目立った。目立たないようにすることを自分に課していた僕だったが、それが実は功を奏した。交友関係は僕らを中心に広がり、だから自然僕は、なんとなくクラスの中心にいることになったのだ。小池も大垣も、特別お喋《しゃべ》りで目立つタイプではなかったが、サッカーがうまかった。小池はミッドフィルダー、大垣は右のサイドバック。

思春期の僕らにとって優劣を決める条件は、「喧嘩が強い」「運動が出来る」、稀に「誰かの弟であること」だった。勉強が出来る奴なんて論外だったし、オタクっぽい奴はランクの対象にもならなかった。

僕には「姉があんな奴」というとんでもないハンディがあったが、サッカー部だった。運動部に入っているということが、男子の男子たる最低限の条件だった。そして僕は、背が高かった。正直小学校の頃には、男子の容姿などあまり関係がなかったが、中学に入ると、それが俄然重要になってくる。ハンサムだとか、そういうことはどうでも良かった。重要なのは体格だった。オーツのように背が高くて体格もいいのが最強だったが、僕は少なくともチビではなかった。これからの中学生活は、今のところ安泰であるように思えた。

だから姉に話しかけられたとき、僕は正直ドキリとした。障害物に、思いがけず足をひっかけられたような気分だったのだ。

「歩。」

姉は珍しく、僕の名前を呼んだ。

「少なくともスープは全部飲んじゃダメよ。毒の塊みたいなものなんだから。」

うるせぇな、と僕は思った。ラーメンの汁のことをスープという言い方にも腹が立ったし、姉が未だ、かたくなにアナウンサーのような標準語を話していることが鬱陶しかった。

僕は姉を無視した。でも、姉はその場を去らなかった。

イライラしたが、それを姉にぶつけるほど勇気があるわけでもなかった。ただ黙ってラーメンをすすっていると、

「あの人の恋人って知ってる？」

それは、僕が一番聞きたくない話だった。

姉の言う「あの人」とは、母しかいなかった。

くたびれていたと書いたが、僕はその日、後輩が出来ていきがっている2年の先輩に、意味もなく「全力でグラウンド10周」を命ぜられたところだった。太ももはパンパンだったし、食べても食べても空腹が収まらなかった。一日の中で最も弱っているそんな時間に、その類《たぐい》の話なんて聞きたいはずはなかった。

でも僕は、とことんまで受け身な人間だった。姉を無視し続けるということが、どうしたって出来なかったし、「うるせぇよ」とすごむことも出来なかった。

ほんの数ヶ月前に、まさに思春期に突入した僕だったが、それでも姉を傷つけるようなことは決して言えなかった。優しかったのではない。怖かったし、面倒くさかったのだ。

「知らないよ。」

だから僕は、極力面倒くさそうにそう言うに留《とど》まった。姉はもちろん、僕の気持ちを汲《く》んでくれるようなタイプではなかった。

「高校の同級生なのよ。」

「え？」

「あの人の、高校の同級生。」

そう言われても、僕にはピンとこなかった。そもそも僕は母に高校時代があったということを、いまいちうまく想像出来ていなかった。母は生まれたときから「母」として生きているような気がしていた。母は世間一般でいう母らしくはなかったし、離婚してひとりの女性になったというのに、だ。

「卒業アルバムで連絡先調べて、めぼしい人に電話してたのよ、あの人。」

「めぼしい人？」

「自分のこと好きだった人とか、好きになりそうな人とか。」

そのくらいから、僕は姉の話を聞くことが、本格的に嫌になっていた。姉の言っていることは意味が分からなかったし、そもそも僕らに話さない母のやり口を、どうしてお前が知っているんだと訝った。

「テレフォンショッピングみたいよね。」

姉は、僕のことをじっと見ていた。ちょっとおかしいくらいの眼力だった。しばらく身内以外と接していないので、人との距離感がきっと、分からないのだ。人の目をいたずらに見続けることが失礼だとか、気配を察するとか、そういうことを、姉は一切学んでこなかった。

「知らんよ。」

僕は目を伏せた。それしか言えなかった。ラーメンがまずくなった。脂が浮いて、麺が伸びて、なるほどそれは確かに、体に悪そうに思えた。

僕がカップを持って立ち上がると、

が嫌だった。

姉の声は、広いリビングに響いた。テレビをつけていたが、姉の声がきちんと聞こえること

「つまりあの人、不倫してるのよ。」

僕は、グウ、とか、フウ、とか、とにかくおかしな声を出した、と思う。

「人間として、どうかしてる。」

台所に行き、シンクにラーメンの残りを捨てた。

「きっとバチが当たるわ。」

リビングから、姉の声が聞こえた。

僕は返事をせず、自分の部屋に逃げた。

とても悔しかったが、自分が動揺していることは否めなかった。それも、かなりの動揺だった。

母が不倫をしている。

当時僕はまだ、性行為を経験していなかったが、精通はしていたし、自慰も知っていた。一度覚えると、毎日毎日そのことばかり考え、右手が止まらなかった（ときには趣向を変えて左手も使っていたが）。

性交がどのようなものであるのかは知らなかったが、知らなかったからなおさら、それはとてつもなく嫌らしいものとなって僕に突き付けられた。僕は性交にまつわる言葉すべてに反応した。そしてその中に、「不倫」という言葉もあった。覚えたての自慰に明け暮れる、猿のようなガキにとって、「母の不倫」という言葉ほど衝撃的な言葉はなかった。それは、母が、性交と繋《つな》がっ

た瞬間だった。

僕はどうしたか。

姉を憎んだ。

今まさに不倫を、性交をしているかもしれない母その人より、それを僕に伝えてきた姉を憎んだのだ。そうしないと、このどうしようもなくやりきれない思いを、どう昇華したらいいのか分からなかった。

僕には、姉を恨むというブラックボックスに、すべてのやりきれない感情をほうり込んでいたようなところがあった。つまり僕は、小さな頃からめちゃくちゃだった姉のことを、いつの間にか、恨んでもいい存在だと思うようになっていたのだ。

父を恨むことも、母を恨むことも、僕には結局本格的に出来なかった。家族を憎むことが怖かったのだし、母を恨むことは尚更だった。姉は僕の紛れもない家族だったが、でもあまりに常軌を逸した姉を、僕はどこかで化け物のように思っていた。

僕は無意識で、僕の鬱屈した黒いものをすべて、姉を恨むという箱に入れたのだ。

もちろん、姉への嫌悪をあからさまに表明することはなかったし、姉に直接ひどい言葉を浴びせるようなこともしなかった。僕はそれだけで、自分がとても優しい弟だと思っていた。こんな姉を拒否しない、僕はとても出来た弟だと。

姉は、とても敏感な人だった。僕が姉のことをどう思っていたかは、きっと分かっていたのだと思う。

姉はおそらく、なかなか発露できない僕の悪意を、一身に受けた人だった。

その夜を境に、姉は、矢田のおばちゃんの家へ、ますます頻繁に通うようになった。

それは姉の予言でもあったのだろうし、呪いでもあったのだ。

「バチが当たるわ。」

矢田のおばちゃんの、いや、サトラコヲモンサマの新しい家が建ったのは、矢田マンションの4ブロックほど向こう、僕らが小さな頃、ローラースケートパークだった土地の一角だった。

とにかく不気味な建物だった。打ちっぱなしのコンクリート、ほとんど立方体の建物のところどころに丸い窓がつけられ、まるで目玉がたくさんあるコンニャク、といった感じだった。建物自体は小振りだったが、中に入ると3階までの吹き抜けになっており、周囲をぐるりと囲むように2階、3階の廊下があった。つまり、そこはものすごく大きなワンルームだった。

サトラコヲモンサマの祭壇（といっても、真っ白い布が敷かれた横に長い台に、例の「サトラコヲモンサマ」の札が乗っているだけだった）は、1階の奥に置かれていた。それは2階、3階からも見下ろせるようになっていた。

おばちゃんは、サトラコヲモンサマのことを、神様だとは言わなかったし、サトラコヲモン教、という風に名乗ることもなかった。当然自分のことを教祖だなどと喧伝《けんでん》してはいなかったし、そもそもおばちゃんは、新しい建物が建っても、あの2Kの狭い矢田マンションに住み続けた。

どこにも、その建物が新しい宗教施設であると明言するものはなかった。でも、その雰囲気だけで十分だった。その建物は、わが街で、浮きに浮いていた。

これは後に姉に聞いたことだが、建物を建てたあたりから、町内だけではなく、ほかの街からもたくさん人がやって来たということだった。サトラコヲモンサマは、何がしかの理由で、様々な人を引きつける存在になっていた。

姉は、新しい建物にも通うようになった。

はっきりは言わなかったが、姉もサトラコヲモンサマを信奉しているという、それは証拠だった。姉はもちろん、矢田のおばちゃんのことが大好きだったし、おばちゃんもそうだった。でもそれが、姉が新しい建物に行く理由にはならなかった。姉は明らかに、サトラコヲモンサマ自体に心奪われていたのだ。

姉やほかの人たちが、何をもってサトラコヲモンサマを信じ、何を祈っているのかは分からなかった。ただ、母はいい顔をしなかった。それはそうだろう。登校拒否になり、高校進学を拒んだ娘が、得体の知れない宗教（明言は出来ないが、母がそう思っているのは明らかだった）に熱心になっているのだから。

だが母は、もはや姉に何かを禁じること、何かを強制することを諦めていた。母は、「貴子は矢田のおばちゃんになついているのだ」と思うことで、この状況を受け入れようとした。

実際矢田のおばちゃんは、やはり全然変わらなかった。

あんな建物を建てたことで、最初は矢田のおばちゃんを訝っていた近所の人たちも、やがておばちゃんのあまりの変わらなさに安心し、黙認するようになった。それに、おばちゃんはこの街のコルレオーネだ。大なり小なり、世話にならなかった人などいなかった。おばちゃんは、皆からの厚い人望があったのだ。

ある人は、

「あれだけ人望と影響力がある人なんやから、教祖なんかぴったりやん。」

そう言ったし、ある人は、

「いや、そもそもあれはおかしな宗教みたいなもんやない。あの人は優しい人やから、困った人が行ける駆け込み寺みたいなもんを作ったんやろう。」

そう言った。

つまり誰も、おばちゃんのことを嫌いたくなかったのだ。

その証拠に、あの建物を建てるための資金が、サトラコヲモンサマの祭壇に置かれた数々の金品によるものだと知っていても、誰もそのことに触れなかった。古びた矢田マンションの家賃収入だけで、サトラコヲモンサマ御殿を建てられるはずもなかったが、皆そう信じようとしているみたいに見えた。

僕だって、おばちゃんが好きだった。

僕は中学2年になっても、つまりややこしい時期を迎えるようになっても、おばちゃんのことが好きだった。おばちゃんは道で会うと、僕にサッカーの調子はどうか、と訊いてくれた。僕が話すと、静かにうなずき、時々嬉しそうに笑った。そして別れ際、５００円玉や、多いときには１０００円札をくれ、

「これでジュースでも買い。」

そう言って肩を叩いてくれるのだった。

時々、姉と一緒に歩いているところにも遭遇したことがあった。姉は、何を気取っているのか、黒い服しか着なくなった。おばちゃんは、スパンコールのついた派手なスエットやセーターを身

に着け、その貫禄たるやアメリカのギャングスターのようだったが、その隣で、全身黒い服に身を包んで歩く姉の姿は、喪に服した未亡人といった体だった。姉は18歳になっていたが、おばあさんにも見えたし、小さな子供みたいにも見えた。とても痩せていて、細い目だけがギョロリと光った。おばちゃん自身は怪しくないのに、姉が率先して「サトラコヲモンサマ」を怪しくしているようなものだった。

それでも姉は、「サトラコヲモンサマ」に参ると、心が落ち着くようだった。

姉と母の冷戦は、今橋家で継続されていたが、以前のような一触即発といった雰囲気ではなく、惰性で憎み合っているという感じになった。

姉は、直接母に攻撃を加えることをやめ、「いつかバチが当たる」という大いなる力に委ねるようになったのだ。自ら恨み攻撃することをやめた姉は、少しスッキリしているように見えた。だから祖母も夏枝おばさんも、姉が熱心にサトラコヲモンサマに参ることを、止めることが出来なかった。

サトラコヲモンサマが、誰かの代わりにバチを与える類のものであったのかは分からなかった。そもそもサトラコヲモンサマがどのような教義（あるとすればだが）を持っているのか、どのような神様（神様であったなら）なのか、誰も知らなかった。当のおばちゃんが一番知らない顔をしているのだから、話はややこしかった。

だが、おばちゃんが無関心でいようが、姉が熱心でいようが、サトラコヲモンサマは、それ自体でどんどん大きくなった。小さな建物には、毎日のように人が訪れ、様々な金品を置いて行った。

そうして建物は大きくなった。おばちゃんは、ローラースケートパークだった土地のほとんどを買えるまでになっていた。

その頃、僕に、生まれて初めて彼女が出来た。

彼女といっても、デートをするわけでもない、もちろんキスなんてすることもない、ただお互い好きだと確認し合った仲の女の子だ。

中学2年生になった途端、校内で急に色恋沙汰が盛んになった。

初めは中学1年生の続きみたいなもの、誰が誰を好きらしい、に始まる、他愛のないことだったが、それはたちまち学年最大のトピックになった。

これまで僕にも、いいなと思う女の子は数人いたし、サッカー部の部室で「●組の誰それは可愛いよな」とか、「○○は走るとおっぱいが揺れる！」などと言って盛り上がることがあった。だが、そこまでだった。僕らにはサッカーの練習があったし、先輩からのいびりがあったし、慣れない中間、期末試験があった。女の子のことを思うことがあっても、日常の様々な雑事に心煩わされ、なかなか恋を現実の領域にまでおろしてくることが出来なかった。中学1年生の僕らにとって、恋愛はまだテレビの中で起こることだったし、3年生のヤンキーたちにだけ許された僥《ぎょう》倖《こう》だった。

でも2年になり、学校にも慣れ、僕たちにも余裕が出来てきた。

サッカーゴールをしまうことも、運動場をならすことも、新しく出来た後輩の役目になったし、中間、期末試験の手の抜き方も分かって来た。レギュラーを獲得するという最大の目標はあったが、それはおのおのの熱意に任されていた。僕にはもちろん熱意があったが、それで身を焦がすほどではなかった。

クラブチームで活躍するサッカー選手になりたいと思ったのは6年生のある一時期だけだった。僕はこのまま楽しみながらサッカーが出来ればいいと思っていた。夢のない中学2年生だ。でも実際、僕には目を見張るほどの才能はないと思っていたし、僕らのチーム自体も凡庸だった。たまに練習試合で、私立の強豪チームに当たると、彼らの技術と熱意、何より絶対に何者かになってやる、というギラギラした野心に怯えた。こんな奴らがきっとプロになるんだ、僕にはその資格はない。僕は早々にそう思うようになった。

空前の恋愛ブームに最初に火をつけたのは、ある生徒だった。

環境クラブという地味なクラブに所属している生徒だった。長内《おさない》という奴で、天パの髪の毛は爆発し、顔にニキビのある、いかにも冴《さ》えない生徒だった。その長内が、同じ環境クラブの部員である土生《はぶ》ちえりとつき合い始めたのだ。

正直、土生も全然可愛くなかった。なんだか全体的にもっちゃりしている印象で、乱暴にしばった髪の毛は腰まであって、その上パサパサと乾燥していた。ぴちぴちした女子生徒というよりは、どこかおばちゃんっぽい雰囲気があった。

そんなふたりが、手を繋いで登校するようになったのだ。それは、センセーショナルな風景だった。皆、ふたりが登校してくると、囃《はや》し立てたり軽口を叩いたりした。

「まじで羨ましくないわー!」

そんな失礼なことを言う奴もいた。でも、ふたりがお互いを恋人であると認めているその状況を、結局皆、心のどこかで羨ましがった。

長内は2組、土生は4組だったが、長内はわざわざ土生を4組まで送って行った。そして、頭を撫でて別れるのだった。その仕草も、もちろん散々なからかいの対象になったし、中には「オエーッ!」とゲロを吐く真似をする奴までいたが、最後にはやはり皆黙ってしまった。ふたりは幸せそうだった。

長内は、相変わらず爆発した天パでニキビ面、みっともなかったが、その仕草はとても大人に見えた。全然「おさない」なんかではなかった(やがて長内のことを、「おさなくない」と呼ぶのが、僕らの間で流行った。中2の男子なんて、そんなものだ)。

あんな奴に先をこされた、皆そう思った。

正直サッカー部は環境クラブより格が上だ(そもそも環境クラブって、何をするんだ?!)。格上の俺たちに彼女がいないなんて、おかしいではないか! というわけだ。

それは僕たちだけが思ったことではなかった。バスケ部も野球部もハンドボール部も、きっと吹奏楽部も、漫画部だって思っただろうことだった。

俺たちは、環境クラブには負けない(だから、環境クラブって、何をするんだよ!)。

そこから、学年中に告白の風が吹き荒れたのだ。

告白には、二種類あった。まず、好きな人を友人に告白すること。そして実際、その思いを本人に告白することだ。そのどちらも、盛大に盛り上がった。もちろん最大の目標は後者ではあったが、生えたての毛のあるちんちんを、自慰で酷使していた僕らにとって、好きな女がまず出来るということ、そのことを仲間と共有することだけでも、十分センセーショナルなことだった。サッカー部でも、「お前誰好きやねん?」は、もはや合い言葉のようになった。皆最初は教えたくないと散々ごねたが、いずれ素直に自分の好きな人を告白した。結局皆、言いたくてたまらないのだった。

僕がこの部活を好きなところは、好きな人がかぶっていても、それでチームの雰囲気が悪くならないことだった。

僕らの一個上の先輩は、嫌な奴ばかりだったが、僕らの学年はどういうことか、素直ないい奴ばかりだった。もしかしたら、先輩にさんざんいびられたからこその団結だったのかもしれないし、こんな雰囲気だからこその凡庸だったのかもしれないが、とにかくチームの雰囲気はとても良かった。特に夏が終わり、3年生が引退してからは、僕らの結束はより強くなった。1年生をいびったりすることもなかった。中には、僕らに対してタメロで接してくる1年生までいたが、それはそれで、そういう奴だと認める穏やかな雰囲気が、僕らの部室にはあった。僕は部室が好きだった。

学年の可愛い子は限られていた。サッカー部内でも、4人が同じ女の子のことを好きだった。雑賀真琴《さいがまこと》という、陸上部のショートカットの女子だ。雑賀を好きな4人は、その事実を知ったところで、

「やっぱりなぁ!」

「お前もか!」

「雑賀可愛いもんなぁ!」

という感じだった。つまり、友人と女の子を取り合う、という状態を想像することが出来なかったのだし、そもそも女の子とつき合う、ということ自体現実的ではなかったのだ。

僕も正直、雑賀は可愛いと思っていた。でも、自分が可愛いということを、すごく分かっている感じがして、それが鼻についた。まず雑賀は、陸上部なのに全然焼けていなかった。日焼け止めを塗っているのだ。真っ黒に焼けた部員の中で、色の白い雑賀は目立った。それに雑賀は、陸上部のユニフォームの着方が人と違っていた。部員はランニングシャツにショートパンツを穿いていたが、雑賀はシャツの裾をキュッとしばっていた。だからシャツの裾から、お腹がちらりと見えた。その皮膚も真白で、つまり雑賀はお腹にも日焼け止めを塗っているのだった。

雑賀を姉と比べるのはまったく申し訳なかったが、僕はどうも「私を見て！」的な女の子には、恐怖に似た嫌悪を感じるようだった。だからといって、自分の容姿にまったく構わない、例えばすね毛が渦になっている遠地香苗《おんちかなえ》や、眉毛が繋がっている城之内《じょうのうち》より子などは論外だった。

僕が好きになったのは、つまり僕の初めての彼女は、有島美憂《ありしまみゆう》という生徒だった。

僕以外に有島を好きな部員はいなかった。そのことに僕は驚いた。中には、

「有島って誰？」

そんなことを言う奴までいた。

有島は部活に入っていなかった。部活のさかんな僕らの学校で（環境クラブまであるのだから）、それは珍しいことだった。だから皆おそらく、有島のことを知らないのだろうと思った。サッカー部員が接することが出来るのは、クラスメイトか、放課後運動場で部活をしている生徒だけだったからだ。

有島は、確かに一見すると地味に見えた。

目が特別大きいとか、エクボが出来るとか、分かりやすい美点を持っていなかった。でも、有島はとても綺麗な肌をしていた。透き通るような、という表現がぴったりのきめ細やかな肌を、僕がどうして知ったのかというと、それはある日の放課後のことだった。

勇んで部活に行こうとした僕が教室を出ようとすると、有島がちょうど入ってくるところだった。有島は僕のクラスではなかったが、僕のクラスにいる八幡恵子《やわたけいこ》と仲が良かった。八幡も、有島と同じく部活に所属していない珍しい生徒のひとりで、でも地味だったし、だからといって馬鹿にされたりからかわれるようなタイプでもなく、ただひっそりと教室にいる生徒だった。

「あ！」

ぶつかりそうになって、咄嗟《とっさ》に身をかわすと、有島もかわした先が同じだった。その瞬間、前のめりだった僕と有島の距離は、数センチほどになった。すぐに離れたので、それは1秒にも満たない時間だったが、そのとき僕は、有島の皮膚をありありと見た。有島の頬はうっすらとピンク色で、薄い陶器のようだった。それが、僕の心を射抜いてしまった。

女子生徒の中には、おそらく有島のように肌の綺麗な子もいたと思う。でも、その子たちと僕が、数センチの距離に近づくことはなかった。ただそれだけか、と言われると本当に恥ずかしいのだが、それだけだった。僕は有島の肌を、数センチの距離で見たのだ。

有島のことなど、まるで気にしたことがなかったのに、それから僕はたびたび、有島の肌を思い出すことになった。毛穴がほとんど見つからない、すべすべと音がしそうな肌を、僕はスローモーション再生で反芻《はんすう》した。

僕は有島を、意識して見るようになった。廊下を歩いている有島を、そして放課後僕の教室にやって来る有島を。

有島は大体ひとりだった。イチャイチャとつるむ女子生徒の中で、それは珍しいことだった。その孤高な感じにもグッときたし、有島はつまり、誰にどんな風に見られてもあまり気にしないのだろうなと思った。姉や雑賀とは真逆のタイプだ。だからといって、遠地や城之内とは違って、有島には清潔感があった。

有島は肩くらいまでの髪の毛をしていた。肩に届く髪は縛ること、という学校の校則を、ギリギリでかわすことが出来る長さだった。髪の量が少ないのか、耳が大きいのか、うつむくと髪の間から耳が見え、それが僕をどうしようもなく興奮させた。耳は耳だ、僕にもオーツにも顧問の滝谷にもついているものなのに、それが有島のもので、有島の髪の間から出ているものだと、途端に尊いものになった。

部員たちは、僕が有島を好きだと言ったことで、有島を意識して見るようになった。皆大体、初めの感想は「地味やん」だったが、日を追うごとに、

「なんか可愛く見えてきた。」

そう言うのだった。僕は、有島の可愛さを僕だけが見つけることが出来たことを喜び、ひそかにおごった。

そしてある日、僕らは「お互いに好意を持っていると認識する仲」になった。僕が告白したのではない。僕にはそんな度胸はなかったし、それはつまり恰好悪いことになりたくないというプライドから来るものだった。

部員には勇気のある奴がいて、誰かに思い切って告白していた。中には成就する奴もいたし、玉砕する奴もいた。僕らはそのどちらにも喝采を送った。僕らはきっと、告白する行為そのものを楽しんでいたのだと思う。

溝口《みぞぐち》という奴なんて、一番好きな玖波沙織《くわさおり》にフラれてからは、2番目、3番目と告白してゆく告白アディクトみたいになっていた。そしてとうとう、7番目に好きな子に告白して成就したときには、実はそんなに好きではなかったことに気づき、ずいぶん気まずい思いをしていた。僕らは溝口を笑ったが、それは溝口の勇気に対する称賛でもあったし、溝口の馬鹿さ加減に対する好意的な蔑みでもあった。正直、女の子の気持ちなんてどうでも良かった。僕らはとことん自分勝手に、このブームを楽しんでいたのだ。

サッカー部以外の奴でも、何人か告白をし、成就している奴がいた。

雑賀は様々な男子生徒に告白され、最終的にバスケ部の須崎《すざき》という奴と付き合うことになった。須崎は男から見てもハンサムだったし、何よりちょっと不良っぽい雰囲気があった。雑賀が須崎のものになったときも、サッカー部の部室は賑やかだった。雑賀のことを好きだった4人は、告白する勇気もないままに雑賀を失ってしまったことを嘆いてはいたが、どこかでそんな自分たちを笑ってくれ、というような自虐の楽しみを感じてもいるようだった。僕らは大げさに4人を慰めた。雑賀が誰かに告白されるたび、その情報が学内を駆け巡るので、僕は雑賀が言いふらしているのだろうと思っていた。そんな女、僕なら願い下げだったが、4人は地団太を踏んだり、床をゴロゴロ転がったりして、ショックを表していた。そしてますます結束を固め、

「俺らにはサッカーしかないんじゃ！」

そんな風に叫んで、また爆笑を誘っていた。

正直僕は、この4人のように、いつまでも男同士でつるんでいたかった。有島のことははっきりと好きだと言えたが、有島との恋が成就して皆に羨ましがられるよりは、こうやって皆を笑わせ、肩を組んでいたほうが楽しいだろうと思っていた。僕は背が高く、顔も整っていたので、部員の皆には、

「イマバは絶対モテる！」

そんな風に言われていた。もちろん嬉《うれ》しかったが、そういう役回りよりは、溝口みたいな、皆に愛される、憎めない奴という称号を頂戴したかった。実際溝口は、顔が大きく、背も低くてずんぐりしていたが、男子にも女子にも人気があった。学園祭では4人組のひとりである高知《こうち》とコンビを組んで漫才をしたのだが、ネタは溝口が書いた。今思うと、中学生らしいくだらないネタだったが、全校生徒の前で道化をやってのけ、皆に笑われている溝口は、すごく恰好良かった。それは、オーツとはまた違う男らしさだったし、僕には決して持ちえない魅力だった。

僕も皆と一緒になってふざけたが、やはりどうしても受けだった。自ら率先して面白いことが出来なかったし、やったところで溝口のような破壊力がないことは分かっていた。溝口の笑われる笑いは、溝口だから成立するのであって、僕のような人間がやると、同情されるか、白けてしまうのだ。

僕は溝口や4人組に強烈な憧れを持ちながら、皆と一緒になって彼らを馬鹿にし、からかった。皆で笑っているとき、この時間がいつまでも続けばいいのにと、何度も思った。

自分のプライドの高さもあるが、僕はだから、告白しなかった。有島が通るたび、

「めっちゃ可愛いやん！」

そんな風に叫んで皆に笑われる状態で居続けるのは、とても居心地が良かった。それは僕が唯一皆に笑われることが出来るトピックだった。つまり、皆に好意的に馬鹿にしてもらえる瞬間だった。

だが有島は、そんな僕の気持ちなど、もちろん察していなかった。有島はいよいよ、僕に告白してきたのだ。

僕が有島に対して好意を持っているということは、伝わっているようだった。

例えば有島が通ると、部員たちは「イマバ！」と叫んだし、偶然廊下などですれ違うと、クラスメイトが僕をつついたりしていたからだ。だからか、僕が有島を見ると、有島も僕を見ていることがよくあった。

僕はそれで十分だった。

「目があった！」

と騒ぎ、皆にからかわれ、「はよ告白せぇよー！」「いやあかん、怖すぎる！」そんな風に言い合う時間を、大切にしたかった。

でもある日、僕は八幡恵子から手紙を渡されたのだ。

「これ、美憂から。」

普段地味な八幡と、僕はこのとき初めて喋ったのだと思う。八幡も、ちょっと緊張しているみたいに見えた。手紙は薄い水色に、小さな白い水玉があしらわれていた。

手紙の内容は開かなくても分かった。でももちろん開いた。読んだ。例の数センチの瞬間のこと、そのときから僕のことを意識していること、何度も目が合うことが嬉しいこと、などが、小さな丸い文字で書かれていた。

最初の反応は、恥ずかしながら勃起だった。僕はこんな神聖な瞬間にでしゃばってくる性器を責め、とりあえず黙らせるために左手でケリをつけた。そしてスッキリした体と頭で、また改めて手紙を読んだ。僕はそのとき初めて、心から喜ぶことが出来た。

両想いだ。

そのとき僕の心に浮かんだのは、たくさんのクレヨンだった。ピンク色と、青色のクレヨン、僕の記憶の棚から、幼稚園の頃のクレヨンが溢《あふ》れてきた。僕は自分の記憶力に驚いた。そしてクレヨンと同時に浮かんできた「みやかわ　さき」にも。

僕は「みやかわ　さき」の胸につけられた名札の、「みやかわ　さき」という文字ひとつひとつまで、はっきりと覚えていた。「みやかわ　さき」にもらった、はだ色のクレヨンのことも、「みやかわ　さき」の、爬虫類みたいな顔も、今ここで見ているように、網膜にはっきりと浮かんだ。

するとまた、固く勃起した。僕は自慰にふけりながら、もしかして自分には幼児性愛の傾向があるのではないだろうかと不安になった。

28

有島との恋が始まるということは、男同士の、他愛なくも楽しい時間が終わるということだった。

部員の中で恋が成就した奴は、皆から祝福を受けたが、同時にどこかで線を引かれることにもなった。例えば部活が終わった後、

「お前は彼女と帰るんやろ？　えーなぁ！」

というような。

彼女と一緒に帰る奴を見ると、すごく羨ましいのは事実だったが、男同士でふざけながら帰る楽しさには、到底替えられなかった。ヒューッとはやしたてられる側より、はやしたてる側のほうが、いつだって嬉しそうな顔をしていた。僕らはガキだったのだ。

皆に羨ましがられることは間違いなく快感にはなったが、でもそれで皆と距離が出来ることが、僕は嫌だった。実際溝口は、皆と帰ることが出来なくなったことが寂しくて彼女と別れたのだったし、それから誰かに告白されても、滅多なことで付き合わなくなった。

僕はどうしたか。

保留にした。有島の気持ちが分かっただけで十分なのだから、僕はその優越感、幸福感を棚にあげることにしたのだ。そして当然、部員にもそのことを言わなかった。

有島からしたら、じれったかったことだろう。

僕の好意という確信を得て手紙を渡したのに、いっこうに返事がこない。しかも張本人の僕は、有島がそばを通るたび、「ほら」とか、「がんばれよ」とか言って、皆にからかわれているのだから。

そんな状態が1ヶ月ほど続いただろうか。有島はとうとう、強硬手段に出た。

サッカー部の練習が終わるのを、待つようになったのだ。

これには僕も困った。僕が手紙をもらったことを知らない連中からすれば、有島が運動場の端にあるベンチに座り、じっと僕らの練習を見ているこの状況は、落ち着かないものだったろう。手紙をもらったことを隠していたことがバレたら、楽しい時間どころか、友情すら失いかねない。僕もとうとう、腹を決めねばならなかった。

おかしな話だが、僕は両想いの女の子に、しぶしぶ告白しなければならなかったのだ。

僕は皆の前で、有島に告白した。

ひとりで有島の前に立つ勇気がなかったこともあるし、この告白そのものを、皆で笑ってほしいという意図もあった。成就することが決まっているのであれば、なるべく滑稽で、親しみのあるやり方で、皆を喜ばせたかった。

「有島さんのことが好きです。」

皆、ベンチで告白している僕を、グラウンドで見ていた。有島は、すごく嬉しそうな顔をした。同時に、「あれ、手紙は?」というような、不思議そうな顔も。僕は手紙の話が出たら、無視しようと決めていた。僕の背後には、サッカー部員が全員いた。皆、聞き耳を立てていたのだ。幸

い有島は手紙のことに触れることなく、

「私も好きです。」

と言ってくれた。背後で、皆がオーッとどよめくのが分かった。有島の口から、実際「好きです」という言葉を聞くと、僕の体は高揚し、くらくらするほど嬉しかった。だが同時に、「ああ、あのどよめきの中にいたかった」と、悲しい気持ちにもなった。僕はまったく、おかしな状況にあったのだ。

僕と有島が恋人同士になったことは、たちまち学年中に伝わった。

それはそうだ。皆の前で告白したのだから。僕はクラスメイトにからかわれ、女子達にチラチラと見られるようになった。自業自得ではあるが、恥ずかしくて仕方なかった。

一方有島は、堂々としたものだった。休み時間になると僕のクラスを訪れ、僕に手紙を渡していった。皆もちろん、僕のことを見ていた。僕はその視線に耐えられなかった。だから有島に、ものすごく素っ気なく接することになった。そうしたときの有島の、失望した顔を見るのは嫌だったし、それでも有島がめげずにクラスに来ることも嫌だった。

もっと嫌だったことは、八幡の僕に対する態度が変わってきたことだった。クラスでも地味な存在だった八幡が、何かにつけ僕に話しかけてくるようになったのだ。それも、とても親しげに、例えば、

「今橋ぃ、あんた、宿題ちゃんとやってきたん?」

「ちょっと、今橋、消しゴム貸して!」

などといった感じだ。僕が憮然としているとわずかにひるんだが、そうすると八幡は、

「美憂に返事書いてやってよー。」

そう、有島の名前を出すのだった。

八幡がそんな風に言うとき、クラスの女子が不穏な空気になるのが、自分にも分かった。八幡は、クラスの女子にアピールしているのだ。私は堂々と、こんなに仲良く今橋と話せるのよ、と、八幡は言っているのだ。ということはつまり、僕は、女子が気安く話せることを、自慢されるような男子生徒なのだった。

僕は自分をみくびっていた。今まで告白されたことがなかったものだから、自分の、女子の中での格を考えたこともなかった。

僕の格は、上なのだ。

サッカー部、身長、顔。僕の手元には、たくさんの青いクレヨンがあったのだ。

調子に乗った馬鹿だと思われるだろう。だが、許してほしい。僕は14歳だったのだ。実際有島の手紙にも、こんなことが書いてあった。

『私が今橋君とお付き合いするようになって、みんなが私をうらやましそうに見ています。はやく一緒に帰りたいです。一緒に歩いて、この人は私の彼氏よと、みんなに自慢したいな。』

僕はもちろん、有島の「一緒に帰りたい」に喜んだのではなかった。「みんなが私をうらやましそうに見てい」ることを、喜んだのだった。

嫌な奴だと蔑まれても構わない。思春期の男子なんてそんなものだと、僕ははっきり断言しよう。

僕はだんだん、有島に告白したことを、後悔するようになった。有島はマメに手紙を書き、僕に寄越したが、僕は返事を出さなかった。そして、これが一番重要なことだが、有島美憂そのものに魅力を感じなくなってきていた。

僕の中で有島は、女子と群れない孤高の女子生徒のはずだった。でも実際の有島は、ただの友達のいない奴だった。八幡、という地味な友達以外には。

僕、という恋人を得て、しかも、皆の前で告白されるという出来事によって、有島は俄然《がぜん》学年の有名人になった。白い肌は相変わらず綺麗だったし、髪の毛からちらりと覗く耳は僕をドキリとさせたが、有島の表情に、なんともいやらしいものが見うけられるようになった。

有島は僕のクラスに来るとき、いつもどこか誇らしげだった。少し口角を上げ、髪の毛を耳にかけ、以前はそんなことはしていなかったのに、制服のブラウスの第二ボタンまで開けるようになった。それは、学校でも、美人のヤンキーにしか許されていないことだった。

有島はつまり、自信を得たのだ。

それは決して、悪いことではなかった。しかも自信をつけさせた相手が僕となると、男として喜ばしいことのはずだった。

でも僕はどうしても、有島の、「私を見て！」という雰囲気に、ガッカリしてしまうのだった。それはもちろん、悪名高い姉の影響だったし、僕自身の処世術から、最も忌避していたものでもあった。

有島は僕の前で可愛らしい仕草をするようになった。それは実際可愛かった。有島は驚くことに、本当にどんどん可愛くなっていった。今まで有島なんか洟《はな》もひっかけなかった男子が、有島のことをチラチラ見るようになり、そうすると有島は、もっと輝いた。だが僕は、有島から垣間《かいま》見える「見て！」という欲望を、どうしても可愛いと思うことが出来なかった。

　僕は有島に雑賀と同じような印象を持つことを悲しんだ。しかも有島は、雑賀ほどは可愛くなかった。自分から好きになっておいて、有島にそこまで出来る権利はないと思っている僕は、すごく嫌な奴だった。

　一方で僕は、有島といやらしいことをすることを想像して、自慰にふけってもいた。想像の中で有島は、昔の有島だった。廊下をひとりで歩き、人に見られることなど意識しない、僕が好きなだけだった頃の有島だ。陶器のような肌を、髪の毛の間から見える耳を想像しながら、僕は右手を、ときには左手を動かした。

　自分勝手なことは分かっている。でもそれを、実際の有島に要求しないだけの配慮は、僕にもまだあった。

　僕たちは、何もしないまま別れたのだ。

　考えられない？　そうだろう。僕もそう思う。でも、追い詰められた僕には、ほかに選択肢がなかった。

　僕達は、キスもしなかったし、手も繋がなかったし、そもそもふたりきりで会ったことすらなかった。ガキの恋とはいえ、あまりにもお粗末だった。

　別れを告げたとき、有島は傷ついたようだった。それはそうだ。僕達の間では、まだ何も始まっていないのだ。それにそもそも、告白したのは、僕の方なのだ。

　有島の傷ついた顔を見て、僕の胸はとても痛んだ。自分がただややこしい男というだけで、有島を翻弄してしまったことが申し訳なかった。申し訳なさのあまり、別れを撤回しようと思ったほどだった。

だが、次の言葉を聞いて、僕は固まってしまった。

「恵子に何か言われたん？」

「え？」

訊き返した僕に、有島はさらに詰め寄った。

「恵子に、何か言われたんやろ？」

今まで見たこともない、厳しい表情だった。

「だってあの子、今橋君に手紙渡してくれてへんかったやん。」

「え。」

「私が初めて渡した手紙。」

それはもらった、とは、言えなかった。ではどうして放っておいたのか、あんな告白の仕方をしたのかと訊かれると、うまく説明する自信がなかった。僕は卑怯にも、黙っていた。

「あの子絶対、今橋君のこと好きやん。」

今目の前で、有島から何かが溢れようとしていた。それはきっと悪いものだろう。僕が見たくないものだろう。だからこそ僕は動けなかった。臆しながら、ただ黙って、有島を見ていた。

「私が今橋君と付き合うようになったから、あの子も今橋君と対等みたいな感じになってるけど、違うやん？　調子に乗ってるねんて。あの子に私のことで何か言われたんやったら、絶対信じんといて。絶対私らのこと、嫉妬してるんやし。」

僕の心の中で、クレヨンが折れた。何色か分からなかったが、とにかく折れた。ポキリ、という音がした。僕はもしかしたら、わずかに震えていたかもしれなかった。だが、別れのその瞬間まで、有島の前で恰好悪い自分を見せたくなかった。僕は力を振り絞り、

「八幡は、関係ないよ。」

やっと、それだけ言った。

有島は、ハッとした表情をした。思いがけず動揺したその顔は、可愛かった。とても可愛かった。でも僕は、もう有島のことを好きだとは思えなかった。

「サッカーせなあかんし。」

僕はそう言って、その場を去った。つまり、逃げた。

あんな憂鬱な帰り道はなかった。でもそれは僕のせいだった。僕だけのせいだった。

僕はきっと、有島と一緒に帰り、恥ずかしそうにお互いのことを教え合ったり、次に会う約束をしたり、手を繋いだり出来たはずだったのだ。でもそれを、こんな風に終わらせてしまった。

この初めての、そしてとてつもなく苦い恋愛経験は、のちの僕の恋愛に、少なからず影響を与えるようになった。

29

僕の初めての恋愛は、僕に消えない傷を残したが、母にとって父との離婚は、そこまでの傷にはなっていないようだった。少なくとも、僕にはそう見えた。

僕はもちろん、圷家の阿鼻叫喚を、そしてその後にやってきた不気味な静けさを忘れてはいなかった。帰国直後の母は、それらの残滓《ざんし》を感じさせるほどに、とても疲れた人だった。祖母に甘え、夏枝おばさんに愚痴を言い、そして好美おばさんには、あまり会いたがらなかった。

以前から母は、金持ちに嫁いだ美人の好美おばさんを、自分と比べているようなところがあった。海外赴任でリードしていたと思っていた自分が、その海外赴任終了と共に離婚してしまったことで、なんとなく好美おばさんに引け目を感じていたのだろう。もちろん好美おばさんは祖母の家を訪ねてきたし、そのときは母もおばさんと長い話をしていたが、好美おばさんの「家に遊びに来てよ」という誘いは、なんだかんだ理由をつけて断っていた（僕にとっても姉にとっても、それは都合がよかった。姉はまなえに会いたくなかったのだし、僕は義一と文也に会いたくなかった）。

好美おばさんから隠れるようにしている母は、いかにも失敗した人といった感じだった。少なくとも母は、そう思っているようだった。でも今は、まるでそんな過去などなかったかのように、今橋奈緒子として、生き生きと自分の時間を楽しんでいた。

まず母は痩せた。元々すごく細い人ではあったが、日本に帰国してからの数年で、腰回りや顎の下にうっすらと肉がついていた。太った、というほどのことではなかったが、なんとなく輪郭がぼやけた、といった印象があった。その輪郭が、いつの間にかまたキリリとしまってきた。ゆったりした服をやめ、家の中でもタイトスカートを穿《は》くようになった。祖母にほとんど任せていた料理にもまた精を出し、育ち盛りの僕でも食べきれないほどの皿をテーブルに並べた。

母は、明らかにウキウキしていた。

有島と両想いになれたとき、怖いくらいの幸せを感じた瞬間は束の間で、僕はなんとなく憂鬱だったり、罪悪感にさいなまれたり、羞恥心に襲われたりしていた。つまり、そんなに楽しくなかった。恋愛におぼつかない者がすることだから、仕方なかったのかもしれない。でも、母を見ていると、「恋愛ってそんなに楽しいのか」と、改めて驚かざるをえなかった。

母は、1週間に一度、平日の夜に必ず出かけた。そのときは、この町で出来る最大のお洒落《しゃれ》をしていた。また頭にスカーフを巻くようになったし、ときには爪を紫色に塗った。細いジーンズを穿くと、母のスタイルがいいのだと否応なしに思わされたし、中学生の息子を持っている母親がおよそ履くとは思えない高さのヒールの靴が、玄関に置かれていた。

姉は母が不倫をしていると言った。

僕の中で不倫というものは湿っぽく、後ろ暗いもののはずだった。なのに母からは、そのような雰囲気が微塵《みじん》も感じられなかった。母は、それこそ有島や雑賀と同じようなはしゃぎようで、自分の恋心に向き合っていた。

母が生き生きと楽しそうなのは良かった。今橋家には、未だ姉の宗教化という大きな問題が顕在していたが、母がもはやそのことすらものともせず笑っているのは、息子にとって安心出来ることだったし、少なくとも悩まれたり泣かれたり機嫌が悪くなって当たられるよりは良かった。つまり勝手にやってくれという感じだった。

ひとつだけ引っかかったのは、父のことだった。

母は相変わらず父から仕送りをもらっていたし、この家のローンだって、知らぬ間に月々の支払いが続けられていた。父はおそらく母がウキウキと恋愛をしていることなど知らないのだろう。自分が送った金で母が服を買い、めかしこんで男に会いに行っていると知ったら、父はどう思うのだろうか。

僕は帰国後も、月に一度か二度は、父に会っていた。中学に入ってから急に忙しくなったので、その機会は減ったが、そういうときは父がサッカーの練習試合を見に来てくれたり、何故か母がいないときをうまく見計らったように電話がかかってきた。

電話の父は、乾いた声をしていたが、あの最悪の数ヶ月を思わせる陰鬱さからは、だいぶ逃れられているようだった。時々「お母さんは元気か」そう訊いてくることはあったが、それは便宜上そうしているだけで、例えば僕が「元気ないねん」とか、「なんか最近おかしいねん」などと答えることを、明らかに想定していない訊き方だった。つまり「もうかりまっか」「ぼちぼちでんな」と同じように、「お母さんは元気か」「元気やで」という、それはただの挨拶だったのだ。

中学3年になって、僕も高校の進路を決めなくてはならなくなった。

母は自分の恋愛にかまけていたし、まさか僕が姉のようなトリッキーなことをするとは考えていなかったのだろう。もちろん僕もそのつもりはなかったが、進路を決めなければいけないと伝

えたときの母は、

「お父さんに訊いて。」

その一言だった。

金を出してくれるのは父だったし、間違いではなかった。だが、母のあまりの素っ気なさに腹が立った。もう少しで、「男のことで夢中だから、息子の受験には興味ないのかよ」的なことを言うところだった。言っても良かった。でも、そう言った後の、母の傷ついた顔を見るのが嫌だったし、母が恋愛をしていることに嫉妬しているガキだと思われるのも嫌だった。

僕は私立に行きたかった。私立の男子校だ。学力は中の上といった感じ、ここから電車を乗り継いで1時間ほどかかった。校風に惹かれたというわけではなかったし、習いたい特殊科目があるわけでもなかった。

溝口やオーツ、僕の仲の良い友人が行くと言っていたからだ。

僕という人間なんて、そんなものだ。僕の中には、強い衝動というものがなかった。サッカーは好きだったし、練習だって熱心にしたが、そもそもは「男らしくならなければならない」という思いから始まったことだった。

恋愛もそうだった。有島のことは好きだったが、成就した途端自分の生活が変わることを怖がり、あんなことになってしまった。有島との失敗を経て、僕はますます自分の意気地のなさを思い知らされた。

そして、とても卑怯《ひきょう》な心の持ち主であることも。

有島に「サッカーをしなければいけない」と宣言して別れを告げた手前、僕はほかの女の子と付き合うつもりはなかった。それにせっかくまた、男同士で慰め合い、笑い合う時間を手に入れたのだ。この生活を、守るべきだった。

でも正直、女の子にはどうしても目がいった。有島よりも可愛い子はいっぱいいたし、そんな女の子たちが、有島と僕が別れたと知った途端、俄然色めき立っているという噂を聞くようになった。

どうやら僕は、もともと持っていた安定した株に加え、有島に人前で堂々と告白したことで、さらにその株価をあげたらしい。一度そうなると、あとは簡単だった。小学校から知っている女子たちは、そういえば男子が女子をからかっている中、今橋君だけはそんなことはしなかったと言いふらしてくれ、運動部の女子たちは、サッカーを熱心にしている姿が素敵だと騒いでくれ、そのほかの女子達は、変にはしゃがず、思慮深いところがいいと広めてくれた。何より無粋な子は、

「あの顔が素敵！」

そう、高らかに叫んでくれた。

僕は正直、「有島にあんなことを言わなければ良かった」と思った。有島と付き合わず、もう少し待っていれば、僕は学年中の可愛い子を選び放題だったのではないか、そう想像して悔やんだ（どちらかというと嫌いだったはずの雑賀が別れたと聞いたときすら、「有島のことさえなければいいけたんじゃないか」と思った）。

僕はお門違いに、有島を憎むようになっていた。有島が、あっさりほかの誰かと付き合ってくれればいいのに、そう思ったが、有島はいつまでも僕にこだわっているようだった。

有島は、休み時間になると僕のクラスに来て、わざとらしく八幡と話をしていた。時々声をあげて笑い、それに気を取られた僕がそちらを見ると、じっと見つめ返してきた。僕は有島が怖かった。八幡のことをあんな風に言っていたのに、これ以上の親友はいない、というような素振りで接しているのだから。

でもどうしても、すべての女の子に幻滅することは出来なかった。僕は想像の中で様々な女の子を登場させ、自慰にふけった。それは、僕くらいの年齢の男になら必ずあることなのかもしれないが、僕はいつも自慰の後、自己嫌悪に陥った。自分のことを、ひとりの人間を愛することが出来ない異常性欲者なのではないかと思った。でもまたそんなことはすぐに忘れ、校内で目が合った女の子がすれ違った途端騒いでいるのを聞き、有頂天になるのだった。

だから、オーツや溝口が私立の男子校に行くと聞いたとき、僕は迷わず「俺も」と言っていた。僕はつまり、女の子のいない世界に行きたかった。もちろん女嫌いになったわけではなく、それどころか手あたり次第に可愛い子と付き合いたかった。でも、有島のときのように、一度誰かと付き合って別れた後、また違う子と付き合うのには、かなりの勇気を必要としたし、すぐに他の女の子と付き合うことで、せっかくの人気が大暴落しかねなかった。

男子校には、女の子がいない。

付き合うとしても学外の子だろう。学外の子であったなら、どんなにたくさんの子と付き合おうが、よしんば二股をかけようが、女の子たちにバレることはないだろうと思ったのだ。そして、学外で付き合うのである限り、男同士の大切な時間が失われることはないだろう。僕は男として、いつまでも男同士ふざけあっていられるのだし、同時に女の子と蜜月を過ごすこともできるのだ。

そのときの僕にとって、それ以上望む場所はなかった。

本当に邪《よこしま》で己のない選択ではあったが、僕はとにかく、私立の男子校に行きたかった。

僕が望んでいた私立は、私立の中では良心的だったが、それでも公立に比べて学費がかかった。父がそこそこの企業に勤めていて、しかも姉の学費がまるまる浮いたという状況にあっても、やはり父に負担をかけるのはしのびなかった。

僕は久しぶりに、父に会うことにした。

約束を取り付けた父は、電話で嬉しそうな声を出した。その声を聞いただけで、僕は自分が悪いことをしているような罪悪感にさいなまれた。いったい母の神経はどうなっているのだろう。それとも、そんなことでは追いつかないくらい、父は悪いことをしたのだろうか。もしそうなら、それはどんなことなのだろう。

父がやったことを知るのは、だいぶ後のことだ。

それは、中学3年生の僕が理解できることではなかった。有島という初恋を終わらせてしまっただけの僕には到底理解できない感情が、父にも母にもあった。その感情をほどき、乗り越えられるほど母は我慢強くなかったし、父は図太くなかった。とにかく父と母の恋は、終わったのだ。

久しぶりに会った父は、これ以上不可能なほどに痩せていた。

背の高い父は、骨格そのものといった感じだった。父は長袖に長いズボンを穿き、つまり体を出していなかったが、裸になった父なら、おそらく、どの骨がどのような形になっているか分かっただろう。肘や膝の関節部分が、腕と脚の中で一番太い場所になっているタイプだ。

思わず絶句した僕だったが、父は思いのほか元気だった。というより、そこまで痩せているのに、かえって瞳には光が宿り、肌もツヤツヤとしていた。つまり健やかだった。僕にはそれが不思議だった。家族を失い、自分が住むことのない家のローンを支払い、別れた妻の母に仕送りをしている男が、健康でいられるはずはなかった。

「肉をな、食べへんくなったんや。」

僕の視線に気づいたのだろうか。父は恥ずかしそうにそう言った。僕は、自分が父をぶしつけに見ていたことを恥じた。

父はコーヒーを、僕はセブンアップを頼んだ。ウエイトレスが去ると、

「セブンアップか。歩、カイロでよく飲んでたよな、セブンアップ。」

父は嬉しそうだった。セブンアップはもちろん飲んでいたが、どちらかというと僕がよく飲んでいたのはペプシだ。父が知っているカイロでの僕は、きっといつもセブンアップを飲んでいたのだろう。

僕はそのとき、思いがけず泣きそうになった。もちろん泣かなかった。ぐっと堪《こら》えたが、涙はすでに眼球を覆っていた。僕は父にバレないようにうつむいて、ズボンにゴミがついているフリをした。

父からは、何もかも諦めた男の気配が漂っていた（「何もかも諦めた男」というものに、僕は会ったことがなかったが、初めて会う男が父だった）。

僕の知っている父は、痩せてはいたが、いかにも男、といった感じだった。スポーツマンだったし、ハンサムだったし、時々冗談で言っていた「お父さんは昔モテたんやぞ」を、信じることが出来る人だった。

だが、今目の前に座っている父からは、男が持つギラギラしたものが、微塵も感じられなかった。父には老人のような趣きがあった。母の様子を目の当たりにしている僕からすれば、だから父が恋愛していないこと、それも数年していないことは、簡単に分かった。今父は、そういうことから、一番遠いところにいるのだろう。

僕は、段々父に同情し始めていた。

僕と会えたことを嬉しそうにし、コーヒーをうまそうにする父を見ていると、いたたまれなくなった。そのとき僕は、私立進学をあきらめようと、ほとんど決意していた。これ以上父に負担を負わせるのは辛かったのだ。こんなに痩せ細った、50歳を迎えた男に、さらなる追い討ちをかけたくなかった。

僕はセブンアップを一気に飲んだ。別のものを飲みたかったが、ウエイトレスを呼び、お替わりを頼んだ。父に媚《こ》びたのだ。

案の定、父は嬉しそうな顔をした。そして、僕が何か言う前に、

「歩、行きたい高校決まったんやろ?」

そう言った。え、と、声が出た。

「お母さんから聞いてるよ。がんばりや。」

僕は父のことを、じっと見つめた。

「私立やで?」

「うん、それも聞いてるよ。」

「電話で?」

「そうや。電話で聞いたよ。」

父と母が、電話でやり取りをしていることに驚いた。母は、父など初めからこの世界にいなかった、とでもいうようにふるまっていたのだ。

「じゃあ。」

「何?」

じゃあ、母に恋人がいることは知っているのか、と訊こうとした。でももちろん、訊けなかった。だから僕は、こう言った。

「じゃあ、学校行かせてくれるん?」

父は、思いがけない、というような顔をした。

「何言ってるん、当たり前やろ。歩の行きたいとこなんやから!」

僕はそのとき、もちろんこれ以上ないほどの罪悪感を覚えていた。

父に怒られたかった。

誰のおかげで高校に行けるんだ、そんな風に「父親」っぽく怒ってほしかった。父が怒ってくれたら、それもなるべく理不尽なことで怒鳴ってくれたりなんかしたら、僕はどれほど楽だろうと思った。でももちろん、父はそんなことをしなかったし、実際僕も、息子として父を怒らせるようなことが出来なかった。

「学費のことなんて、絶対に心配すんなよ。」

父はそう言って笑った。

「高校は人生で3年間だけなんやから、思いっきり楽しめ。」

僕はそのとき、両親が離婚したときに、母を選んで良かったと思った（僕には選ぶ権利などないと思ってはいたのだが）。父はいい奴だった、ここまでいい奴だと思わなかった。そんな父と暮らすのは、僕にはきっと耐えられなかった。

母が嫌な奴だと言っているわけではない。でも母に対して、こんなにいたたまれない思いになることはなかった。母は、母親という種類の中では、相当好き勝手にやっていた方だし、今の父のように、息子のためならなんだってする、というような気概を持っているようにも見えなかった。つまり、僕が母に対して感謝しなければいけないことは、大してなかったのだ。

父といたら、僕は毎日父に感謝しなければならなかっただろう。父親なのだから当たり前だろう、と思うことは、僕には出来なかった。僕はきっと、度々このようないたたまれなさを感じなければならなかっただろう。そしてそれに、きっと耐えられなかっただろう。

父はゆっくり、コーヒーを飲んだ。カップを持つ指は細かったが、筋ばっていて、とても男らしかった。

30

サトラコヲモンサマは、みるみる巨大化していった。

サトラコヲモンサマが実質何なのかは分かっていなかったし、大きくなっていたのは正確には矢田のおばちゃんの持家だったのだが、僕にとってそれは、紛れもなく「サトラコヲモンサマの巨大化」だった。

ローラースケートパークを買い取っておばちゃんが建てたサトラコヲモンサマ御殿は、以前に建てられたコンクリート打ちっぱなしの建物に、同じような建物を継ぎ足して出来ていた。もしもおばちゃんに、宗教っぽい建物にしないでおこうという意図があったのなら、その意図によってなお、宗教っぽさは増していた。

そこには寺のような荘厳さも、神社のような神聖さもなかった。つるりと四角いコンクリートの建物群は、荘厳さと神聖さを徹底的に排除しているからこそ、余計そのふたつを感じさせる場所のように見えた。

参拝者は、後を絶たなかった。新たに建てられた建物は、そういう参拝者たちの宿泊施設になり、遠方からもたくさんの人が来るようになった。まだインターネットが普及していない時代のことである。つまり人を介した噂が、それだけ遠くまで届いていたのだ。

参拝に来た人たちは、見てすぐに分かった。この街で見かけない顔の中で、思い詰めた表情をしている人がそうだったし、ことさら晴れやかな顔をしている人がそうだった。

参拝者は、サトラコヲモンサマの建物を、ネドコといった。

ネドコでは、さまざまな秩序が出来ていた。古株の先輩と、新参者の後輩が出来、先輩が後輩にこの施設でのルールを教えた。そしてそれを後輩がさらに新入りに教え、いつの間にか先輩は「階級の高い者」になった。力を持つようになったのだ。

力を持つようになった者はそのままサイコザンと呼ばれ、その下にコザン、チュウケン、シンザンが続いた。シンザンがどれくらいでチュウケンになるのかは曖昧だったが、チュウケンがコザンになることや、コザンがサイコザンになることは決してなかった。

サイコザンは、サトラコヲモンサマの創成期を知っている人たちだった。つまり、僕達も顔見知りの人たちだった。矢田のおばちゃんを慕い、ほぼ毎日のようにおばちゃんの家を訪れていた人たちのうちの何人かが、いつの間にかおばちゃんを飛び超えて、サトラコヲモンサマに祈るようになっていた。サトラコヲモンサマが誕生した、あの小さな部屋を知っているサイコザンは、30人ほどいた。彼らは、建物の中で皆から尊敬され、アドバイスを乞われた。

サトラコヲモンサマの最大の特徴は、いわゆる教祖がいないことだった。本来なら、矢田のおばちゃんがそうなるはずだったが、おばちゃんは自らを教祖だと絶対に言わなかったし、人にも言わせなかった。そもそもおばちゃんは、サトラコヲモンサマを、絶対に「サトラコヲモン教」と言わせなかった。そして参拝者に、「信者」と名乗らせなかった。

皆、それは神に近い人間特有の謙虚さと受け取った。神の大いなる力を知っているからこそ、矢田のおばちゃんは沈黙しているのだと。だが矢田のおばちゃんは、そのような噂にも、決して答を出さなかった。

サトラコヲモンサマのネドコが建ったことで、矢田マンションには再び平穏が訪れた。矢田のおばちゃんはネドコには行かなかったし、参拝者がマンションに行くことは、サイコザンの者たちが禁じた。矢田のおばちゃんがそれを望んだのか、もともと顔見知りだったサイコザンの面々がそう配慮したのかは定かではなかったが、とにかく矢田マンションに近づいてはならないということが、絶対の掟《おきて》となった。そのため、チュウケンやシンザンの中には、矢田のおばちゃんを見たことがないという人がたくさんいて、だからこそおばちゃんは、どんどん神格化されていった。

そしてとうとう、矢田のおばちゃんが道を歩いていても、その姿を見てはならないという掟まで出来るようになった。おばちゃんは時折ぶらぶらと近所を歩いていたし、駅前のスーパーで買い物もしていた。参拝者たちはおばちゃんを見るとどうしようもなく感激してしまったが、姿を見ることを禁じられ、おばちゃんの姿そのものを忘れる努力をするようになった。いつしかそれは、ネドコ内での修行のようになった。おばちゃんの存在を忘れることは、ほとんど悟りを開くことと同義だった。そもそもおばちゃんの姿を最初から知らないシンザンは、それだけで幸せだとされた。

当人であるおばちゃんは、相変わらず圧倒的に矢田のおばちゃんのままだった。派手な、でも安っぽい服を着て、大抵部屋の中でダラダラしていた。野良猫が自由に出入りする部屋は、祭壇がなくなった分広くはなったが、それでも狭く、みすぼらしかった。

つまりおばちゃんは、サトラコヲモンサマに供えられた金品を、自分のために使うことはなかった。それらはすべて建設費に充てられ、宿泊施設に充てられ、金がなくて困っている人たちの援助に充てられた。他にもホームレスへの炊き出しや、古くなった街灯の修理、小学校への寄付など、サトラコヲモンサマを信じる皆の善行は僕らの街を潤し、だから区長も自治会長も、サトラコヲモンサマに口出し出来なかった。それどころか、逆に感謝するほどだった。そして、それらのことはすべてサイコザンやコザンがとりしきったので、おばちゃんは実質、サトラコヲモンサマと全く関係がない人のようになった。

驚くべきは、ネドコを訪れる参拝者たちの行儀の良さ、秩序の完璧さだった。矢田マンションは街中で知れ渡っているのだから、こっそり見に行く者がいても良さそうだったし、近所をぶらぶらしているおばちゃんを見つけ、走って行ってその足元にすがりつく人がいても良さそうだった。

だがサイコザン、そしてコザンが決めた秩序を、皆本当によく守った。サトラコヲモンサマは大きな建物だったし、常時たくさんの人が宿泊していたが、近隣の住民に迷惑がかかるような騒音や臭いなどは、一切なかった。そもそもサトラコヲモンサマには、説教をする教祖がいないのだから、祈りをささげる際の読経もなかった。

参拝者たちは、ただ静かに祈った。正座をし、両手を交互に踏みしめる、あの奇妙な祈りである。それはフミと呼ばれた。おそらく「踏み」から来ているのだろう。フミこそが、サトラコヲモンサマを最も宗教っぽく見せる行為ではあったが、それらは閉め切った建物の中で行われているので、外からは分からなかった。建物はいつもしんと静かで、矢田のおばちゃんとは無関係に、ただそこに建っているのだった。

かくしてサトラコヲモンサマは、完璧に教祖なき宗教団体になったのだ（宗教と言っていいのであれば）。

母も祖母も、以前のように矢田のおばちゃんを訪ねるようになった。

祭壇のないおばちゃんの家は、まるで世の中の何もかもと無縁であるかのようにひっそりとしていた。そしてまた、あの独特の居心地の良さを提供してくれるようになった。

僕も、受験勉強の息抜きに、たまにおばちゃんの家へ遊びに行った。日曜の昼間だろうが、平日の夜だろうが、おばちゃんの家の扉はいつでも鍵がかかっていなかった。入り口で声をかけると、

「歩君か、入り。」

中からそう声が聞こえた。

おばちゃんは大抵膝の上に乗った猫を撫でていて、中でも黒と白の牛みたいな柄の猫と、茶虎柄の猫をよく見かけた。おばちゃんは、猫たちに名前をつけていなかった。どの猫も平等に可愛がり、決して１匹だけにエコひいきをしたりしなかった。それはそのまま、おばちゃんの人間への態度にも表れていた。

おばちゃんは、家を訪れる人すべてに平等に接した。古くからの友人であった祖母とは特別仲がいいはずだったが、祖母に接するときと僕に接するときで、大きな違いはなかった。おばちゃんのそんな気質は昔からだったが、年々強くなっているような気がした。

そんなおばちゃんが、特別に接する人物がひとりだけいた。

姉である。

姉は今や、完全なサトラコヲモンサマ信奉者になっていた。毎日熱心にネドコに通い、夜になるとネドコの方角に向かってフミをした。最初の頃はこっそり自室でやっていたようだったが、段々と僕達家族の前でもやるようになった。サトラコヲモンサマを恥じることを、恥じたのだ。

姉にとって、祈りは慣れ親しんだものだった。

モスクからアザーンが聞こえてくると、ゼイナブは掃除の手を止め、メッカの方向に向かって礼拝していたし、街を歩けばいたるところに、布を広げ、おでこを地面にくっつけて祈る人々がいた。姉は、それを真似て祈っていた。時にはゼイナブにコーランを借りたりもしていたのだ。だがそれは、所詮真似事だった。姉はイスラム教のなんたるかを知らなかったし、そもそも何かを信じて祈っていたのではなく、祈る自分を愛するために祈っていたのだから。

今、姉は、真剣に祈っているように見えた。こんなに熱心なのは、サトラコヲモンサマに何かを救ってもらったからなのだろうか。僕にはまったく分からなかったが、ただ、サトラコヲモンサマに祈るようになってから、姉は以前のようにふさぎこんだり、母に憎しみの視線を向けることがなくなった。サトラコヲモンサマは、明らかに姉の何かを変えたのだ。

サトラコヲモンサマの参拝者は、矢田のおばちゃんには会えないはずだった。何せ、その姿を忘れ去るようにすることが目的にまでなっているのだ。だが、姉だけは許された。おばちゃんは、昔から知っていたはずのサイコザンの人たちに会うことはしなかったが、姉にだけは会い続けた。

姉は今橋家の一員としておばちゃんの家に遊びに行った。おばちゃんはもちろん、姉にサトラコヲモンサマの話はしなかったし、姉もそこは配慮した。祭壇のなくなったおばちゃんの家で、姉は小さな頃のようにおばちゃんに甘え、時々は一緒に銭湯へ行った（おばちゃんの家には、未だ風呂すらなかったのだ！）。姉はおそらく、おばちゃんの背中の弁天様を、飽きずうっとりと眺めていたに違いない。そんな時間を過ごした後、おばちゃんの家から戻ると、姉はサトラコヲモンサマを信じる者として祈り、ネドコへ向かうのだった。その切替を、姉は驚くほど見事にやってのけた。

　だから、ネドコの中の姉の地位は、特別なものになった。

　矢田のおばちゃんに会うことが出来ない信奉者たちにとって、おばちゃんに会うことが許されている姉は、教祖の預言者となる人だった。皆、姉の姿を見るたびに感嘆の声をあげ、姉よりうんと年上のコザンが姉に敬語を使ったりした。今やサトラコヲモンサマを信じる人間は数百人にも及んだが、姉はそのすべての視線を一身に集めるようになった。

　つまり姉は、見られるようになったのだ。

　僕は、姉の心の安定は、この見られるということによって得られたと思っている。姉が望んだ神のような扱いを、姉は手にしたのだ。姉は静かに歩いているだけで、小さな咳をするだけで、果ては静かに呼吸をしているだけで見られた。

　姉はだから、奇行によって注目を集める必要がなくなった。日本語と英語交じりのおかしな言葉で話さなくても良かったのだし、空地に何かをせっせと埋めなくても良かった。姉は、姉その人としていれば良かった。姉はおそらく牧田さんという理解者を得たときよりも、強い安定の中にいた。

　姉が少しずつだが太るようになってきたのも、この頃からだ。まだまだハイティーンの女の子にはあるまじき細さではあったが、姉は祖母の料理を食べ、驚くことに、母の作った料理にも、再び箸をつけるようになった。

その変化を、母はもちろん喜んだ。

姉が食卓に座り、母の料理を口に運んだときは、あの母が涙ぐんだほどだった。蟹《かに》のグラタンをちびりちびり口に入れる姉と、涙ぐみながらグレープフルーツとサーモンのマリネを食べている母を見ながら、僕はクレソンのピラフを食べていた。一見快方に向かっているこの家の空気を、でも僕はまだ信じていなかった。

いつか姉が言った「バチが当たる」という言葉は、まだこの家のどこかに潜んでいるに違いなかった。いつかまた芽吹き、そのトゲで母を傷つけようとする、そして母も、また姉を傷つけるようになるのだ。

今橋家のふたりの女性のせいで、僕はずいぶんと懐疑的な人間になってしまった。相変わらず可愛い女の子と誰彼かまわず付き合いたい願望はあったが、つまり女性全般に絶望していたわけではなかったが、どこかで女性のことを心底信じきれない僕がいた。

その上その頃は、初めての受験のプレッシャーと、秋に行われた引退試合の惨敗（5対0で負けた）を受けて、心がかなりすり減っていた。そんな訳で僕は、今橋家に訪れた感動的な瞬間を、素直に歓迎することが出来なかった。それどころか、姉がまたいらぬことを始めてくれたと、僕はほとんど怒っていた。

そうなのだ。姉がまた（悪いほうの）有名人になったことで、僕にも少なからず被害が及ぶようになっていた。

中学の同級生の母親の中にも、サトラコヲモンサマの信奉者はいた。みな大抵はチュウケンかシンザンだったので、僕の姉が神のような存在だと聞いていたのだと思う。サトラコヲモンサマなどという怪しいものに身内が関わっていることは大っぴらにはしていなかったが、僕のところをこっそり訪ねてきて、

「今橋君のお姉ちゃんってどんな人?」

そんな風に訊いてくる奴がいれば、そうだった。

姉が中学から学校に行かず、高校にも進学しなかったことは、いつの間にか広まっていた。そしてその過去が余計に、姉の神格化を後押ししていた。姉は中学時代のある瞬間に、「神の声」を聞いたのだと誰かが言い、また別の誰かは「高潔な精神に日本の義務教育は耐えられなかったのだ」と言った。

僕はもちろん、それらの噂を馬鹿にしていた。姉は、ただ苛められていただけだ。それも、姉の過剰な自己顕示欲、「私を見て!」願望によってそうなったのだ。

何が神の声だ、何が高潔な精神だ。

だがもちろん、そのことを誰かに言うことは出来なかったし、そもそもそういう連中を僕は無視した。とにかく姉の話題が出ることを徹底的に避けた。姉と僕は似ていなかったし(母と父が似ていないように)、こうなると圷ではなく今橋という比較的オーソドックスな名前は役に立った。僕は、今橋貴子とはまったく関係のない人間なのだという顔をして、粛々と日々を過ごした。心の中で、姉を思う存分憎みながら、涼しい顔をして、学校に通い続けたのである。

だから、希望校に受かったときは、本当に嬉しかった。

高校入試に合格する、という事実に対する単純な喜びもあったし、オーツや溝口とまた遊べる

ことにワクワクしてもいたが、一番大きかったのは、通学の間だけでも、この街を離れられることだった。

オーツと溝口のほかにも、同じ高校に行く奴は数人いた。だが、そいつらはサトラコヲモンサマと関わってはいなかったし、オーツと溝口もそうだった。僕はやっと、誰も姉を知らない場所へ行けるのだった。

発表の夜、僕の合格を、祖母の家で祝ってくれることになった。

母、姉、祖母、夏枝おばさん、僕の5人で食卓を囲むのは、実は久しぶりのことだった。母か姉か僕か、いつだって誰かひとり、ないしはふたりが欠けている状態で、だから祖母は皆がそろったことを喜んだ。もちろん、僕の合格も。

よもやとは思っていただろうが、祖母はどこかで、僕も姉のように進学を拒否するのではないかと考えていたようだった。僕にとって姉は同じ家族とは思えない異次元の人だったが、祖母にとっては姉も僕も、同じ可愛い孫なのだ。

「歩、よう頑張った、えらい！」

食卓には鍋の用意がされ、大きな蟹やエビが並び、牛肉の焼いたのや、イクラのしょうゆ漬けまであった。それはもちろん父の財布からまかなわれていたものだったが、そのときばかりは罪悪感を無視し、僕は喜んでそれを食べた。

僕の隣に座った夏枝おばさんは、何も飲んでいなかった。おばさんは食事中になぜか水分を取らない人なのだ。おばさんの隣には、姉が座っていた。姉は蟹の甲羅を指でなぞったり、エビのひげをつかんでぶら下げたりしていたが、油揚げやネギなどは、ちょこちょこと食べているようだった。僕は姉の方をなるべく見ないようにしていたが、狭いテーブルでは、どうしても目に入った。

「歩はよう勉強したからな。」

母は、僕が部屋にいる間、ずっと勉強していたと思っていたようだ。実際には、その時間のほとんど半分は様々な女の子を相手にした自慰だったのだが。まあ、僕は高校に合格したのだ、母がそう思うに任せた。

「受験勉強なんて、めっちゃ昔のことやから忘れたけど、大体寒い時期に試験があるのがぽいよな。」

「ぽいって?」

「いや、これが夏とかやとなんか気分出ぇへんやん。寒い中頑張って勉強して、桜咲く、ていうのがええのやん。」

「でも、アメリカは9月からなんやろ?」

夏枝おばさんは物知りだった。たくさんの本を読んでいるのだ。食べたことも見たこともなくても、おばさんはパンプディングの美味しさを知っていたし、一生お目にかかることはなくても、プロムパーティーの華やかさを知っていた。

「そうなんや、9月が新学期なん?」

「そうやで。」

「ほんなら、早生まれとかないんかな。」

「うーん、あるんと違う？　年越しをはさむんやから。」

おばさんと母は、ふたりで話すといつもどこか子供っぽくなった。特に母はすぐに口を尖《とが》らせて食ってかかったり、話をした後おばさんに笑いを強要したり、わがままな末っ子気質をむき出しにした。そういうときの母は、不思議と姉そっくりに見えた。顔の造形は違っても、表情や滲みでる気配が似ていて、やはり母と姉は親子なのだった。

酒に弱い母は、しばらくすると見ていられないくらい酔っぱらい、こたつで眠ってしまった。祖母はまだまだ飲むつもりのようだった。いつの間にか焼酎を持ってきて、チビリチビリとやっている。僕と祖母が話をしている間、姉とおばさんが後片付けをしてくれた。台所から、流しの水の音と、姉とおばさんが何か話している声が聞こえた。こたつで眠っていた母は、いぎたなくいびきをかいていて、投げ出した手にはまだ、箸を握ったままだった。

僕は、父がいないこの空間の、あまりの完璧さを少し悲しく思った。なんとか頭の中で、父がいるところを想像してみたが、無理だった。父はどこへ座らせてもすぐに透明になり、消えてしまうのだった。

とうとう祖母も、こたつで眠ってしまった。時刻は夜の10時を過ぎていた。夏枝おばさんは笑いながら、母と祖母の剝《む》き出しの肩に毛布をかけた。そして僕に、

「歩君、一緒にお礼に行かへん？」

そう言った。

「お礼？」

「そう。神社。」

おばさんはそう言うと、珍しく僕の答えを聞かずに、立ち上がった。台所にいた姉にも声をかけ、僕らは3人で神社に出かけることになった。

外に出ると、信じられないくらい冷たい夜風が頬を撫でた。でも、こたつと鍋で火照っていたので、気持ちが良かった。痩せっぽちの姉は、中国の子供みたいな厚着をしていた。脂肪がないので、ちょっとしたことでよく風邪を引くのだ。

2月の道路には、誰も出ていなかった。

僕らは勝手知ったる道を、無言で歩いた。小さな頃はとても遠くにあった神社は、おばさんの身長を越した今となっては、笑ってしまうほど近くにあった。

夜の神社に来たのは初めてだった。とても小さな神社だから、参道も短かった。でも、夜の闇に包まれていると、異世界にどこまでも続いてゆく長い道のようにも思えた。つまり怖かった。高校生になるというのに、臆していると思われるのは嫌だった。おばさんは、いつも来なれているのか、何食わぬ顔でまっすぐ歩いていった。少し遅れて僕が、そして姉が従った。

僕は正直、姉が一緒に来たことに驚いていた。

サトラコヲモンサマ信奉者の姉にとって、神社は異教の場所なのではないか。そう思っていたのだ。だが姉は、昔そうしていたようにおばさんに硬貨をもらい、賽銭箱に投げ入れると、きちんと手を合わせて祈り始めた。

姉の祈りを見届けてから、おばさんは僕にも硬貨を渡し、驚いたことに自分は1000円紙幣をほうり込んだ。

おばさんの隣に立って目をつむると、風の音が大きくなった。ヒュウ、と、不吉な音を立てて、それは僕の背中を撫でていった。僕はそのとき、ヤコブと祈ったあの教会での一瞬を思い出した。あんなに自然に、誰かを思った祈りが出来たのは、あのときだけだった、そう思った途端、あのとき僕の隣にヤコブがいたということを、奇跡のように思い出すことが出来た。

目を伏せていたヤコブの長い睫毛《まつげ》や、イスラム教の子供たちを眺めていたヤコブの大きな目、教会の扉を撫でたヤコブの筋ばった手の甲。

そんな細部ばかりが次々と立ち現れ、そのホモセクシュアル的な映像に、僕はしり込みした。ヤコブとのことは、紛れもなく輝かしい思い出のひとつなのに、そのことを思い出すのが、僕にはどうしても恥ずかしかった。

僕は、成長していたのだ。

結局僕は、神社の祠《ほこら》を見たまま突っ立っているという、間抜けな状況にあった。

おばさんを見ると、おばさんは目をつむり、掌を合わせて、ブツブツと何かつぶやいていた。言葉の合間に、「ありがとうございます」と聞こえた。僕はそのとき、おばさんはこの神社に毎日参っていたのだと気付いた。それは僕の合格のためでもあったのだろうし、それだけではなかったのだろう。おばさんは、とても自然に祈る人だった。

「ありがとうございます。」

僕らの背後で、姉が砂利を蹴る音が聞こえた。

31

4月、僕は高校生になった！

入学式、体育館にずらりと並んだ同級生たちを見て、僕達は絶句した。

「男子校やから予想はしとったけどなぁ。」

僕が言うと、オーツは、

「女子って貴重な存在やったんやな。」

もう中学を懐かしむようなことを、言うのだった。

残念ながらオーツとも溝口とも、クラスは分かれた。僕は2組になり、もちろん教室には男しかいなかった。

担任は青田《あおた》といった。

教室に入って来た青田は、髪の毛が濡れていた。たぶん汗なんかじゃなかった。何故なら青田の髪はびちゃびちゃだったのだ。これが汗なら、青田は病気だ。青田は濡れた髪の毛を何度もかきあげ、そのたび水しぶきが飛んだ。おかげで一番前の席に座っていた生徒、のちに仲良くなった高岩、のブレザーには点々と水の跡が残った。

青田はアツい奴だった。おそらくまだ二十代だったと思う。開口一番、「よう！」と叫び、僕らを見回して、

「なんやなんや揃いも揃って緊張して！　笑え笑え！」

そう言って口角を上げてみせた。

青田の後ろ髪が長いのはおそらく彼がロック好きなこと（自己紹介でそう言った）に関係していて、ではなぜ毎朝髪の毛をびちゃびちゃに濡らしてくるのかは、3年間結局分からなかった。僕らは青田のことをブルーと呼んだ。その青っぽい呼び方は、青田にぴったりだった。

「お前ら、気ぃつけろよ！　男子校にずっとおると、売店のおばちゃんまで可愛く思えてくるようになるねんぞ！」

ブルーはそう言うと、自分で言ったことがおかしくてたまらないという風に笑った。笑い方も、口を大きく開けて笑うのではなく、半分閉じて吹きだすように笑うので、高岩はブルーの唾も浴びることになった。

ブルーはああ言ったが、売店のおばちゃんを好きになる奴なんていなかった。

おばちゃんは、ほとんどおばあちゃんと言っていい人だった。とても優しかったし、馬鹿みたいに大きな胸をしていたが、誰の恋愛対象にもならなかった。あるいは生徒の中には本気でおばちゃんを可愛いと思う奴がいたのだろうか。もしいたとしても、それは環境からくるものではなく、そいつの性癖に関わってくることだろう。登下校の電車で会う女子高生たち、テレビの中で笑っているアイドル、僕らの恋愛対象はどこにだっていたし、簡単に会えないからこそ際限がなかった。

校舎は大体汗くさい臭いがした。体育の後などは、それがいや増した。屁《へ》をこく奴がそこいら中にいたし、トイレの大の個室へ皆堂々と入った。

僕はだんだん、この状況を楽しむようになってきた。女の子がいない寂しさよりも、解放感のほうが勝った。廊下ですれ違った後に、「キャーッ」と騒がれることはなくなったが、その分恥ずかしいと思うことや他の生徒に気を使うこともなくなった。何より、有島の視線から逃れられたことは大きかった。僕はのびのびと歩き、ときどき皆と同じように屁をこき、体育の後、汗がひくまで制服のズボンを穿かずに過ごした。

勉強は急に難しくなった。特に数学が壊滅的にだめだった。まず虚数が何のことか分からなかった。高岩と仲良くなったのは、高岩が数学の授業で、

「虚数って、人生に必要ですかね？」

そう質問したことがきっかけだった。僕らは高岩の言葉に腹を抱えて笑った。あまりに面白かったので、僕は珍しく、高岩に自分から話しかけた。高岩はニキビだらけの顔をした男で、溝口に似た愛嬌《あいきょう》があった。僕はやはり、クラスの人気者の友達という位置が好きなのだった。

部活は迷ったが、やはり溝口と同じサッカー部に入った。

府の大会では必ず上位に入る部で、練習も厳しく、上下関係も中学とは比べ物にならないくらいしっかりしていた。放課後ではなくても、先輩が廊下を歩いているのを見つけると、先輩が見えなくなるまでつま先立ちでいなければならなかったし、学食で並んでいて先輩が来ると、順番を譲らなければいけなかった。先輩の気まぐれで、グラウンドを延々走らされるのは中学と変わらなかったが、それに加えて気まぐれな腹筋や気まぐれなスクワットがあった。おかげで僕らの腹筋は割れ、ふくらはぎにはくっきりと筋が入った。

練習は放課後だけでなく、早朝もあったし、ときには休日にまで及んだ。

この生活に慣れるまで、1学期のすべてを費やした。女の子と付き合いまくるどころか、女の子と知り合う時間すらなかった。だから僕らの妄想はどんどん膨らみ、僕はとうとう記憶の棚から中学校時代の可愛かった子をすべて引っ張り出して、自慰に及ぶようになった。

溝口は、その面白さとコミカルな容貌で、部内でやはり人気者になった。厳しい先輩も、溝口を見ると思わず笑ってしまうようだった。僕は溝口と一緒にいることで、だいぶ得をした。僕のサッカーの腕前も、ほかの生徒に比べると格段に落ちたが、左サイドバックの経験者が少なかったということが功を奏して、なんとか部内での地位を獲得していた。

僕らの学年の部員は、21人いた。溝口も面白かったが、僕が気になったのは須玖《すぐ》という生徒だった。須玖は溝口や他の部員のように騒がなかったし、かといって部室の隅ですねているようなタイプではなかった。つまり一番目立たないはずの部員だったのだが、何故か僕の目を引く独特の雰囲気を持っていた。

須玖はすごくサッカーがうまかった。中学ではミッドフィルダーを務めていたらしかったが、脚が速く体力のある須玖は、練習でフォワードにつくことが多かった。普段おとなしいのに、ピッチに出ると人が変わったようにアグレッシブになり、ボールを持つとちょっと乱暴なほど強いドリブルでゴールまで運んだ。先輩にも臆せずぶつかっていったし、ラフプレイもあったが、練習が終わって部室で着替えていると、もの静かで、ちょっとはにかんでいたりして、先ほどまでのプレイが嘘みたいだった。

皆は須玖の、そういう二面性を面白がったし、そもそも須玖という珍しい名前に興味を持っていた。でも僕は、皆とは別の意味で須玖に惹かれていた。

須玖は彫りが深く、眉毛と目がとても近かった。鼻筋がすっと通り、形のいい唇は、つやつやとピンク色をしていた。つまりすごく美少年だったのだが、誰も須玖の美少年ぶりに頓着しなかった。男だからではない。須玖は、なんていうか、顔が綺麗だとかなんだとか言われるような位置にはいなかったのだ。須玖は、とても静かな男だった。

でも僕は、その静けさが気になった。須玖はサッカーがうまいし、背は低くてもハンサムだ。なのにまるでその場にいない者のように気配を消すことがよくあった。そしてそれは、須玖自身が意識してそうしているのだろうと思っていた。

俺が、俺が、と前に出たがる部員の中で、須玖のそのスタンスは特異だった。皆は大人しい奴には見向きもせず、つまり須玖の魅力には気付いていなかったが、僕はずっと須玖を見ていた。思えばそれも姉のせいだろう。「私を見て！」と全身で叫び続けている人間と長年一緒に暮らしていると、実力を隠してひっそりと暮らしている誰かに惹かれるようになるのだ。

正直、それは僕だと思っていた。僕は自分がハンサムなことも背が高いことも知っていたが、絶対にそれをひけらかさないようにしていた。だが時折襲ってくる「自分を見て！」願望には抗《あらが》えなかった。いいパスを出したら褒めてほしかったし、面白いことを思いついたら恐る恐る声に出した。何より僕は皆にいい奴と思われたかった。今橋と友達で良かったと思われたかった。それは女子に「今橋君って恰好いい」と言われるよりも、よほど大切なことだった。

でも須玖は、僕など比べ物にならない謙虚さを持っていた。綺麗な顔を隠すように前髪を伸ばし、背が低いのに猫背で歩いた。皆で騒いでいると微笑《ほほえ》み、たまに意見を挟むが、それはきっとむっつり黙っていると、余計目立つからだった。

唯一ピッチに立ったときの須玖は鬼のようになったが、それは自分が目立ちたいからではなく、ただただ試合に勝ちたいという思いからそうしているのだと分かった。それが練習試合であっても。須玖は、すごく真面目な奴だった。

須玖は僕の隣のクラスだった。それをいいことに、休み時間、僕はよく須玖のクラスを覗いた。須玖は大抵、部室のときと同じような態度だった。騒いでいる皆を眺め、たまに声を出して笑った。苛められないようにそうしているのではないだろうと、僕は思っていた。須玖は絶対に苛められるようなタイプではなかった。小さいし猫背だったが、なんとなく、気安く声をかけにくいような雰囲気があった。あるいはそれは、須玖を特別視している僕だけが感じていることだったのかもしれないが、でも須玖が誰かにからかわれたりこづかれたりしているところを見たことは一度もなかった。

ある日覗いた教室で、須玖は本を読んでいた。

自分の席に座り、文庫本を広げていたのだ。どきっとした。僕のクラスにも何人か本を読んでいるような奴はいたが、それは大抵文化部の連中か、そうでなくてもパッとしない奴らだった。少なくとも運動部に属している人間が休み時間に本を読むなど、考えられないことだった。でも須玖は、それはそれは熱心に本を読んでいて、周りのことを全く気にしていなかった。じっと見ていると、いつしか須玖の読んでいる本が気になりだした。あんなに夢中になれるなんて、何かよほど面白いことがあるのだろうと、思ってしまった。

だからある日の練習終わり、僕は須玖にこう声をかけたのだった。

「何読んでたん？」

須玖は一瞬、何を言われているのか分からない、という顔をした。ごまかすような人間ではないことは、数ヶ月須玖を見てきて分かっていた。

「ほら、教室でお前、なんか本読んでるやろ？」

須玖は、ああと、声を出し、笑った。あんまり嬉しそうに笑うので、僕も思わず笑ってしまった。

サッカー部はいつも一緒に帰っていた。自転車で来ている奴らはそれぞれで帰り、ふたつある最寄駅のうち、僕と同じ駅を使っているのは7人ほどだった。もちろん溝口もいて、僕らは溝口を中心に、いつも馬鹿な話をしながら、和気あいあいと帰っていた。

須玖はいつも、皆の一番後ろを歩き、皆が言う話にうなずいたり、ときどき声をあげて笑ったりしていたが、決して自分から何かを発信することはなかった。無理している様子はまったくなかったし、須玖はまったく、空気のような奴だった。

「アメリカの、家族の話やねん。」

須玖が僕に教えてくれた本は、『ホテル・ニューハンプシャー』だった。ジョン・アーヴィングという作家名は、どこかで見たような気がした。でも、本など、夏休みの課題図書でしか読んだことのなかった僕にとって、須玖がアメリカの作家の、しかも下巻を読んでいることが驚異だった。しかも須玖はサッカー部なのだ！

「家族って、アメリカの家族？」

「そう。」

「名前とか覚えられるん？」

「名前な、最初はあれ、これ誰やっけ、とかあるけど、入り込んだら全然覚えられるで。」

須玖が「入り込む」という言葉を使ったことに、僕はわずかに感銘を受けていた。自分の好きなものを、恥じることなく、まっすぐな目でたたえることの出来る須玖は、とても恰好良かった。

「おもろいん？」

「うん、めちゃくちゃおもろいで。上巻今度持ってくるわ。」

それから須玖は、僕の先生みたいになった。

須玖は小説だけではなく、音楽や映画にも詳しかった。僕は須玖に勧められて初めて、名前だけ知っていた太宰治や坂口安吾を読み、名前も知らなかった外国の翻訳小説を読んだ。そして時を待たず須玖の家に遊びに行くようになり、ターンテーブルでレコードを回すことを知り、白黒の映画から映画館で上映されていない映画まで、様々なものを見ることになった。

僕にとって、須玖は驚異だった。これだけの知識があるのに、それをまったくひけらかさないことが、そしてこれだけの造詣がありながら尚、サッカーに思い切り取り組んでいる姿が。須玖の家は僕の家とは逆方面だったが、僕は部活終わりに須玖の家へ行き、須玖の家で夜遅くまで過ごした。そして須玖も、やがて僕の家に遊びに来ることになった。正確には、祖母の家だ。

須玖と一緒にいるときに感じる、なんとも言えない居心地の良さの原因を、僕はずっと考えていた。そしてある日気づいた。須玖は、夏枝おばさんに似ているのだ（もちろん姿形ではない）。おばさんの芸術を愛する様子、そしてそれを決してひけらかさず、ただ愛によってのみ突き動かされている様子が、とてもよく似ているのだった。

須玖はおばさんに会うことを喜んだ。須玖にとっておばさんのレコード棚は宝の山だったたし、本棚にはまだ見ぬ世界がたくさんあった。須玖は目を輝かせ、いつまでもおばさんの部屋から離れなかった。一冊の本を選ぶときの須玖は子供のようだったし、珍しいレコードを見つけたときの須玖は、神に出会えた信者のようだった。

やがて須玖が祖母の家にいるほうが、僕が須玖の家にいる時間よりも長くなった。須玖は僕たちの年頃にはありがちな照れもはにかみもなく、おばさんといつまでも話した。おばさんを、友人の伯母として扱うのではなく、ほとんど同志のように接した。それも僕が、須玖を尊敬する所《ゆ》以《えん》だった。

おばさんも、ここまで話が出来る人と会うのは初めてだったようだ。僕や姉には見せない熱心さで、須玖といつまでも話した。やがて須玖は僕の家に泊まってゆくようになり、なんとなく今橋家の新しい家族みたいな雰囲気になった。

僕にとっても、それは嬉しかった。女だらけの今橋家に、男の味方が出来たのだ。もちろん、それまでだって、友人を家に泊めることは出来た。僕の家は広かったし、母に恋人が出来てからは、母が家にいない時間も多くなり、そうなると好き放題だった。

でも、僕の家には姉がいた。

姉を誰にも会わせたくなかった。親が離婚していることは平気だったし、母子家庭であることで恥じることは何もなかった。ただ、姉だけは嫌だった。正直僕にとっての姉は、今橋歩を形作るものたちの中で唯一の汚点だと思っていた。

だが僕は、自分でも驚くほどすんなりと須玖を家に呼んだ。

須玖なら、もし姉に会っても何も言わないだろうと思っていたし、実際そうだった。僕の家に泊まりに来るようになって二度目のとき、須玖は姉に会った。姉は全身真っ黒の服を着て、その頃には髪を腰のあたりまで伸ばしていた。痩せて白い顔をして、いかにも怪しい奴だった。でも須玖は、姉を見ると、

「初めまして。歩君の友達の、須玖と申します。」

そう、丁寧な挨拶をした。姉は驚いたのか、「ああ」と声にだし、すぐに部屋に引っ込んだ。そんな失礼なことをされても、須玖は普通だった。姉のことに特段触れもせず、僕の家の居間で、おばさんに借りたビデオ（たしか、ウディ・アレンの『インテリア』だったと思う）を見た。

須玖にはふたりの姉さんと、神戸に住んでいる兄さんがひとり、それに、おばあさんがいた。父親方のおばあさんということだったが、父親の気配はなかった。

須玖が、あのような環境で、どうしてここまでいろんなことに造詣が深い人間になったのかは謎だった。おばあさんは古びた米みたいだったし、ほとんどおばあさんに見えるお母さんは、未だ恋愛を楽しんでいるうちの母とは比べ物にならなかった。ふたりの姉ちゃんは立派なヤンキーで、神戸に住んでいる兄ちゃんは、板金工をしているということだった。須玖の部屋には分不相応のターンテーブルも、ほとんど廃棄処分なみの安さで売っていたものを、兄ちゃんが知り合いに頼んで修理してもらったそうだ。

「何に使うねん、これ？」

そう言いながら。

僕からすれば、文化的なものからは程遠い環境で、でも須玖はすくすくと育ち、僕の知っている中で誰よりも文化的な造詣が深い人間になったのだ。

「逃げ場みたいなもんやったんかも。」

あるとき、どうしてそんなに詳しくなったのか、と訊いた僕に、須玖は答えた。

「家のことは嫌いやなかったけど、父親が酒飲んだら荒れるタイプで。兄ちゃんとようぼこぼこ殴りあってたし、姉ちゃんもすぐグレて。けっこう家の中が殺伐としとったんやけど、そんな中で本読んでたら、なんやろう、この世の中にこんな世界があるんか、て驚いて。家の中で本開いてるだけやのに、一気に別の世界に行けるやん。」

須玖はそう言いながら、手に持っていた文庫を、掌でぽんぽんと叩いた。チャールズ・ディケンズの『大いなる遺産』だった。

「小説だけやない。音楽も、映画もそうやねん。」

須玖は、文庫本を愛《いと》おしそうに見ていた。

「今俺がおる世界以外にも、世界があるって思える。」

須玖のその言葉は、のちの僕に影響を与えた。とても大きな。

でも、その時の僕は、須玖がなぜ自分の知識をひけらかさなかったのか、その理由を目の当たりにしただけだった。

須玖にとって映画や音楽、小説は、知識ではなかった。それも、自分を飾るためのそれではなかった。須玖にとってそれらは、よりどころだった。もっともっと、切実なものだった。だから誰かにひけらかす必要はなかった。ただそれらと共にあるだけで、須玖は救われたのだ。

だから須玖は、夏枝おばさんに、とてもよく似ていた。

僕と須玖は、学校でも憚らず、本や映画の話をするようになった。いつの間にか須玖は、部活でもクラスでも人気者になっていた。僕があんまり須玖と熱心に話すので、皆が須玖に興味を持ち始めたのだ。皆僕と同じように、須玖の知識に驚嘆したし、それをひけらかさない姿勢に感動した。

何より須玖は、僕らみたいな運動部にも文化部のパッとしない連中にも、分け隔てなく接した。須玖はいつの間にか「仏の須玖」と言われるようになった。それに須玖は、とても面白かった。自分から積極的に何かを言うことはなかったが、誰かがふざけた後の須玖の一言は、ハッとするくらいセンスがあって、爆発的に面白かった。もちろん、学年中の皆が、須玖を慕った。

僕は正直、それに嫉妬していた。須玖の人気に嫉妬したのではない。須玖を見つけたのは俺なのに、という嫉妬だった。でももちろん、そんなことはおくびにも出さなかった。何より須玖は、僕の家を気に入り、週の半分ほどを泊まりに来てくれるのだ。僕は人気のある恋人を持った女のようなものだった。

高校1年生の終わりまでを、だから僕は結局女の子と接しないまま過ごした。須玖に対してホモセクシュアル的な気持ちになることはなかったが、それに似たような気持ちはあったのだと思う。僕は須玖を独り占めに出来る時間を、心から楽しんでいたのだ。

須玖との蜜月は、2年になって僕たちが同じクラスになると、ますます濃厚なものになった。休み時間はもちろん、席替えで須玖の隣になった奴がいれば、そいつにかけあって席を替わってもらい、授業中でも女子中学生のように手紙を交換し合った。

男子高でそんなことをしていると、必ずたてられる噂があった。つまり、あいつらはホモだとか、そういう類だ。でも、僕と須玖の間では、そんな心配はなかった。それはひとえに、須玖の人徳によるところが大きかった。須玖は僕とことん仲が良かったが、他の生徒たちとも、分け隔てなく接した。僕はその頃には、須玖の愛情をすっかり信じることが出来ていたので、須玖が他の男子と仲良く話をしていても、余裕を持ってその姿を見ていることが出来た。

僕が須玖のことを、改めてすごいと思ったきっかけになった出来事があった。

男子高でたてられるくだんの噂だが、中には真実もあった。つまり、真正のホモセクシュアルがいたということだ。僕らの学年にも、知られている限り、確実にふたりはいた。

吉行《よしゆき》という生徒と、林という生徒だ。

吉行も林も、ナヨナヨとしていて、とても分かりやすい生徒だった。僕はふたりのどちらとも同じクラスになったことはなかったが、入学してすぐにふたりの噂は聞いていた。例えば吉行が廊下を歩いていると、

「林はどないしてん⁉」

そう野次る声がどこかから聞こえたし、林が体育をしていると、

「吉行が見てるぞ！」

そんな声が校舎に反響した。

でも、実際、吉行と林が一緒にいるところを見た奴は、誰もいなかった。吉行も林も、気持ちは女だった。吉行と林は、なれたとしても、恋の相談をしあう女の親友同士であって、ふたりが惹かれあうことはなかったのだ。それどころか、僕の勘違いでなければ、お互いを避け合っているような気配があった。

幼い男子高生たちには、そのことが分からなかった。一概にホモセクシュアルだからというだけの理由で、すべてを一緒くたにしてはいけないものなのだとは、思いもよらなかったのだろう。

吉行と林は、皆から浴びせられる罵声に、静かに耐えていた。野次に対して反論することはなかったし、自分たちの本当の姿を隠そうともしなかった。つまり、吉行と林は、同級生や上級生に、果敢に告白をしていた。そのたび、その噂は校内中を駆け巡り、心無い罵声や、時には暴力となってふたりに返って来るのだった。

僕はというと、ふたりに対しては、静観の姿勢を貫いていた。積極的に苛めることはなかったし、野次に参加することもなかったが、でもだからといって、ふたりをかばったり助けたりする気もなかった。僕も正直、ふたりのことを気持ち悪いと思ってしまっていた。思いつく限りの可愛い子を総動員させ自慰をしていた僕にとっては、その対象が男になるという心境は、まったく想像することが出来なかったのだ。

姉の初恋の人、牧田さんと接するのとは、どだい訳がちがった。あの頃の僕は、何より幼かったし、ホモセクシュアルのなんたるかを、きちんと理解出来ていなかった（その頃の僕も、きちんと理解できてはいなかったのだが）。だが17歳になった僕にとって、ホモセクシュアルは、もはや、僕が牧田さんに思ったような、たんなるそういう人ではなかった。ホモセクシュアルたちは、僕に被害を及ぼす可能性のある人種だった（恥ずかしいことに、僕は被害と思っていたのだ！）。

僕はふたりと違うクラスでいることにホッとしていたし、なるべくふたりの視界に入らないようにしようと思っていた。どうやらふたりが好きなのは、文化系の生徒ではなく我々運動部員のようだったし、図々しくも僕は自分のマスクの良さを自負していた。

だが、彼らの被害をこうむったのは、ほかならぬ須玖だった。

林が須玖を好きだという噂が広まったとき、僕は絶望すると同時に、心のどこかで林のことを見なおしてもいた。

僕にも須玖にも彼女はいなかったが、僕は、須玖を好きになる女の子は間違いなくいい子に違いないと決めていた。僕はモテたかったが、切実にモテたかったが、自分が女だったら、自分より須玖を好きになるだろうと思っていた。そんな須玖に、女として好意をもった林を、気持ち悪いと思いながらも、「よく分かってるな」という共感のような気持ちを持ってしまうのは、だから避けられないことだった。

林は、毎日僕らのクラスにやって来て、須玖を見ているようになった。クラスの皆が林をからかい、罵声を浴びせたが、林はめげなかった。何より須玖が、林に対して普通に接するので、林は嬉々としてクラスに通い、須玖を見続けた。

須玖の対応は驚異だった。林に好意を持たれ、果敢に話しかけられれば、僕などは間違いなく逃げただろうし、なんだったら、皆と同じように罵声を浴びせたかもしれない。この学校で林と噂になるなんて、死よりも辛いことだからだ。

でも須玖は、林の好意を知ってもなお、林に挨拶をし、林に話しかけられても、嫌な顔ひとつしなかった。それなのに、須玖がそういう人だと噂をされなかったのは、やはりひとえに、須玖の人格によるところが大きかった。

須玖は、本当にいい奴だった。まさに、仏だった。

ある日、僕の家に遊びに来ていた須玖に、林のことを訊いてみた。

「林があやって毎日来るやん。須玖はどう思ってんの?」

「どうって?」

須玖は、夏枝おばさんに借りた、メキシコ人写真家の写真集をパラパラとめくっていた。

「いや、だって、ほら、林、お前のことめっちゃ好きやん。」

「うーん。」

須玖は、僕の部屋で寝ころんでいたのだが、まるでそこが自分の部屋であるかのようにくつろいでいた。僕にはそれが嬉しかった。いつも。

「それは分かってるやろ?」

「うん、まあなぁ。」

「気持ち悪ない?」

「気持ち悪くなんてないで。」

須玖はそう言って、写真集を閉じた。

「嘘やん。」

「ほんまや。なんやったら、尊敬してるよ。」

「まじで？　なんで？」

「だって、自分のしたいこととか思いに、嘘つかずにおるのって、難しいやろ。特に、林のような人らは。」

須玖はそう言って、まばたきをした。須玖のまばたきはいつも、僕達よりわずかに遅く、それが見る者に、泰然とした印象を与えていた。僕は、まばたきをする須玖の目を見ながら、林のことを思っていた。

「あんなに皆にいろいろ言われたり、時々どつかれたりしてるやん。それでも、自分の意思を曲げへんのは、俺はほんまにすごいと思うねん。」

僕はすでに、僕がまさに「すごい」と思っている須玖が「すごい」と言う林を、すごい奴なんだと、思い始めていた。僕は単純なのだ。

「じゃあ、林に告白されたらどうするん？」

「断るよ。」

「なんて言って？」

「僕は林のことは好きになられへん、て言う。」

男は好きじゃない、とか、そんな趣味じゃない、などと言わない須玖は、やっぱりとてもいい奴だと思った。

「ちゃんと言うよ。」

須玖はそう言って、また、まばたきをした。僕は何故だか恥ずかしくなって、目を逸《そ》らした。

「歩、須玖君！　ご飯出来たで！」

階下から、母の呼ぶ声が聞こえた。ふたりで食卓に行き、一緒にご飯を食べた。須玖はまるで、僕の双子の兄弟みたいだった。

その数日後、林はやっと須玖に告白した。須玖は、僕に言ったようにきちんと断った。林は泣いたそうだけど、須玖のことをますます好きになったと言って、須玖を困らせた。


僕と須玖の友情は、僕に彼女が出来ても変わらなかった。

さらっと書いたが、そう、僕にも彼女が出来たのだ。僕らの高校の文化祭に来た、女子高の女の子だった。

僕らのクラスは、文化祭で、クラブの真似事のようなものをした。須玖の発案だった。教室の机をすべて片付け、須玖が持ってきたターンテーブルを置き、窓ガラスは段ボールで覆って、昼間でも暗くなるようにした。そして、クラス費で買った小さなミラーボールを回すと、そこは立派なクラブになった。ＤＪは、もちろん僕と須玖、そして何人か「やりたい」と名乗りを挙げた男子生徒が、見よう見まねで僕らが持ってきたレコードを回した。

ＢＰＭを合わすのが難しくて、僕は律儀にフェードインフェードアウトを繰り返すだけだった。だが、須玖はまさにＤＪだった。ヒップホップやソウル、レゲエなど、須玖は黒い音楽を好んだ。

「なんか、全身で生きる！　て叫んでるみたいやない？」

そんな音楽を聴いたことがなかった生徒たちは、たちまち須玖のプレイにくぎ付けになった。僕のクラスに一大ＤＪブームが巻き起こったのだ。

男子生徒の間でもそうなのだから、よそからやって来た女子生徒のはしゃぎぶりったらなかった。他のクラスの出し物に見向きもせず、女の子たちはこぞって僕らの教室にやって来た。もちろん高校側がお酒を出すことは出来なかったから、みんな出し物の屋台で買ったカルピスのファンタオレンジ割りとか、アロエヨーグルトのソーダ割り、なんていうインチキカクテルを飲んでいた。

女の子は初めは恥ずかしそうに、でもだんだん大胆に体を揺らすようになった。それを見た男子生徒たちは興奮して、自分もはちゃめちゃなダンスを踊った。まるでアルコールを摂取しているみたいに、みんなが音に酔っていた。体育館でやっていたバンドのメンバーが、あんまりにも客が来ないことに怒ってわがクラスを訪ねてくるほど、僕らのクラブは大繁盛だった。

僕はそこで、彼女を見つけた。

僕がフェードインフェードアウトの拙いＤＪをしているとき、その女の子は、僕を見ていた。毛先を少しだけカールさせた大人っぽい子で、いかにも女子高の生徒という感じだった。教室は薄暗かったが、時々回るミラーボールの明かりで見る顔は、目がくるりと大きく、たぶんすごく可愛かった。何より、クラスに来ていた男子生徒たちに、次々声をかけられていたのだから、間違いなかった。

その女の子は、友達とふたりで来ていた。もうひとりの女の子は、ボブにした髪の毛を揺らして、ずいぶんとはしゃいでいた。その子も、たくさんの男に声をかけられていたから、やっぱり可愛かった。

僕がＤＪを終え、ブースから出ると、ボブヘアーの女の子が話しかけてきた。

「すごい楽しかった！」

女の子に、こんな風に屈託なく話しかけられるのは、生まれて初めてのことだった。僕はうっかり、その子のことを好きになりそうになった。その子は、明日香《あすか》といった。

でも、僕が付き合ったのは、髪の長い女の子だった。裕子《ゆうこ》だ。のちに裕子から聞いたところによると、僕に話しかけたかったけど出来なかったので、明日香に頼んだのだということだった。

「あんとき歩くん、めっちゃ恰好よかったで。」

そう言って笑う裕子は、本当に可愛かった。

たぶん裕子自身も、自分が可愛いことを、分かっていたのだと思う。僕に見せる表情には、計算ずくのにおいがあった。それに、そもそも僕に声をかけるのが怖いなんてタマじゃなかった。

裕子は自分が「こう見てほしい」と思う自分を演出出来る女の子だった。

でも僕は、もう、有島のときのような失敗をするつもりはなかった。女の子なんて、みんな自分の容姿に関しては何らかの自負があるのだし、いつだって可愛い自分を見てほしいものなのだ。

僕は自分の家庭環境の、悪い呪縛から逃れるべきだった。

裕子は可愛い。それだけでいいじゃないか。

実際、溝口やオーツ、その他素直な男子生徒は、皆声をそろえて、裕子のことを「可愛い」と言った。

「あんな子と付き合えたら、最高やんけ！」

その頃には、溝口にもオーツにも彼女がいた。ふたりとも可愛らしい子だったが、裕子に比べたら、確かに劣った。

「お前の彼女、なんかエロいとこもあるしなぁ！」

裕子は、高校2年生では持ちえない色気があった。

制服をきちんと着ていたが、うっすら化粧をしているようだった。僕にとってはもはや、それくらいやっていてくれた方が気が楽だった。素肌ですよ、という顔をして色つきのリップを塗られるよりは、もう堂々と化粧をして、「綺麗に見せよう」と思ってくれているほうが、よほど自然に見えた。裕子が僕に誘うような目をすると、鼻白む前に体が反応したし、僕の要求に、裕子はしごくあっさり応えてくれたのだ。

というわけで僕は、高校2年生の冬に童貞を捨てた。

場所は、裕子の家だった。裕子の家は母子家庭で、お母さんは日中働きに出ていた。バリバリのキャリアウーマンで、日曜日にもゴルフの接待にでかけるような人だった。裕子の家は、僕と裕子の天国だった。幸いにも裕子はひとりっ子で、僕は、すべてのことが僕らの、特に僕らの性交の味方をしてくれているようだと思った。

裕子と会えるのは、部活がない日曜日だけだった。その関係性も、僕を安らかにしてくれた。裕子は「もっと会いたい」と言ってくれたが、僕は自分の日常を守りたかった。裕子が同じ学校だと、周りの目が気になったり、いろいろとややこしいことになる。日曜日に会えるくらいの関係の方が、何かと都合がいいのだ。

それに何より、僕は須玖との時間を大切にしたかった。

裕子と付き合うようになっても、平日は僕と須玖の大切な時間だった。裕子を僕の家に呼ばなかったのも、母や姉の目が気になるだけではなく、僕の部屋を裕子との性交に使いたくないという思いからだった。僕の部屋は、僕と須玖が親交を深める、大切な、神聖な場所だったのだ。

僕はもちろん、裕子のことを須玖がどう思うか気になった。

僕が裕子と付き合うようになったことを須玖に告げたとき、須玖は、

「そうなんや！　良かったなぁ！」

そう、喜んでくれた。

「ほんまにそう思う？」

「何が？」

「ほんまに良かった、て。」

「思うよ、なんで？　今橋は思ってないん？」

「いや、まあ、嬉しいけど。須玖はどう思う？　あいつのこと。」

「あいつって、裕子ちゃん？」

「そう。」

「いや、俺よう知らんし、綺麗な人やなぁということしか。」

「そうやんな。」

「今橋、裕子ちゃんのこと、好きなんやろ？」

「え、なに言うてん。」

「恥ずかしいんか？　好きやから、付き合うんやろ？」

「……うん、まあ。」

「ほんならええやん、お前が好きなんやったら、全然ええやん。」

須玖は、そういう奴だった。

そういえば裕子が、須玖に明日香を紹介したいと言ってきたことがあった。

「須玖君も恰好ええよね。明日香がすごい気に入っとってん。」

裕子とは違うタイプだが、明日香も可愛かった。はにかむように笑う裕子とは違い、明日香は大きな口を開けて笑う、とにかく明るい女の子といった感じだった。綺麗という形容が似合う裕子に比べ、明日香は正真正銘可愛いが似合うタイプだった。

僕はその提案を、喜んで受け入れた。日曜日だけとはいえ、須玖をほうって裕子と遊んでいるのは（僕達だって、性交以外のことはしていたのだ）、心苦しかった。須玖と明日香が付き合えば、4人で遊ぶことが出来る。僕にとっても、それは素晴らしい考えに思えた。

でも、それを須玖に告げると、須玖は僕が驚くほど渋ったのだった。

「なんか、嫌やなぁ。」

僕が裕子からもらった明日香の写真（とびきり可愛いやつだ）を見せて、

「須玖のこと、恰好ええって言うてたで。」

そう言っても、

「それって、たぶん裕子ちゃんがお前と付き合ったから、影響されてるねんて。」

そう言って、信じようとしなかった。DJをやったときから、他校の女子高生からの須玖の人気は、うなぎのぼりだった。それはそうだ。須玖は正攻法のDJを見事にやってのけ、未知の音楽を皆に届けたのだ。皆は須玖のおかげでデ・ラ・ソウルやジャネット・ジャクソンで踊ることを知り、アル・グリーンの甘い歌声で、生まれて初めてしびれるという体験を得た。そもそも須玖は、端正なマスクをしていたし、高校にはサッカー推薦で入って来た実力の持ち主なのだ。モテないわけがなかった。

僕らの対外試合には、それからたくさんの女の子がやって来るようになった。僕らがプレイをすると、歓声があがり、とうとう須玖にはファンクラブまでつくようになった。

須玖は、そのような状況に、ただただはにかんでいたし、困っていた。溝口や部員が、

「須玖、お前すごいやんけ！」

「モテるなぁ！」

そんな風にはやし立てると、恥ずかしそうに下を向き、

「なんか勘違いされてるねん。」

そんな風に呟《つぶや》くのだった。

須玖はだから、たくさんの女の子から告白攻めに遭っていた。須玖はどの子も、丁寧に断った。林にしたのと、同じやり方で。

須玖を好きになる女の子の中で、明日香は抜きんでているはずだった。何せ、須玖の友人である僕の彼女の友達なのだ。明日香は普通に可愛かったし、裕子と違って、女の子の友達も多かった。可愛くていい子、そんな明日香は、当然ながら、様々な男子生徒に人気があった。

でも、須玖は明日香のことを、

「めっちゃ可愛い子やけど、俺は好きとちがうねん。」

そう言った。周囲に流されない須玖の精神力を、僕は改めて見直した。僕と須玖は、高校にいる間、結局一度も女の子を介することなく、健全な友情を続けたのだった。
そんな僕と須玖の友情が変わり始めたのは、翌年の冬のことだった。

（下巻に続く）

西 加奈子 にし・かなこ

一九七七年五月、イラン・テヘラン市生まれ。大阪育ち。二〇〇四年に「あおい」でデビュー。「通天閣」で織田作之助賞受賞。「ふくわらい」で河合隼雄物語賞受賞。ほかに「さくら」「きいろいゾウ」「円卓」「舞台」など著書多数。

サラバ! 上

二〇一四年十一月三日　初版第一刷発行
二〇一五年十月七日　第十刷発行

著者　西 加奈子
発行者　菅原朝也
発行所　株式会社小学館
〒一〇一-八〇〇一 東京都千代田区一ツ橋二-三-一
編集〇三-三二三〇-五七二〇
販売〇三-五二八一-三五五五
DTP　株式会社昭和ブライト
印刷所　大日本印刷株式会社
製本所　牧製本印刷株式会社